La amante de Bolzano

quinteto
(q)

Sándor Márai

La amante de Bolzano

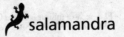

Los derechos de edición sobre la obra
pertenecen a Publicaciones y Ediciones Salamandra, S.A.,
y en consecuencia ésta no podrá ser reproducida,
ni total ni parcialmente, sin el previo permiso
escrito del editor. Todos los derechos reservados.

Título original: *Vendegjatek Bolzanoban*

© Heirs of Sándor Márai, Vörösvary-Weller Publishing Toronto
© por la traducción, Judit Xantus Szarvas
© Ediciones Salamandra, 2005
    Publicaciones y Ediciones Salamandra, S.A.
    Mallorca, 237, entlo. 1.ª 08008 Barcelona
    www.salamandra.info

Diseño e ilustración de la cubierta: Opalworks
Primera edición: marzo de 2005

Depósito legal: B. 8.625-2005
ISBN: 84-96333-32-9
Impresión y encuadernación: Litografía Rosés, S. A.
Printed in Spain - Impreso en España

El derecho a utilizar la marca Quinteto corresponde a las editoriales ANAGRAMA,
EDHASA, GRUP 62, SALAMANDRA y TUSQUETS.

Biografía

Sándor Márai nació en 1900 en Kassa, una pequeña ciudad húngara que hoy pertenece a Eslovaquia. Pasó un periodo de exilio voluntario en Europa durante el régimen de Horthy en los años veinte, hasta que abandonó definitivamente su país en 1948 con la llegada del régimen comunista y emigró a Estados Unidos. La subsiguiente prohibición de su obra en Hungría hizo caer en el olvido a quien en ese momento estaba considerado uno de los escritores más importantes de la literatura centroeuropea. Así, habría que esperar varios decenios, hasta el ocaso del comunismo, para que este extraordinario escritor fuese redescubierto en su país y en el mundo entero. Sándor Márai se quitó la vida en 1989 en San Diego, California, pocos meses antes de la caída del muro de Berlín.

Nota

En los rasgos físicos y de carácter de mi héroe, el lector reconocerá seguramente el peculiar perfil de Giacomo Casanova, el notorio aventurero del siglo XVIII.

De tal identificación —que puede constituir una acusación a los ojos de algunos— sería difícil defenderse. Mi héroe se asemeja terriblemente a ese trotamundos decidido a todo, apátrida y, en contra de cualquier parecer, enteramente infeliz que en la medianoche del 31 de octubre de 1756 bajó por una escala de cuerda desde los Plomos de Venecia al canal y, en compañía de un fraile llamado Balbi que había colgado los hábitos, se fugó del territorio de la República hacia Múnich. En mi defensa sea dicho que de la historia y de la vida de mi héroe a mí no me interesa tanto su peripecia como su índole novelesca.

Por lo tanto, de sus malhadadas *Memorias* no he tomado prestadas más que la fecha y las circunstancias de la fuga. El resto de lo que el lector encontrará en esta novela es puro cuento e invención.

S. M.

Un caballero de Venecia

Se despidió de los gondoleros en Mestre, donde el disoluto fraile, Balbi, por poco lo puso en manos de la policía, ya que tuvo que buscarlo durante largos minutos cuando la diligencia se disponía a partir. Al final lo encontró en un café. Totalmente despreocupado, el fraile estaba tomando una taza de chocolate caliente mientras le hacía la corte a una de las mozas. En Treviso se le acabó el dinero. Se escaparon por la puerta de Santo Tomás hacia la vega, caminaron junto a las huertas y los bosques, y ya en la madrugada llegaron a la altura de las primeras casas de Valdepiadene. Allí sacó su puñal, amenazó a su incómodo compañero de andanzas, fijaron una cita en Bolzano y se separaron. El padre Balbi se marchó malhumorado entre los troncos desnudos de los olivos; era flaco y desaseado, y avanzaba indeciso, mirando una y otra vez hacia atrás con sus ojos taimados y sombríos, como un perro sarnoso ahuyentado por su amo.

Cuando el fraile por fin hubo desaparecido, él entró en la población y con su instinto ciego y seguro solicitó alojarse en la casa del capitán de los esbirros. Lo recibió una mujer pacífica, la esposa del oficial, que le sirvió la cena y le limpió las heridas —tenía sangre coagulada en las rodi-

9

llas y los tobillos, que se había arañado en su fuga, al saltar desde el tejado de placas de plomo—. Antes de quedarse dormido, se enteró por la propia mujer de que el capitán se encontraba fuera, y de que lo estaba buscando a él, el fugitivo. Esa misma madrugada se marchó y prosiguió su camino. La noche siguiente durmió en Pergine, y al tercer día llegó a Bolzano, ya en coche, porque le había sacado seis monedas de oro a un conocido suyo mediante chantaje.

Balbi lo estaba esperando. Él alquiló unas habitaciones en la Posada del Ciervo. No llevaba equipaje e iba vestido con andrajos, con su elegante frac de seda colorada reducido a jirones y sin prenda de abrigo alguna. Por las estrechas calles de Bolzano soplaba el viento furioso de noviembre. El posadero examinó a los harapientos huéspedes con asombro.

—¿Las mejores habitaciones? —preguntó desconcertado.

—¡Las mejores habitaciones! —respondió él en voz baja pero firme—. ¡Y cuida la cocina! Aquí, en vuestro pueblo, cocinan con grasa rancia en vez de emplear aceite. ¡Desde que he dejado el territorio de la República, no he comido un solo plato decente en ningún sitio! Manda que preparen pollo y capón asado para esta noche, no uno, sino tres, rellenos de castañas. Y consigue vino de Chipre. ¿Miras mi ropa? ¿Buscas mi equipaje? ¿Te sorprende que nos hayamos presentado con las manos vacías? ¿Acaso aquí no llegan los periódicos? ¿No has leído *La Gaceta de Leyden*?... ¡Necio! —gritó con la voz ronca por el resfriado que había cogido en el camino y que lo hacía toser, causándole un dolor agudo en la garganta—. ¿No has oído que un noble de Venecia y su secretario y criado han sido despojados de todos sus bienes en la frontera? ¿No ha venido aún la policía?

—No, señor —respondió el posadero, asustado.

Balbi se reía con disimulo. Finalmente consiguieron las mejores habitaciones: un salón, con un par de ventanas de dos hojas que llegaban hasta el suelo, las cuales daban a la plaza principal, muebles con patas doradas y un espejo veneciano encima de la chimenea. El dormitorio tenía una cama de matrimonio con baldaquino. Balbi se alojó en una habitación más pequeña situada al final del pasillo, al lado de una escalera estrecha y empinada que conducía al desván donde dormían las criadas. Tal circunstancia lo colmaba de satisfacción.

—Éste es mi secretario —dijo, para presentar a Balbi al posadero.

—La policía... —observó el hombre entre disculpas—. La policía es muy severa por aquí. Vendrán enseguida. Registran a todos los forasteros.

—Diles —replicó despreocupado— que tienes un huésped que es un caballero. Un auténtico caballero...

—Pero incluso así... —insistió el posadero haciendo una profunda reverencia, su gorra con pompón en la mano, servil y curioso.

—Un caballero de Venecia —añadió él.

Lo decía como si estuviera anunciando un título o un rango especial. Hasta Balbi lo advirtió por su tono de voz. A continuación, él escribió su nombre en el libro de registro de los huéspedes, con letras alargadas y seguras. El posadero se ruborizó por la conmoción; se frotaba las sienes con sus gruesos dedos sin saber si salir corriendo en busca de la policía o postrarse de rodillas y besarle la mano. Así que ni hizo ni dijo nada, muy confuso.

Encendió una lámpara y acompañó a sus huéspedes al primer piso. Las criadas ya estaban arreglando las habitaciones: llevaron velas en enormes candelabros dorados, agua caliente en jarras de plata, toallas de tela de Limburgo... Él empezó a desvestirse despacio, como un rey en medio de su corte; entregó las prendas sucias al posadero y a las criadas, y éstas tuvieron que cortarle con unas tijeras los pantalones de seda, llenos de coágulos de sangre, que se le habían adherido a la piel; se lavó los pies en una palangana de plata, echándose hacia atrás en su sillón, medio muerto de agotamiento, pegajoso y malhumorado. Dormitaba a ratos, gruñía, lanzaba algunos gritos. Balbi, el posadero y las criadas revoloteaban en torno a él, boquiabiertos; hicieron la cama en el dormitorio, echaron las cortinas de la ventana, apagaron casi todas las velas. A la hora de la cena tuvieron que llamar a su puerta con mucha insistencia. Después de cenar se volvió a acostar inmediatamente, y durmió hasta el mediodía del día siguiente, con el rostro relajado, indiferente, como alguien que llevara muerto un día.

«Un caballero», repetían las criadas mientras realizaban sus tareas —cantando, riéndose y susurrando— en la cocina y la bodega; limpiaban los carruajes y secaban los platos, cortaban leña, servían en la taberna; bajaban la voz, se ponían un dedo delante de los labios, se reían una y otra vez, y luego, nuevamente serias, hacían correr la noticia, dándose importancia y entre risitas: «Un caballero, sí, un caballero de Venecia.» Por la noche llegaron dos policías secretos; su nombre, un nombre sospechoso y atractivo, interesante y peligroso, reluciente por la aventura y la noticia de la fuga, atraía a los policías secretos de todas las ciudades. Querían saberlo todo. «¿Está durmiendo?... ¿No lleva equipaje?»

—Sólo un puñal —respondió el posadero—. Sólo lleva un puñal. Sólo ha traído eso.

—Sólo un puñal —repitieron los policías secretos con la apreciación de un experto, sin tener la más mínima idea de lo que se trataba—. ¿Qué tipo de puñal? —preguntaron.

—Un puñal de Venecia —dijo el posadero con devoción.

—¿No lleva ninguna otra cosa? —inquirieron.

—No —repuso el posadero—. No lleva ninguna otra cosa. Sólo un puñal. Eso es todo.

La noticia sorprendió a los policías. No se habrían sorprendido tanto si hubiera llegado con un gran botín, con joyas y piedras preciosas, con bolsos repletos, con cadenas y anillos arrebatados en sus andanzas a inocentes mujeres. Su fama lo precedía, como un mensajero, anunciando su nombre. El prelado había enviado ya por la mañana una misiva al jefe de la policía, solicitando que expulsaran de la ciudad a aquel huésped de tan mala fama. En el Tirol y en la Lombardía, en la misa y en las tabernas, se comentaba la historia de su fuga.

—Vigílalo —dijeron los esbirros—, vigílalo bien vigilado. Queremos saber todo lo que dice, todo lo que hace. Saber si recibe cartas y de quién. Saber si escribe cartas y a quién. Vigila cada uno de sus movimientos. Parece que... —añadieron en voz baja, haciendo un embudo con las manos, susurrando al oído del posadero— tiene un protector. Ni siquiera el prelado puede hacer nada contra él.

—Por el momento —dijo el posadero con aire de experto.

—Por el momento —repitieron los esbirros con severidad.

Se fueron de puntillas, con el rostro sombrío y muy preocupados. El posadero se sentó en la taberna, suspirando. No le gustaban los huéspedes famosos que llamaban la atención del prelado y de la policía. Se acordó de los ojos de su huésped, del fuego oscuro y las ascuas que ardían en aquellos ojos somnolientos, y le entró miedo. Se acordó del puñal, del puñal veneciano, el único equipaje de su

13

huésped, y el miedo se acrecentó. Se acordó de la fama de su huésped, y empezó a maldecir en voz baja.

—¡Teresa! —llamó con enfado a la criada.

Apareció una muchacha vestida con su bata de noche. Tenía dieciséis años; llevaba una vela encendida en una mano y recogía su camisón sobre los senos con la otra.

—¡Escúchame bien! —le dijo en voz baja, haciendo que la muchacha se sentara sobre sus rodillas—. Sólo puedo confiar en ti. Tenemos un huésped peligroso, Teresa. Ese caballero...

—¿De Venecia? —preguntó la muchacha con su melodiosa voz de colegiala.

—El caballero de Venecia, sí, el caballero de Venecia —respondió él, nervioso—. El que acaba de llegar de la prisión. De entre las ratas. De debajo mismo de la horca. Vigílalo, Teresa. Vigila todas y cada una de sus palabras. Ten la oreja y el ojo pegados a la cerradura. Yo te quiero como si fueras mi hija. Eres mi hija adoptiva; pero, si te invita a su habitación, no te resistas. Tú le llevarás el desayuno. Vigila tu honra y vigílalo a él.

—Así lo haré —afirmó la muchacha.

A continuación, se fue hacia la puerta con la vela encendida en la mano; era delgada y parecía una sombra. En la puerta dijo quejumbrosa, alargando las palabras como una niña:

—Tengo miedo.

—Yo también —coincidió el posadero—. Ahora vete a dormir. Pero primero tráeme vino tinto.

La primera noche todos durmieron mal.

14

La noticia

Durmieron asustados, roncando, jadeando y resoplando. Y mientras dormían sentían que algo les estaba ocurriendo. Sentían que alguien rondaba la posada; que alguien les dirigía la palabra y que tenían que responder como nunca habían respondido. La pregunta que el desconocido les dirigía era altiva, descarada, violenta y, por encima de todo, temeraria y triste. Sin embargo, por la mañana, al despertar, ya no se acordaban de ella.

Mientras dormían, volaba la noticia de que él había llegado, de que se había fugado de los Plomos, de que se había escapado en góndola de su ciudad natal a plena luz del día, tomándoles el pelo a todas sus excelencias, a todos los temibles señores de la Inquisición, a Lorenzo, el guardia de la prisión; se decía que había ayudado a fugarse al fraile que había colgado los hábitos, que se había escapado de la fortaleza del dux, que lo habían visto en Mestre, regateando con el cochero de una diligencia, y en Treviso, tomando vermut en un café, e incluso un campesino juró haberlo visto en medio de los prados, donde hechizaba a las vacas. Voló la noticia por los palacetes de Venecia y por las tabernas de la periferia; los cardenales y los ilustres senadores, los verdugos y los policías, los espías y los tahúres, los amantes y los maridos, las muchachas en misa y las mujeres en sus cálidas camas se reían y gritaban: «¡Jo, jo, jo!» O bien se carcajeaban, todos contentos: «¡Ja, ja, ja!» O ahogaban sus risas en la almohada o en el pañuelo, y exclamaban: «¡Ji, ji, ji!» Todos estaban contentos de que se hubiese fugado. La noche siguiente le comunicaron la noticia al papa, que se acordaba de él, y se acordó también de que un día le había impuesto personalmente una condecoración menor, y se rió con la noticia. Se difundió ésta por toda Venecia; los gondoleros se apoyaban en sus largos remos, discutían los detalles de su fuga con todo tipo de comentarios entendidos, y se alegraban con ella, se alegraban porque él era veneciano, porque había burlado la autoridad y el poder, y se alegraban porque alguien hubiese sido más fuerte que la tiranía, más fuerte que las piedras y las cadenas, más fuerte que el tejado de placas de plomo. Hablaban en voz baja, escupían en el agua y se frotaban las manos, muy felices. La noticia volaba, y todos sentían cierto calor en el corazón. «¿En realidad qué había hecho?», se preguntaban. Había jugado a las cartas. Dios mío, quizá no jugaba del todo limpio, hacía saltar la banca en todos los tugurios por donde pasaba, jugaba disfrazado con una máscara, aliado con tahúres profesionales. Pero, después de todo, ¿quién no había hecho una cosa así en Venecia? Por las noches daba una paliza a los que lo habían delatado y seducía a las mujeres para llevárselas fuera de la ciudad, a Murano, a una casa que tenía alquilada... Pero ¿quién no hacía tal cosa, sobre todo siendo joven, en Venecia? Era descarado, hablaba mucho, hablaba demasiado... Pero ¿quién callaba en Venecia?

Todo eso decían, y a veces se reían. Porque había algo bueno en la noticia, algo de venganza, algo que alegraba los corazones. Porque, hasta cierto punto, todos se veían en manos de la Inquisición, hasta cierto punto todos vivían en los Plomos, y ahora alguien había demostrado que un ser humano puede ser más fuerte que la tiranía, que un ser humano puede ser más fuerte que el tejado de placas de plomo, más fuerte que los esbirros, más fuerte que el Messer Grande, que el enviado del verdugo, que el siniestro mensajero. Volaba la noticia, y los policías golpeaban los documentos con nerviosismo, los capitanes no dejaban de gritar, los jueces interrogaban con las orejas enrojecidas a los acusados; enojados, los mandaban a la cárcel, al exilio, a trabajos forzados, a la horca. Se hablaba de él en las iglesias, lo condenaban durante las misas porque materializaba en su cuerpo maldito los siete pecados capitales, en un cuerpo que —según el predicador— ardería en el fuego eterno del infierno, en una caldera aparte, hasta el fin de los tiempos. También se mencionaba su nombre en los confesionarios; lo pronunciaban las mujeres arrodilladas, con la cabeza gacha, escondiéndose tras sus libros de oraciones, golpeándose el pecho y prometiendo penitencia. Todos se alegraban, como si algo bueno hubiese ocurrido en Venecia y en todas las ciudades y en todos los pueblos de la República por donde él había pasado.

Todos dormían y sonreían en sueños. Por donde él pasaba, por las noches se cerraban las puertas y las ventanas con más cuidado, y detrás de las persianas echadas los hombres hablaban más detenidamente con las mujeres. Como si todos los sentimientos que el día anterior habían quedado reducidos a cenizas y ascuas, hubiesen empezado a echar humo y llamaradas. No había hechizado a las vacas, pero los pastores juraban y perjuraban que aquel año nacían más terneras y que eran más hermosas. Las mujeres se despertaban, acarreaban agua de la fuente en sus abombados cubos de madera, encendían el fuego en la cocina, calentaban la leche y ponían la fruta en las fuentes de cerámica, daban el pecho a sus hijos, ofrecían el desayuno a sus maridos, barrían las habitaciones y hacían las camas, y jamás dejaban de sonreír. La sonrisa no se les borraba del rostro, ni en Venecia ni en el Tirol ni en la Lombardía. Las sonrisas se propagaban como una epidemia ligera y fina, se propagaban allende las fronteras; hasta en Múnich estaban enterados y lo esperaban sonrientes. La noticia llegó a París; le relataron la historia de su fuga al rey en el Parque de los Ciervos, y también el rey rió. Se sabía de él en Parma y en Turín, en Viena y en Moscú. Y se sonreía en todos los sitios. Todos los policías y los jueces, todos los esbirros y los espías, todos los que tenían como profesión mantener a la gente en manos de la autoridad y del miedo, hacían su trabajo con suspicacia y con ira durante aquellos días. Porque no hay nada más peligroso que un hombre que se resiste a la tiranía.

Se sabía que no poseía nada, que tan sólo llevaba un puñal, pero en las fronteras se doblaba la guardia durante aquellos días. Se sabía que carecía de aliados y que no se ocupaba de política, pero el secretario del tribunal de la Inquisición elaboró un detallado plan de operaciones para tenerlo otra vez entre sus garras, para meterlo otra vez en su jaula, vivo o muerto, recurriendo al oro o al puñal, de la manera que fuera. Se informó al dux de su fuga, y ese señor bajo y de mirada penetrante golpeó la mesa con una mano llena de anillos y amenazó con trabajos forzados a los esbirros. Los senadores, con sus finas manos amarillentas, se recogían contra el pecho las solapas de sus trajes de seda, muy tiesos en sus sitiales; aspiraban aire entre jadeos por la nariz, amarillenta por la diabetes, y guardaban silencio; con miradas vacías observaban por entre los párpados entornados los frescos del techo y las vigas de la sala del consejo, aprobaban leyes cada vez más severas, se encogían de hombros y callaban.

Pero las sonrisas se propagaban como una epidemia de gripe; se contagiaba la mujer del panadero, la hermana del joyero, hasta la hija del dux. Los hombres y las mujeres, a solas en sus habitaciones cerradas con llave, se aferraban la panza y reían a mandíbula batiente. Había algo tremendamente consolador en el hecho de que alguien hubiese sido capaz de traspasar unas paredes de más de un metro de espesor, de burlar la vigilancia de los guardianes armados con lanzas y picas, de romper el cerrojo de unas cadenas anchas como brazos de niño. Después, los hombres y las mujeres iban a la compra, al mercado, a beber vino de Verona en las tabernas; los usureros pesaban el polvo de oro en sus delicadas balanzas, los boticarios preparaban sus purgantes y sus pócimas mágicas, sus venenos de efecto inmediato pulverizados y ocultos bajo las piedras de los anillos de sello; en los mercados, las vendedoras mostraban sus enormes barrigas detrás de los mostradores llenos de pescado, fruta, carne o hierbas aromáticas; los comerciantes de moda guardaban en sus cajas de cuero perfumadas con polen de flores las medias recién llegadas de Lyon, los sostenes de encaje de Brujas. Y, en medio de tanto trabajo, tanto chismorreo, tanto negocio y tanto oficio, todos se daban la vuelta durante unos instantes, se tapaban la boca con la mano y se reían un rato a carcajadas.

Las mujeres sentían que aquella fuga y todo lo que había ocurrido había sucedido hasta cierto punto en su propio interés. No sabían explicar bien sus sentimientos; pero, como eran mujeres y además venecianas, no los discutían, sino que aceptaban el argumento mudo que el corazón, la sangre y la emoción les dictaban al oído. Las mujeres se alegraban de que se hubiese fugado. Como si una fuerza, hasta entonces encadenada, se hubiese desatado por el mundo; como si del mito y la leyenda, de los libros y los recuerdos, de los sueños y las emociones, de las profundidades ocultas —secretas y desconocidas, verdaderas y temibles— de la vida de los hombres y las mujeres, hubiese surgido alguien sin disfraz y sin peluca, sin polvos de tocador, tan desnudo como vuelve una víctima de su cita en la cámara de torturas. Las mujeres lo seguían con la mirada, se cubrían el rostro y los ojos con una mano o con el abanico, inclinaban ligeramente la cabeza, no decían nada, mas la mirada velada y brumosa de sus ojos, fija en el fugitivo, decía: «Sí, sí, sí.» Por eso sonreían. Era como si su mundo se hubiese colmado de ternura durante unos días. Por las noches se asomaban a las ventanas o a los balcones que daban a los canales, con la cabeza cubierta con un velo de encaje sujeto por una peineta en forma de laúd y un pañuelo de seda sobre los hombros, y miraban hacia abajo, hacia las aguas sucias y aceitosas, calmas e indiferentes, por donde pasaban las góndolas, y devolvían una mirada que la noche anterior habrían rechazado, dejaban caer un pañuelo que unas manos rápidas y morenas recogían sobre el espejo de las aguas, se llevaban una flor a los labios y dejaban escapar una sonrisa. Luego cerraban las ventanas, y en sus habitaciones se apagaban las luces. Pero en su corazón y en sus gestos, en los ojos de las mujeres y en la mirada de los hombres, algo brillaba durante aquellos días. Como si alguien les hubiese hecho llegar una señal secreta que decía que la vida no es sólo un conjunto de leyes y normas, de prohibiciones y cadenas, sino también una emoción más libre, sin sentido y sin propósito, más fuerte de lo que ellos mismos habían creído. Por un momento todos comprendían esa señal y se sonreían los unos a los otros.

Esa complicidad no duró mucho; los códigos de leyes, las reglas escritas y no escritas velaron por que el recuerdo del fugitivo se borrara de los corazones. Al cabo de unas semanas, en Venecia lo habían olvidado. Solamente el señor de Bragadin, su generoso y tierno protector, se acordaba de él, y también algunas mujeres a quienes había prometido fidelidad eterna, además de algunos usureros y ciertos dueños de casas de juego a quienes debía dinero.

«Un hombre»

Así se fugó, así lo precedió la noticia, así lo recordó durante un tiempo Venecia. Luego la ciudad tuvo otros asuntos
en que ocuparse, y se olvidó de su hijo rebelde. En la época
de los carnavales ya sólo se hablaba de un tal conde B., a
quien habían encontrado una madrugada —con su máscara y su traje de dominó— colgado delante de la casa del
embajador francés. Porque Venecia también es ingrata.

Él dormía aún en Bolzano, en su habitación de la Posada del Ciervo, detrás de las persianas echadas, y en dieciséis meses por primera vez dormía seguro en una cama de
verdad, limpia y cómoda, entregado totalmente a la sombría felicidad del sueño. Atravesado en la cama, dormía
a pierna suelta con el cabello pegajoso y los brazos extendidos, a gusto y sin preocuparse por nada, con una sonrisa despreciativa y cansada, como si sintiera que lo estaban
observando por el ojo de la cerradura.

Porque lo observaban, y esto ocurría así: primero lo observó Teresa, la muchacha a quien el posadero había llamado su hija y que desempeñaba el papel de pariente lejana y de criada en la casa. La joven era madura y, según la
opinión de sus parientes, bien proporcionada, de cuerpo
atractivo pero un poco simple de mente. De eso no se ha-

blaba mucho. Teresa, la pariente y criada, tampoco hablaba mucho de nada. «Simplona», decían, y no buscaban razones para fundar tal opinión, pues no era necesario ni estaba bien visto preocuparse mucho por Teresa, ya que la muchacha importaba menos en la Posada del Ciervo que el burrito blanco que uncían al carro para ir al mercado por las mañanas, porque ella era esa pariente, parecida a una sombra, que es pariente de todos, así que nadie se preocupaba por ella, y ni siquiera le daban un sueldo. «Simplona», decían, y los soldados y comerciantes de paso que se alojaban en la posada le pellizcaban la mejilla y los brazos por los pasillos oscuros. Sin embargo, había algo en su rostro, una especie de dulzura —aunque su boca mostraba un gesto de dureza, y sus manos eran fuertes y estaban rojas de tanto fregar—, una expresión noble; su mirada contenía una pregunta, silenciosa y devota, una pregunta que era imposible responder, pero también evitar. Claro que nada de eso, ni su delicado rostro en forma de corazón ni sus ojos interrogantes, importaba mucho. Es innecesario hablar tanto de ella.

Mas estaba de rodillas, delante de la cerradura, observando al hombre que dormía; por eso hablamos tanto de ella. Formaba con las manos un círculo alrededor de los ojos para poder ver mejor, y también su espalda, blanda y suave, y sus fuertes caderas atendían, como si estuviera espiando con todo el cuerpo. Lo que veía no tenía demasiado interés. Teresa había visto ya muchas cosas a través de las cerraduras; hacía cuatro años que servía en la posada, desde que había cumplido los doce; callaba, llevaba el desayuno a las habitaciones, hacía y deshacía las camas por las mañanas y por las noches, las camas donde dormían los forasteros, hombres y mujeres, juntos y por separado. Había visto muchas cosas y no se sorprendía con nada. Llegó a comprender que los hombres y las mujeres eran así; que ellas se pasaban tiempo delante del espejo, y que ellos —incluso los soldados— se echaban polvos de arroz en la peluca, se cortaban, limaban y abrillantaban las uñas, y que luego gemían, se reían o se echaban a llorar, golpeaban la pared con los puños, o bien buscaban entre sus pertenencias alguna prenda femenina o alguna carta, para bañar con sus lágrimas esos objetos inútiles. Así eran los hombres y las mujeres cuando estaban a solas en sus habitaciones, y ella los observaba a través del ojo de la cerradura. Pero ese hombre era distinto. Dormía en su cama de matrimonio con los brazos abiertos en cruz, como si lo hubieran asesinado. Su rostro era serio y muy feo. Era el rostro de un hombre sin belleza y sin atractivo, con una nariz grande y carnosa, labios finos y severos, barbilla puntiaguda y voluntariosa; el hombre era de corta estatura y tenía un poco de barriga porque había engordado durante los dieciséis meses de cárcel, en aquel ambiente de aire viciado donde estuvo privado de libertad de movimientos. «No entiendo nada —se decía Teresa; pensaba con lentitud, dificultad y simpleza—. No lo entiendo —se repetía, con las orejas enrojecidas, emocionada—; ¿por qué les gustará tanto a las mujeres?» Porque por la noche en la posada, por la mañana en el mercado, a todas horas y por todas partes en la ciudad, en las tiendas y en los cafés no se hablaba más que de él, de que había llegado, vestido con harapos y lleno de heridas, con un puñal, sin dinero, con su secretario, el otro fugitivo; mejor ni mencionar su nombre. Aun así, lo mencionaban, lo mencionaban muy a menudo. Los hombres y las mujeres querían saberlo todo, cuántos años tenía, si era rubio o moreno, cómo sonaba su voz... Hablaban de él como si hubiese llegado a la ciudad un cantante célebre, o un forzudo de circo, o un castrado famoso de los que interpretan papeles femeninos en las obras de teatro y también saben cantar. «¿Qué sabrá hacer éste?», se preguntaba la muchacha, con la mirada en el ojo de la cerradura y la nariz aplastada contra la puerta.

El hombre que dormía a pierna suelta y con los brazos extendidos en su cama no era guapo. Teresa se acordó de Giuseppe, el peluquero; él sí que era guapo, con su cara rosada, los labios carnosos y los ojos azules, un rostro de muchacha. Acudía a la posada con frecuencia, y siempre bajaba la mirada y se sonrojaba cuando Teresa le dirigía la palabra. También era guapo el capitán de Viena que se alojaba todos los veranos allí: tenía el pelo rizado, que peinaba con fijador, y el bigote muy cuidado; llevaba su espada envainada, calzaba botas y hablaba un idioma desconocido, extraño y salvaje que ella no comprendía. Más tarde alguien le aclaró que el idioma que el capitán hablaba era húngaro, ¿o quizá turco?... No se acordaba. También era guapo el prelado, con su cabello blanco y sus manos amarillas, su cinturón rojo y su bonete lila sobre la cabeza. Teresa se consideraba bastante entendida en cuanto a belleza masculina. Estaba segura de que ese hombre no era nada guapo, de que era más bien feo, diferente por completo de los hombres que sí gustaban a las mujeres. Y, mientras dormía, sobre su rostro sin afeitar ella pudo apreciar los duros rasgos de la indiferencia que había observado la noche anterior; era como si los músculos estuvieran tensos y crispados alrededor de la boca debido a su temperamento. El hombre gimió y ella se sobresaltó; luego se acercó hasta la ventana, abrió las persianas e hizo una señal con el trapo que tenía en la mano.

Porque las mujeres querían verlo, las mujeres del mercado de fruta que montaban en la plaza, delante de la posada; y Teresa les había prometido —a Lucia y a Gretl, que vendían flores, a la vieja Elena, que vendía fruta, y a Nanette, la viuda triste que vendía medias de encaje— que, si se presentaba la ocasión, las dejaría subir para que lo espiaran a través del ojo de la cerradura. Querían verlo a toda costa. El mercado de fruta estaba especialmente animado; el boticario se encontraba en la puerta de su tienda, justo enfrente de la posada, conversando con Balbi, el secretario, haciéndole beber alcohol destilado y preguntándole por el más mínimo detalle de la fuga. El alcalde, junto con el médico, el recaudador de impuestos y el capitán de la ciudad, habían acudido esa mañana a la botica para escuchar a Balbi; miraban hacia las ventanas cerradas del primer piso de la posada y se mostraban un tanto nerviosos y desconcertados, como si no supieran si celebrar la llegada del forastero con un desfile de carnaval y música nocturna, o si echarlo de la ciudad lo antes posible, como se atrapa y se lleva a la perrera a los perros sarnosos, sospechosos de rabia. Incapaces de decidirse, no supieron responder a esa pregunta ni aquella mañana, ni durante los días siguientes. Mientras tanto, continuaban charlando en la botica y escuchaban a Balbi, que, inflado por la vanidad y la emoción, cambiaba cada media hora la historia de la famosa aventura de la fuga, que se iba transformando en leyenda. Los otros contemplaban las ventanas cerradas de la posada, paseaban arriba y abajo entre los puestos del mercado y delante de las tiendas elegantes de las casas cercanas, y se comportaban con cierta intranquilidad, intranquilidad y perplejidad, como deben comportarse en estos casos los ciudadanos responsables que se preocupan por el buen orden de las casas, las calles y las almas, responsables de las puertas de la ciudad y dispuestos a defenderlas contra los ataques del fuego, el agua y el enemigo; sin embargo, en aquella situación no supieron si reírse o si llamar a gritos a la policía. Así que se pasearon y conversaron hasta el mediodía, desconcertados. A esa hora las mujeres empezaron a recoger sus puestos, y los ciudadanos se marcharon a comer.

A esa misma hora el forastero se despertaba. Teresa había dejado entrar a las mujeres en el oscuro salón. «Déjame ver cómo es», decían en voz baja, arrugando el dobladillo de su delantal, poniéndose la mano delante de la boca, situadas en semicírculo delante de la puerta que conducía al dormitorio. Tenían miedo y estaban encantadas; les habría gustado lanzar unos cuantos grititos, como si alguien las estuviera pellizcando en el costado. Teresa se llevó el dedo índice a los labios; primero cogió de la mano a Lucia, una belleza del mercado, gruesa y de ojos castaños, y la guió hasta el dormitorio. Lucia se agachó —su falda tocó el suelo y se hinchó, como si fuera una campana— y acercó el ojo izquierdo a la cerradura; ahogando un pequeño y agudo chillido, se enderezó, ruborizada, y se santiguó.

—¿Qué has visto? —le preguntaron las otras en un susurro, acercándose a ella con un ruido parecido al de un grupo de cornejas cuando se posan en la rama de un árbol.

La muchacha de ojos castaños sopesó su respuesta.

—Un hombre —contestó por fin en voz baja, un tanto inquieta.

La respuesta hizo reflexionar a las mujeres. Tal revelación tenía algo de idiota, pero también algo de extraordinario y de temible. «¡Un hombre, Dios mío!», pensaron las mujeres, levantando la vista al techo, sin saber si reírse o salir corriendo...

—Un hombre, ¿y qué? —observó Gretl.

La vieja Elena batió las palmas con un movimiento casi devoto, y su boca desdentada repitió con admiración y humildad:

—¡Un hombre!

Y Nanette, la viuda, miró al suelo y dijo muy seria, con un aire lleno de recuerdos:

—¡Un hombre!

Se quedaron así, meditabundas, y a continuación empezaron a reírse y, una detrás de la otra, se arrodillaron delante del ojo de la cerradura y miraron hacia el dormitorio, sintiéndose muy pero que muy bien. Les habría gustado preparar un café, sentarse cómodamente con sus tazas alrededor de la mesa de patas doradas, y esperar así, en medio de una agitación festiva y un tanto descarada, al forastero. Se sentían orgullosas y el corazón les palpitaba porque habían podido ver al forastero y así tendrían algo que contar en el mercado y en la ciudad, en su casa y junto a la fuente. Se sentían orgullosas y al mismo tiempo inquietas, sobre todo Nanette, la viuda, y Lucia, la curiosa; hasta la vanidosa e idiota de Gretl estaba intranquila, como si hubiese algo extraordinario y maravilloso en el hecho de que un hombre hubiera llegado a la ciudad. Tenían la sensación de que su agitación carecía de fundamento o motivo. Y sentían que esa agitación no se debía sólo a la curiosidad impertinente. Era como si por fin hubieran visto a un hombre de verdad a través del ojo de la cerradura; como si, en el mismo momento en que habían espiado el sueño del forastero, hubiesen sometido a examen a sus maridos y amantes y a todos los forasteros que hasta entonces habían conocido. Como si aquel hombre hubiese sido una rareza, un espectáculo: un hombre que no era ni siquiera guapo, sino más bien feo; un hombre que no tenía rasgos refinados ni un porte gallardo, un desconocido de quien sólo sabían que era un impostor, un héroe de las tabernas y de las salas de juego; alguien que ni siquiera portaba equipaje, alguien cuyo nombre era sospechoso ya de por sí, como si éste no le perteneciera del todo; alguien que tenía fama —como todos los hombres mujeriegos— de ser descarado, seguro y tranquilo con las mujeres; como si todo aquel fenómeno fuera, de todas formas, una rareza. Eran mujeres y sentían muchas cosas. Como si, ante aquel hombre a quien todavía no conocían, se les hubiese revelado el fuero íntimo de los hombres que habían conocido.

—Un hombre —repitió Lucia en voz baja, con inquietud y devoción.

Todas ellas sintieron que una noticia volaba ya por el mercado de Bolzano, por los salones de Trento, por los vestidores de los teatros, por los confesionarios de las iglesias, una noticia que hacía palpitar los corazones: la noticia de que un hombre se disponía a partir, de que se despertaba entre bostezos en ese mismo instante en su dormitorio de la Posada del Ciervo. «¿Será un fenómeno tan raro un hombre?», se preguntaban las mujeres de Bolzano a sí mismas, en el fondo de su corazón. No se lo preguntaban con palabras, sino con sentimientos. Una palpitación, una palpitación imposible de malinterpretar, les respondía. Les respondía así: «Sí, es lo más raro que hay.»

Porque los hombres —ellas lo sentían así, vagamente, dentro de su corazón palpitante— eran padres, maridos o amantes, les gustaba comportarse con virilidad, cruzar sus espadas, ostentar sus títulos, rangos y fortunas, correr detrás de las faldas de todas las mujeres; eran así, en su mayoría, en Bolzano y en todas partes, si se podían fiar de lo que se comentaba. Pero ese hombre tenía una fama distinta. A los hombres les gustaba comportarse con altivez, en ocasiones casi cantaban como gallos por su vanidad y su gallardía, de una manera ridícula. Pero la mayoría de los hombres eran tristes e infantiles, o tontos y ansiosos, o bien indiferentes e insensibles. En aquellos momentos, esas mujeres sintieron que Lucia estaba en lo cierto, que ellas habían visto a un hombre de verdad, a un hombre auténtico, alguien que era total y solamente hombre, como un roble que sólo es un roble, como una roca que sólo es una roca y nada más. Al comprender todo eso se miraron con las bocas y los ojos muy abiertos, reflexivas e inquietas.

Lo comprendieron porque Lucia lo había puesto en palabras, porque ellas lo habían visto con sus propios ojos, y porque la estancia, la casa y toda la ciudad estaban llenas de una tensión y una excitación que emanaban de la propia presencia del forastero; comprendieron que un hombre de verdad es un fenómeno tan raro como una mujer de verdad. Un hombre que no necesita demostrar nada a los demás con palabras altisonantes ni con su espada, que no necesita cantar como un gallo, que no pide más ternura que la que él mismo es capaz de ofrecer, que no busca ni a una madre ni a una amiga en las mujeres, que no quiere refugiarse en los brazos del amor ni detrás de las faldas de las mujeres; un hombre que únicamente desea dar y recibir, sin prisas, sin ansiedad, porque ha entregado toda su vida, todas sus energías, todas las luces de su mente y todos los músculos de su cuerpo a la atracción de la vida misma: ese tipo de hombre es un fenómeno verdaderamente rarísimo. Hay hombres que necesitan de una madre, hay hombres taimados, y también los hay vociferantes y gallardos que exageran y deforman sus sentimientos hacia las mujeres, y además los hay indiferentes, tímidos y aburridos... Y ninguno de ésos son hombres de verdad. Hay también hombres guapos que no se preocupan por las mujeres sino por su propio atractivo y sus propios éxitos. Hay igualmente hombres crueles que se aproximan a las mujeres como a un enemigo, como hacen los asesinos, con una sonrisa melosa en los labios, escondiendo un puñal debajo del capote. En algunas ocasiones, raras ocasiones, aparece un hombre de verdad, como había aparecido allí. Ellas comprendieron la fama que lo había precedido, y la inquietud que se había apoderado de la ciudad; parpadeaban, suspiraban, jadeaban, se oprimían el pecho. De repente, Lucia lanzó un grito y todas retrocedieron hacia la puerta de salida. Porque la puerta del dormitorio se había abierto, y allí, bajo el dintel, un tanto encorvado, con la cara sin afeitar, guiñando a la luz del día, con los ojos inflamados, enjuto como si estuviera agotado y súbitamente firme, como si se preparara para saltar, estaba el hombre, el forastero.

Despertar

Las mujeres retrocedieron hacia la pared y la puerta. El hombre inclinó la cabeza despeinada hacia un lado —en su cabello había unas plumas de la almohada: parecía recién llegado de un baile de máscaras, de un carnaval infernal del sueño y de la noche en el que unas brujas hubiesen untado en alquitrán al bailarín diabólico para después emplumarlo—, parpadeó, miró el salón con sus ojos inquisitivos y penetrantes, miró los muebles uno por uno, girando la cabeza lentamente, con comodidad, como alguien que dispone de todo el tiempo del mundo y que sabe que todas las cosas tienen el mismo valor, porque solamente cobran importancia a través de los sentimientos que se adquieren al contemplar el mundo. Reparó en la presencia de las mujeres y cerró casi del todo los párpados de pestañas brillantes y gruesas. Permaneció unos segundos así, con los ojos cerrados. A continuación, con la cabeza echada a un lado y la mirada interrogante, orgulloso y decidido, como mira el amo a sus sirvientes —un verdadero amo a sus verdaderos sirvientes, a quienes considera seres imperfectos, no porque él sea el amo y los otros los sirvientes, sino porque los sirvientes asumen su papel de sirvientes—, miró a las mujeres. Levantó la cabeza y pareció haber crecido de repente. Con un brusco movimiento de un brazo, algo corto y de mano huesuda y amarilla, se echó el faldón de la amplia bata por el hombro izquierdo. El gesto era prepotente y teatral. Las mujeres se percataron de ello y, como si se hubiesen liberado del hechizo de los primeros momentos —porque el hombre se había delatado con dicho movimiento, demostrando que no estaba del todo seguro de sí mismo, que se esforzaba en actuar y que tan sólo pretendía aparentar ser poderoso y señorial—, rompieron a toser y a carraspear, aliviadas. Nadie decía nada. Permanecieron así durante un rato, callados e inmóviles, mirándose a los ojos.

Inesperadamente, como si estornudara, el hombre comenzó a reír. Reía sin emitir ningún sonido, tan sólo con los ojos, que empezaron a brillar, muy abiertos, dando la sensación de que alguien hubiese abierto de pronto una ventana en una habitación oscura. Ese brillo alegre y directo, deslumbrante y descarado, curioso y confidencial, emocionó a las mujeres. No se reían, no gritaban «¡Ja, ja, ja!», no decían «¡Jo, jo, jo!» ni «¡Ji, ji, ji!». Callaban y observaban al hombre. Lucia desvió ligeramente los ojos, miró el techo, como si estuviera pidiendo socorro, y dijo en voz baja, casi con un gemido:

—*Mamma mia!*

Nanette unió las manos en un gesto de súplica. El hombre callaba y se reía. Enseñaba los dientes, sus dientes grandes, fuertes y amarillentos, mostraba sus colmillos perfectos de depredador, se reía sin emitir ningún sonido; se reían sus ojos, su boca, sus dientes, su rostro, con una alegría cómoda e indolente, una alegría segura de sí misma, como si no hubiese nada en el mundo más divertido que esa situación, allí, en Bolzano, en una habitación de la Posada del Ciervo, hacia el mediodía, frente a esas mujeres asustadas que habían ido a hurtadillas para verlo despertar y luego chismorrear sobre ello en la ciudad y en las fuentes.

La risa le sacudía el tronco. Se llevó las manos a las caderas, se inclinó ligeramente hacia atrás y continuó riéndose. Como si un sentimiento enterrado durante mucho tiempo en su interior irrumpiera y traspasara con su hirviente flujo todo su ser —un sentimiento ni muy profundo, ni muy elevado, ni especialmente trágico, sino cálido y placentero como la vida misma—, la risa empezó a burbujear en la garganta del hombre, se transformó en un sonido estridente y ronco, y comenzó a expandirse como una canción conocida y vulgar que saliera de la boca de un cantante. Terminó por reírse a carcajadas, con las manos sobre las caderas, un poco echado hacia atrás.

Su risa, estridente, parlanchina, emocionante y contagiosa, se extendió por toda la habitación, salió al pasillo y llegó hasta la plaza. Se reía como alguien que se acuerda súbitamente de algo, que comprende lo que ha ocurrido, y a quien la medida de tanta infamia humana, en realidad desmedida, le provoca una risa irrefrenable. Se reía como alguien que se acuerda de todo de repente, que se despierta de un sueño malvado, que contempla el mundo y que no puede sentirse colmado ante un panorama tan aterrador y tan ridículo. Se reía como alguien que prepara algo, una broma descomunal que deslumbrará al universo; se reía como un adolescente, a mandíbula batiente, con voz de lobo, como si estuviera planeando echar polvos urticantes en las camisas de dormir de todos los señores pudientes del mundo, en los corsés de las damas, como si estuviera organizando una farsa grandiosa e irresistible, como si estuviera preparándose para hacer estallar el mundo entero, por pura diversión. Se reía con las manos puestas en las caderas, con barriga espasmódica, la voz ronca y la cabeza torcida hacia un lado, con todo el cuerpo agitado por sacudidas. Luego su risa se transformó en tos, puesto que se había resfriado en el viaje y no soportaba el clima de noviembre cerca de las montañas. Tosía con el rostro colorado y congestionado.

Cuando se le pasó el acceso, se le acabó también la alegría, y una ira infinita se apoderó de él.

—Oh, las damas... —dijo con voz grave y baja, con los dientes apretados, casi silbando. Cruzó los brazos encima del pecho—. Estimadas señoras, tengo el honor...

Se inclinó en una profunda reverencia e hizo un ademán de cortesía con los brazos, doblando las rodillas, interpretando a un caballero bien educado, como si estuviera saludando a las damas de la corte de Francia, en los pasillos del palacio de Versalles, una mañana en que el rey todavía durmiera con la tripa hinchada y el rostro morado, y los cortesanos inútiles y serviles se ejercitaran entre sí en el arte de la cortesía.

—Tengo el honor —repitió—, yo, el vagabundo. El fugitivo. El que acaba de salvarse del infierno de la prisión, de la humedad y de las ratas, el que no ha visto un rostro amable, unos rasgos suaves en año y medio. ¡Tengo el honor y tengo el placer! —repetía, muy cortés, sibilino y temible.

Percibiendo la amenaza en su voz, las mujeres se acercaron las unas a las otras, como las gallinas durante la tormenta, y retrocedieron lentamente hacia la salida; Lucia trataba de encontrarla rozando la pared con las nalgas. El hombre empezó a caminar despacio en su dirección, deteniéndose después de cada paso.

—¿A qué se debe el honor? —preguntó, con la voz todavía ronca pero más elevada—. ¿A qué se debe el honor de que, al despertarme por la mañana en mi habitación, encuentre a las damas más hermosas de Bolzano? ¿Qué le traen las damas de Bolzano al fugitivo, al desterrado, al expulsado de la humanidad, perseguido por perros y policías a través de fronteras y países, buscado por los mercenarios de la Santa Inquisición, armados con picas y lanzas, a través de los bosques y debajo de los matorrales? ¿Acaso no tienen miedo estas damas de este pobre fugitivo, no temen encontrarlo malhumorado, justo esta mañana, la primera mañana después de haber vuelto a dormir en una cama decente, y no encima de un jergón de paja como los animales? ¿No tienen miedo de él ahora que se despierta y se acuerda de todo? ¿Qué quieren las bellezas de Bolzano? —preguntó casi gritando, con un tono estridente. Se irguió con un brusco movimiento y por un instante pareció embellecerse. Su rostro se llenó de emociones, como un paisaje desierto iluminado por un rayo—. ¿Quién soy yo para que a mi llegada las damas de Bolzano vengan a hurtadillas a mi habitación y soliciten ser invitadas en el hogar momentáneo de un hombre sin hogar?

Disfrutaba visiblemente con el efecto de sus palabras, con el susto de las mujeres, con la superioridad y la seguridad de su comportamiento y su situación. Jugaba con ellas, como un maestro de esgrima con su débil contrincante, acercándose paso a paso, y cada palabra suya era como una finta con el florete.

—¡Bellas damas de Bolzano! ¡Tú, la más vanidosa, la más morena! ¡Tú, la de la mirada virtuosa, la del rosario encima de la capa! ¡Tú, la de los senos bonitos, que te escondes en la esquina! ¡Tú, la anciana! ¿Qué miras con tanta curiosidad? ¿Es que ha llegado un tragasables o un escupefuegos a la ciudad, acompañado de monos y de osos, y vosotras habéis venido a curiosear y observar las bestias? ¡Lo que ocurre es que aquí no hay jaulas, y la bestia se ha despertado con hambre!

Se rió otra vez, con amargura y mal humor.

—¿De dónde venís? —inquirió más sosegado, con cierto desprecio—. ¿Del mercado? ¿De la taberna? ¿Ya se comenta en la ciudad que he llegado, ya aguzan el oído y la vista los policías secretos, ya chismorrean las mujeres en los salones y en los palcos del teatro, y vosotras en el mercado? ¡Ya se cuenta que estoy aquí, que he llegado, que va a haber diversión! ¡Menudo honor! —repetía desganado, quejándose—. ¡Pues miradme bien! ¡Así soy yo! ¡Así soy yo de verdad, no como me ven por las noches, con peluca, vestido de frac morado, con espada en el costado y anillos en los dedos! ¡Así soy, ni más guapo, ni más joven! ¿Os gusto así?... ¿Me deseáis?... ¿Soy como mi fama me describe? ¿Qué queréis de mí? ¿Que escapemos todos juntos, los seis? ¿Que alquilemos una diligencia? ¿Que nos vayamos a recorrer mundo, ya que yo soy Giacomo, el amante vagabundo, el siervo y el sirviente de todas, al servicio de todas las damas, cuando desean y donde desean? ¡Gallinas ponedoras! ¡Fuera de mi vista! —dijo amenazador, y sus ojos, negros y relucientes, adquirieron un fulgor verdoso; por lo menos Lucia así se lo confesaría una noche a su marido, entre llantos, sacudida por los sollozos, en el lecho conyugal—. ¡He estado en la prisión durante dieciséis meses, encerrado en nombre de la moral y de la decencia! ¿Sabéis lo que es eso? Dieciséis meses, cuatrocientos ochenta y ocho días con sus cuatrocientas ochenta y ocho noches encima de un jergón de paja, en medio del hedor de la miseria humana, víctima de los piojos y las pulgas, en compañía de las ratas, durante dieciséis meses, cuatrocientos ochenta y ocho días en la oscuridad, sin poder ver la luz del sol, sin tener ni siquiera una lámpara decente, como los topos, como las ratas, a solas con mi juventud, a solas con las intenciones y los deseos de un hombre, a solas con los recuerdos, con los recuerdos de la vida, los recuerdos de brillantes despertares y de dulces acostares, completamente a solas, expulsado del mundo en nombre de la moral y de la decencia, de las cuales soy enemigo... Por lo menos así me lo hizo saber el Messer Grande cuando me detuvo. Cuatrocientos ochenta y ocho días robados y arrancados de mi vida, cuatrocientas ochenta y ocho noches durante las cuales habría podido contemplar la luna y el mar en el puerto, el rostro de los hombres bajo las farolas, el rostro de las mujeres en el momento en que las luces se apagan y las caras sólo quedan iluminadas por el resplandor de los ojos de los amantes. —Estaba como borracho; hablaba muy alto, como alguien que hubiese estado callado durante demasiado tiempo—. ¿Por qué retrocedéis? —preguntó gritando y abriendo los brazos—. ¡Si yo estoy aquí! ¡Si ya he llegado! Tú, anciana, ¿por qué te escondes detrás de la puerta? Tú, vanidosa y tonta, la morena, ¿por qué no te acercas? ¡Mira mis manos, mira mis brazos, que han tenido entre ellos a tantas mujeres! ¿No querías verlos? ¡No tendrás miedo de estas manos!... Saben usar la espada y los naipes, pero también acariciar. ¡Tú, rubia y blanda! ¿Conoces estos dedos? Saben encontrar las picas y los tréboles hasta en la oscuridad, pero además sus yemas conocen también la ternura, saben tocar con tanta ternura que gritarías de placer, y hasta como abuela desdentada les contarías a tus nietos los recuerdos de los momentos en que estos dedos te acariciaron la nuca. ¡Damas de Bolzano! ¡Id a la ciudad y anunciad que he llegado, que estoy aquí, que ha empezado la función! ¡Ha llegado el caballero de las faldas, el consuelo de las damas, el médico de los corazones desengañados, el que conoce el arcano de los dolores de corazón, y el que sabe preparar las cocciones que hay que darles a los amantes lánguidos a la hora de comer para que por la noche estén otra vez vigorosos y divertidos en la cama! Contad que habéis conseguido irrumpir en mi habitación, que habéis visto con vuestros propios ojos que estoy aquí, que no me he atrofiado en la prisión, que mis brazos, mi corazón, mis hombros y todo lo demás, absolutamente todo, está en su sitio. ¡Damas! ¡Haced correr buenas noticias sobre mí! Habladles a los hombres en los instantes de intimidad, cuando desatáis vuestros cinturones y os quitáis vuestras faldas, contadles que ha llegado Giacomo, el que había sido condenado a prisión, al infierno y a la oscuridad en nombre de la moral y la decencia, y que se ha vuelto totalmente decente y se ha corregido por completo, y que ahora suplica perdón, generosidad y protección. Pedid clemencia por mí, bellas damas, a los poderosos y a los decentes, a quienes nunca han cometido ningún error y se atreven a condenar a los culpables. ¡Porque yo soy culpable! Id a contar que Giacomo se ha arrepentido de sus pecados. Soy culpable porque lo sé todo sobre las mujeres y sobre los hombres, y porque tengo fama de apreciar la vida por encima de todo. Id a contar que he llegado.

Se acercó a la ventana y la abrió de par en par. La luz, la luz de noviembre, penetró en la habitación, llenándola con una luminosidad fría y abundante, como una cascada de los Alpes. Permaneció con los brazos abiertos, agarrándose a las hojas de la ventana, con la cabeza echada hacia atrás bajo la luz, dejando que la claridad le bañara el pálido rostro, recibiendo la caricia del sol con los ojos cerrados, sonriendo.

—¡Idos ya! —dijo sin moverse, sonriendo de espaldas a las mujeres, que permanecían agrupadas en un rincón de la estancia—. Contad que he llegado. El infierno se ha acabado. Y brilla el sol.

Suspiró profundamente. Y, lleno de júbilo, como si comunicara una buena noticia al mundo entero, añadió en voz baja:

—He despertado.

Se mantuvo así, con los ojos cerrados, sin volver la cabeza hacia la puerta, por la cual ya salían de puntillas las curiosas mujeres del mercado de Bolzano hasta alcanzar el pasillo. Las pisadas de la mujeres sonaban rápidas y decididas por la escalera. Él escuchaba el ruido sin moverse ni alzar los párpados; bebía a grandes sorbos el aire fresco, con la boca entreabierta, como si aun así estuviera viendo todo lo que ocurría en la habitación, y luego le dijo a Teresa, que se había quedado la última en la estancia y había apoyado ya en el picaporte su pequeña mano, enrojecida pero bonita:

—Tú, quédate aquí.

Habló con tono ligero, mas la voz era firme, como quien sabe que sus órdenes son inapelables. Contemplaba la plaza con mucha atención, las casas dibujadas con contornos definidos bajo el baño de luz. Suspiró levemente, como uno hace al despertar, cuando se despereza, gime y por fin cae en la cuenta de que tiene tareas por delante y no puede escapar de ellas. Con un tono distraído y amable le pidió:

—Acércate.

Ensayo y escala musical

Se dio la vuelta y se dirigió con pasos rápidos hasta el sillón de patas doradas, tapizado con una seda estampada de flores, que se encontraba delante del espejo y de la chimenea; se sentó, cruzó la pierna derecha —de pantorrilla fuerte y musculosa, como las piernas de quienes montan a caballo y caminan con asiduidad— sobre la rodilla izquierda, posó las manos en los brazos del sillón y observó a la muchacha con atención y seriedad.

—Acércate —le ordenó en voz baja—, ven a mi lado.

Cuando la muchacha se aproximó con paso lento y tranquilo y se colocó a su lado, él cogió su manita enrojecida, la levantó con suavidad y, como el galán que hace girar a su pareja de baile, o como el sastre que está examinando una nueva creación, un vestido de gala que se acaba de probar la modelo, con un gesto gentil y experto obligó a la muchacha a volverse.

—¿Cómo te llamas? —le preguntó. Cuando ella le dijo su nombre, él inquirió—: ¿Cuántos años tienes?

Al escuchar la respuesta, se quedó pensando, dubitativo, moviendo la cabeza con reprobación.

—¿Por qué has permitido que esas mujeres entraran en mi habitación? —preguntó al cabo, y, como si no esperara respuesta alguna, continuó enseguida—: La gente cree, Teresa, que soy un hombre corrompido, que soy como dice mi fama. Ya me da vergüenza hasta viajar. Uno se hace famoso porque el mundo es un pañuelo, el tráfico ha crecido considerablemente en los últimos tiempos, las gacetas y los correos son casi perfectos. La gente lo sabe todo gracias a los chismes de los periódicos, a los listillos que pululan por los pasillos de los teatros; ya no existe el secreto. A veces creo que ya ni existe la vida privada. En mi juventud era diferente. Hoy en día Venecia es como una caja de vidrio: todo el mundo se encuentra sentado en un escaparate; la gente estafa, roba, come y hace el amor en público. ¿Has ido alguna vez a Venecia? Ya te llevaré yo, por lo menos a pasar un fin de semana —dijo distraído, sin concederle importancia—. No, hija mía, no debes creer a los venecianos. Mírame a los ojos. ¿No ves qué triste estoy?... Los que difunden esos rumores han hecho de mí un hombre ridículo, una curiosidad de feria; con la noticia de mi llegada a una ciudad, los petimetres empiezan a aguzar las orejas, y también los espías, los propietarios de las casas de juego y las mujeres que viven a costa de otras más jóvenes y menos hábiles; en los paseos de la ciudad los grupos de muchachos susurran mi nombre, desde los balcones y las carrozas me persiguen las miradas curiosas; las mujeres levantan sus anteojos dorados hasta sus ojos miopes, inclinan la cabeza a un lado y exclaman: «¡Oh! ¿Es él?... ¡Qué vergüenza!... ¿Por qué lo dejan entrar en la ciudad? ¡Quiero que me lo presenten!» Así hablan las mujeres. Acércate más, querida. Mírame a los ojos. ¿Tienes miedo de mí?

—No tengo miedo —le contestó la muchacha.

El forastero se quedó pensando.

—Eso no está bien —observó, un tanto nervioso.

Pero era cierto: Teresa, la criada y pariente que trabajaba en la Posada del Ciervo, ya no sentía miedo. Ahora

44

que se encuentra delante del hombre, entregando su mano a una mano extraña que la acaricia y la agarra con un único movimiento, una mano que le brinda un obsequio al tiempo que le arrebata todo lo que posee, quizá sea el momento de hablar de ella. La muchacha era insignificante, estaba soltera, aunque había siempre un gesto en su boca que decía muchas cosas de ella a los hombres. Tenía dieciséis años, como ya habíamos mencionado, conocía los viciados secretos de las habitaciones y las alcobas de la posada, hacía y deshacía las camas, sacaba el agua sucia una vez se habían marchado los huéspedes. Tenía una falda de tela azul marino que le había regalado un comerciante de Turín como recuerdo, un corpiño verde claro con escote muy pronunciado que una actriz había olvidado en el fondo del armario de su habitación cuando, viajando de paso, se alojó en la posada, y un libro de oraciones con una blanca cubierta de cuero e imágenes de san Antonio de Padua; aparte de esas cosas, no poseía nada más en el mundo. Bueno, también tenía un peine de Venecia. Dormía en el desván, encima de las habitaciones de los huéspedes, cerca de la habitación de Balbi; y era del sur del Tirol, de un pueblo que casi se ahogaba al pie de una alta cumbre, aplastado por el paisaje, la montaña y la pobreza. Su padre se había marchado a servir como mercenario en el ejército del rey de Nápoles, y no había regresado. Teresa miraba al forastero y no tenía miedo.

El miedo que había sentido la noche anterior, cuando el posadero había hablado con ella —un posadero que a veces le pegaba y otras la invitaba a su cama de viudo—, el miedo que había sentido cuando, después de la cena, había visto al forastero dormitar y gruñir en sueños, había desaparecido cuando el hombre le había cogido la mano. Su propia mano la avergonzaba un poco; estaba enrojecida de tanto fregar y tanto cargar leña, agrietada por el aire frío, porque en Bolzano el viento soplaba sin cesar, y ella pensaba en ocasiones que nunca se acostumbraría a vivir allí. Por eso dejó su mano a regañadientes en la mano fuerte pero también suave y noble, cuidada y fría, del hombre. Sin embargo, se tranquilizó enseguida al notar su tacto. El hombre le cogía la mano como si le brindara un obsequio y a un tiempo le arrebatara todo lo que tenía. Poco a poco, un extraño calor empezó a fluir hacia la muchacha desde la mano de él, fría y lisa, desde sus venas; pero no como cuando ella se calentaba al lado de la estufa, ni como cuando se sentaba al sol. El calor se expandía y la envolvía; a veces desaparecía, como cuando se apaga una vela, o como cuando el viento achica por un instante la llama de una lámpara... Era como si hubiese una tormenta o un incendio en las cercanías. La mano del hombre calentaba la suya. Ella ya no tenía miedo. No pensaba en nada. Lo que más le gustaba era hablarle al perro blanco de orejas puntiagudas de la posada, en el jardín. No le gustaba hablar con nadie; prefería sentarse durante horas y horas, tanto en invierno como en verano, en un rincón oscuro de la iglesia, debajo de la imagen de la Virgen, al lado del púlpito, cerrar los ojos y no pensar en nada. A veces pensaba en el amor, pero sólo como el marinero piensa en la mar. Conocía el amor y no lo temía.

Ahora que el hombre la estaba tocando —sujetándole la mano cortésmente con dos dedos, como si quisiera invitarla a bailar, mientras tenía la cabeza inclinada hacia un lado y apoyada en la otra mano—, Teresa sintió que ella era la más fuerte de los dos. Ese sentimiento la sorprendió. Según todos los indicios, el forastero era poderoso y señorial, aunque hubiese llegado envuelto en harapos, y también era mayor, mucho mayor que ella; y para colmo era famoso, tanto que las mujeres se empeñaban en verlo. Teresa tenía, pues, razones para sentir miedo de él. Además

le había prometido que la llevaría a Venecia, y ella descon-
fiaba de las promesas, porque el que promete ya está mintiendo; sólo dan algo quienes no dicen nada por adelanta-
do. Tampoco sabía lo que el hombre quería de ella... Otros
la pellizcaban, le daban una palmadita en las nalgas, intentaban besarla o le susurraban palabras ardientes al oído, in-
decentes y vulgares, ruegos sucios o proposiciones obsce-
nas, la invitaban a subir a su habitación después de la
medianoche, cuando todo el mundo estaba acostado. Teresa conocía a los hombres. Pero ése no la pellizcaba, ni la
invitaba a ningún sitio, y tampoco decía indecencias. Sólo
la miraba con aire un tanto preocupado, con mucha atención, como si estuviera tratando en vano de acordarse de
algo, de un nombre, de un recuerdo, de un concepto signi-
ficativo de vital importancia.

—Así que no tienes miedo... —dijo el hombre en voz
baja.

Con un movimiento muy tierno y cortés, como rogán-
dole, aunque de manera inequívoca, hizo que la muchacha
se sentara sobre sus rodillas. Ella no se resistió a ese ademán que parecía una orden. Se acomodó sobre las rodillas
del hombre educadamente, como si estuviera invitada en
sociedad, en un país extranjero, preparada para saltar y salir corriendo si la llamaban con la campanilla o con un grito. Los dos estaban muy serios. Se miraban a los ojos, con
mucha atención; el hombre entornaba un poco los párpados para poder verla mejor, y giró el rostro de Teresa hacia
la luz, cogiéndolo entre dos dedos. Ella aceptó el gesto,
como si estuviera obedeciendo las benévolas instrucciones
de un médico.

—Hace dieciséis meses —dijo el forastero muy tranquilo— que no miro a una mujer a los ojos. Tienes unos
ojos muy bonitos, Teresa, del color del cielo de Venecia.
Desde una ventana de la prisión distinguía a veces el cielo,

cuando me sacaban a pasear por el pasillo. Era azul, exactamente de este mismo azul grisáceo y frío, como si el mar se hubiese reflejado en él. Tus ojos tienen el color de las cosas eternas —añadió con cortesía—, aunque tú no puedes comprenderlo. Tampoco importa que lo comprendas. Hay un malentendido entre nosotros, entre el hombre y la mujer, y siempre me avergüenzo cuando hablo demasiado con una de vosotras. Dame un beso —pidió simplemente, con amabilidad.

Como la muchacha no se movía, como seguía contemplándolo con esos ojos de color azul grisáceo, manteniendo la cabeza en una postura rígida, repitió, un poco sorprendido pero siempre con amabilidad:

—Dame un beso. ¿O es que no lo has entendido bien?

Teresa recordó más tarde el tono de su voz y constató que con él también habría podido pedirle un vaso de agua, o bien decirle que llamara a Balbi a su habitación, porque estaba aburrido. Con ese tono sencillo e indiferente acababa de decirle «Dame un beso». Pero ella nunca había dado un beso a ningún hombre, así que no hacía más que mirarlo con ojos vidriosos, con una mirada más simple que inteligente. El hombre la abrazó por la cintura —con una mano, con un gesto indiferente, como si tendiera la mano para alcanzar un libro o un peine— y le preguntó, curioso y amable:

—¿Qué sientes?

—Nada —respondió la muchacha.

—No entiendes —replicó ligeramente enfadado—. No entiendes mi pregunta. No te estoy preguntando por lo que sientes en general, con respecto a la vida, a los hombres o al amor. Escúchame, pequeña. Te estoy preguntando qué sientes cuando te toco, qué sientes cuando te agarro del brazo por encima del codo, qué sientes si pongo mi mano en tu corazón, así. ¿Qué sientes ahora mismo?

—Señor —repuso la muchacha con educación, levantándose y haciendo una ligera reverencia delante del forastero, mientras alzaba ligeramente la falda con ambas manos, como había visto en el comedor de la posada—, es que no siento nada.

El hombre también se levantó. Se quedó así, con las piernas separadas, los brazos cruzados sobre el pecho, la cabeza agachada, sombrío y perplejo.

—No puede ser —dijo, y tosió, nervioso, con perplejidad—. Es imposible que no sientas nada, cuando yo... Bueno, espera —añadió, y abrazó a la muchacha con un movimiento rápido, inclinándose sobre su rostro joven y fresco, hundiendo el brillo de sus ojos oscuros en el azul claro suave y tranquilo—, ¿y ahora? ¿Y si te abrazo? ¿No sientes el calor de mi aliento? ¿No sientes cómo te estrecho las costillas con mis manos?... ¿No sientes qué cerca estoy de ti? ¿No sientes que en este mismo instante ya nos conocemos, que te traigo un regalo precioso, el regalo de la vida y del amor?... ¿Verdad que estás ya temblando, que un temblor extraño te traspasa el cuerpo, desde los dedos de los pies hasta la coronilla, un temblor que nunca has experimentado, como si advirtieras ahora mismo que estás viva, que has vivido para este preciso momento, que para esto has nacido al mundo? —Como ella no respondía, le preguntó, desconcertado—: ¿Qué te ocurre? —Soltó a la muchacha, se llevó la mano a la frente con un gesto ligero, y miró a su alrededor, cada vez más perplejo.

Porque la joven que se encontraba delante de él, a un paso de distancia, esa joven insignificante, desaseada, harapienta y descalza —una criada de posada de las que había conocido tantas, pues, para ser sinceros, sólo a ellas las conocía verdaderamente—, obviamente no sentía nada. El hombre carraspeó para disimular su confusión. Aquel cuerpo joven y fresco no se estremecía con su tacto magistral; cuando él la abrazó por la cintura, sus ojos vidriosos y límpidos no se turbaron como un lago profundo al aproximarse la tormenta; su corazón, cuyo palpitar él sentía a través de la blusa y de la cálida piel de la muchacha, no empezó a latir más rápido cuando él apoyó una mano ardiente sobre sus senos. La joven seguía respirando tranquilamente, delante de él; sólo tenía que tender la mano para alcanzarla... La tendió, pero su mano se paralizó a medio camino, en el aire. La resistencia que a veces encontraba en las mujeres lo incitaba siempre a renovados ataques. No había ningún juego más bonito, ninguna batalla más emocionante que la lucha con una mujer que se defendía, que se escapaba de entre sus brazos, que protestaba, que se resistía, en fin, al combate amoroso, temerosa o altiva. En tales ocasiones, él podía notar su verdadera fuerza; en esas ocasiones las palabras fluían con facilidad de su boca, y entonces sabía mostrarse atrevido y a la vez humilde, exigente y admirador, emocionado a la par que audaz. Porque la resistencia ya era un lazo, un juego ganado a medias; la resistencia era ya una forma de entrega. La que se resistía sabía por qué se defendía, y la que se defendía estaba deseando lo mismo que trataba de evitar... Pero esa muchacha, que estaba de pie frente a él en la habitación de una posada en una ciudad desconocida, esa muchacha alta y delgada, no demasiado aseada, esa criada, la primera mujer que él había tocado después de dieciséis meses de prisión, de infierno, de soledad y de miseria, esa muchacha ni siquiera se defendía. No se resistía. Allí estaba, tan tranquila, como si no estuviera delante de él; una joven cualquiera, amable y harapienta, delante de él, que no hacía mucho había estado alquilando un palacete en Murano para la monja más hermosa de Venecia; de él, a quien la esposa de un margrave le había enseñado a escribir cartas de amor en Roma, en el palacio del cardenal, su protector... Allí estaba, y no se podía hacer nada con ella porque no se defendía, aunque tampoco se entregaba a sus órdenes y exigencias; allí estaba, como la luz ante la sombra, y su instinto no le decía que huyera de él. Suspiró profundamente y se limpió la frente, cubierta de un sudor frío.

¿Qué había podido ocurrir? Algo que nunca había ocurrido. Miró a su alrededor, como si estuviera buscando algo, y sus ojos se detuvieron en el puñal que la noche anterior había olvidado sobre la repisa de la chimenea. Tomó el arma con un gesto leve, con las dos manos, y blandió la hoja. Sin prestar atención a la muchacha, empezó a andar por la estancia con el puñal en la mano, hablando en voz baja para sí mismo, diciendo: «¿Y qué más da?» A continuación gritó: «¡No puede ser!» Se sentía tremendamente mal. Se sentía como un actor importante que —tras un largo período de no haber cantado en escena— se presenta ante un patio de butacas del todo indiferente que no reacciona. No le silban, no ha fracasado, pero ese silencio mortal, esa muda indiferencia es más terrible que un fracaso. Se sentía como un cantante que advierte con verdadero pánico que algo le ha sucedido a su voz, algún tipo de accidente, y que por más que grite, por más que cante las notas más agudas, su voz ya no es capaz de alcanzar los tonos cálidos, atractivos y únicos que antes hacían temblar al público, que hacían que los ojos de las mujeres se cubrieran con una bruma velada y que los hombres miraran con fijeza al frente, muy atentos, como si hubiese llegado el momento de arrepentirse y saldar cuentas... Se sentía como alguien que descubre que ha olvidado algo, un sonido, un gesto, una capacidad oculta que tan sólo él poseía, algo que era el secreto de su éxito y de su ser; como alguien que no comprende por qué el público no aplaude su actuación, cuando la noche anterior lo obligaba a repetir su número una y otra vez, entusiasmado; como alguien que se da cuenta de que algo se ha echado definitivamente a perder, de que ya no sirven sus habilidades, sus ensayos y su experiencia, de que ya no surten ningún efecto sobre su auditorio... Y, como el actor sobre el escenario cuando siente desesperadamente que ya no seduce a nadie, y que su público sólo le brinda una fría indiferencia, empezó a carraspear, llevándose una mano a la garganta, totalmente perdido, como el que se esfuerza en decir «¡Ah! ¡Eh!», intentando recobrar su voz perdida. Así se encontraba él, con el puñal en la mano, observando a la muchacha.

—¡No puede ser! —repitió, más alto—. ¿No sientes nada, absolutamente nada? ¿No tienes miedo, no tiemblas, no quieres huir de mí? —le preguntó, casi rogando. Sentía que tenía un aspecto deplorable con el puñal en la mano y ese quejumbroso tono de voz—. ¿Por qué no me miras a los ojos? —inquirió en voz baja y ronca, con una profunda tristeza.

Al oír ese tono, la muchacha levantó la vista y lo miró, girando el rostro muy despacio hacia él, contemplándolo con seriedad y atención, sin evitar la mirada inquisitiva del hombre.

—Ya ves... —dijo él con cierta ligereza, haciendo un gesto repentino, como si se dispusiera a practicar la esgrima o a dar un salto—. Ahora te ha tocado mi voz —añadió con un acento suave y cálido, muy feliz—. Habrás notado que te estoy hablando a ti, solamente a ti. Ya me resultas familiar, te puedo reconocer entre mil mujeres, incluso en un baile de máscaras. Ya ves, ya me estás respondiendo, tus ojos ya me están respondiendo. ¡Ya lo sabía yo! No podía ser de otra forma. —Estaba tan contento que lanzó un silbido y luego prosiguió con el mismo tono cálido, triste y profundo que visiblemente manejaba con la habilidad de un prestidigitador—: Porque en esto, y sólo en esto, reside el secreto, querida, en esto se resume todo; no valen trucos ni argucias: éste es el único secreto. Es como si lo tocaran a uno. Tú me has tocado al entrar en la habitación, y yo creo a veces que ese toque, ese toque secreto es la razón y el sentido de la vida. ¿Ahora tu corazón late más rápido?... ¿Te ruborizas?... Sabes muy bien que ya no puedes irte. Acércate, ven aquí, a mi lado.

Y cuando la muchacha se acercó despacio, él dijo simplemente, con calma:

—¿Es que ya no te acuerdas? Te he dicho que me des un beso.

Con un movimiento mesurado, seguro y sin ninguna prisa, extendió los brazos para rodear con suavidad los hombros de la muchacha, y con una mirada atenta se inclinó sobre la cabeza que se apoyaba en su brazo.

El beso

Entonces besó a la criada, en Bolzano, en la habitación de la Posada del Ciervo, tres días después de haberse fugado de los Plomos, donde había estado preso durante dieciséis meses. Ocurrió así: besó los labios agrietados de la muchacha, que, blandos e impasibles, se separaron al contacto de los labios del hombre, sin devolver el beso. Permanecieron así durante un rato. Él observaba los ojos de la muchacha, la mirada pura y asustada de un ser desconocido, y de inmediato, como si una luz poderosa los hubiese deslumbrado y obligado a entornarse, los párpados bajaron. Esa situación era bien conocida para ambos. Como si fuera la única situación natural y razonable en la vida humana, como si no se pudiese comprender por qué hasta entonces habían hecho otras cosas, por qué habían vivido otras situaciones, como si hubieran estado preparándose para ese instante durante mucho tiempo, con toda su voluntad, con todo su deseo, en la vigilia y en el sueño. La muchacha se acomodó en los brazos del desconocido. Su rostro estaba serio y tranquilo. Como el rostro de alguien que, tras buscar algo y reflexionar durante largo tiempo, suspira por fin, diciendo: «¡Ajá! ¡Ya lo entiendo! ¡De esto se trataba!» Y entonces todo se vuelve mucho más fácil. Ella se acomodó entre los brazos del desconocido, buscó su sitio con movimientos prudentes y suaves, pudorosos pero seguros, como quien siente que con cada gesto expresa algo; estaba comenzando el gran diálogo, el mismo diálogo sin palabras que habían iniciado el primer hombre y la primera mujer, el mismo diálogo que continúan todas las parejas de enamorados cuando un hombre abraza a una mujer; ella buscaba su sitio en ese diálogo. A decir verdad, ni siquiera se movía, sino que simplemente dejaba que los dos cuerpos encontraran su lugar y su equilibrio en el espacio, guiados por las leyes de la atracción y la gravitación. Dejó reposar la cabeza en el brazo del hombre, y su joven cuerpo se inclinó ligeramente hacia atrás, mientras los brazos vigorosos y tranquilos lo sostenían sin esfuerzo, cargaban con su peso y la alzaban levemente, como si la sustrajesen unos instantes de la fuerza de gravedad. Así se encontraba la muchacha, en brazos del desconocido, sobre la punta de los pies, con la cabeza echada hacia atrás y ligeramente inclinada hacia un lado. Si alguien los hubiese observado por el ojo de la cerradura, habría podido creer que la muchacha se había desmayado, o que acababan de sacarla de un río invisible y que estaba inconsciente en los brazos de su salvador; que al cabo de un momento la acostarían en la cama o en el suelo, para frotarle el corazón y reanimarla. Porque en la postura de la muchacha había algo de los movimientos de un ser perdido, inconsciente y recién rescatado. Por otra parte, ella se sentía así: como alguien que se hubiese tirado a un río para suicidarse, que acabara de ser rescatado y estuviera siendo transportado hacia la orilla. Ante todo, quiso acomodarse a su nueva situación.

Era una situación nueva, estar entre los brazos del desconocido, y al mismo tiempo era familiar, de una manera dolorosa, feliz y temible. Estar en brazos de alguien es, obviamente, la mejor de las situaciones. Teresa se acordó vagamente de que su madre —una mujer con tantas pecas en el rostro que parecía un huevo de pavo, corta de estatura y redonda como un barril de la Toscana— también la había tenido así, entre sus brazos. Sí, la nueva situación le resultaba familiar, como la vida para el recién nacido; no tenía que hacer absolutamente nada, no necesitaba esforzarse en demostrar nada; bastaba con que el cuerpo se acomodara a la postura, aceptar la situación, permitir que sus cuerpos encontraran el equilibrio, unos cuerpos entrelazados por la fuerza de sus brazos, unidos por una fuerza poderosa, por una potente atracción. Todo estaba bien así, y así tenía que ser: un hombre a quien ella había conocido tan sólo el día anterior —un hombre que hablaba mucho, que agitaba su puñal, que había salido de su habitación con el cabello lleno de plumas, que había dormido a pierna suelta en su cama, con la cara iracunda y congestionada—, un hombre forastero y desconocido la estrechaba entre sus brazos y ella sólo tenía que girar un poco la cabeza para descansar más cómodamente, dejar entreabiertos los labios carnosos y suaves, cerrar los ojos y no hacer nada más, para que todo estuviera bien y sucediera de la mejor manera. Lo comprendió. Y cuando lo supo todo, cuando lo hubo comprendido, empezó a sonreír con los ojos cerrados, y a aspirar el aire sosegadamente.

Se encontraban al lado de la ventana, bañados por una luz fría y cruda. De espaldas a la ventana, el hombre contemplaba el rostro de la muchacha, intensamente iluminado; contemplaba a la mujer que tenía entre sus brazos, a quien estrechaba con ese movimiento particular, alentador y amenazador, salvador y agresivo, con el exacto y debido movimiento del abrazo. La situación era familiar y reconfortante también para él. Ya no temía haber perdido la voz durante los meses podridos de humedad y soledad. Ya sabía que su público respondería con admiración a todas sus palabras, a todos sus gestos. Miraba a la muchacha con tranquilidad, sin apresurarse; disponía de tiempo suficiente. El rostro que veía, ese rostro con forma de corazón cuyos rasgos y matices se hacían más nítidos y pronunciados a causa de los rayos del sol, era el rostro de una mujer, sin más... Y, no obstante, no había mentido al decirle que la reconocería entre mil mujeres, incluso en un baile de máscaras. Era un rostro de mujer, parecido a otros cientos de rostros femeninos sobre los cuales él se había inclinado, en situaciones parecidas, con la misma curiosidad tierna y seria, como si debiera descifrar un criptograma, una palabra escrita con los signos de la magia y de la cábala, una palabra que diera sentido a la vida. Miraba el rostro con paciencia y seriedad. Porque los signos y el símbolo de ese rostro —la nariz ligeramente respingona, delicadamente pecosa, la boca cruda como la carne de una fruta herida y abierta, el vello dorado que había encima del labio superior, la barbilla delicada e infantil, los ojos tranquilos de dibujo perfecto, las cejas arqueadas, tupidas y rubias, las dos líneas marcadas a ambos lados de la nariz y de la boca, dibujadas por la vida, por la desconfianza y el miedo, aunque suavizadas por el efecto de la luz del sol y por el contacto de los brazos del hombre— constituían el criptograma cuyo sentido él tenía que descifrar. Los dos rostros —el del hombre, atento y serio, y el semblante de ojos cerrados, tranquilo, sonriente y expectante de la muchacha— flotaban juntos, como dos planetas unidos por una atracción fatal. «¿Para qué sirve la prisa?», pensó el hombre. Y la muchacha sentía algo semejante.

¿Qué era aquello? ¿Amor? No, seguramente no. Al inclinarse sobre la cara de ella, al sentir el cálido aliento de la boca de la joven, al notar que una atracción lenta pero inapelable lo obligaba a acercarse a aquellos labios desconocidos, pausadamente, casi con devoción, con el mismo

58

movimiento con que el peregrino agotado y sediento se inclina sobre el chorro de agua de una fuente, con una actitud similar a la oración de los creyentes, él se preguntó: «¿Será ella?» Pero al mismo tiempo sabía que no era ella, que tampoco era ella, y que también era ella. Porque habría sido capaz de reconocer el rostro de la muchacha entre mil mujeres —su memoria funcionaba con capacidad inaudita y con total seguridad al recordar rostros femeninos, con el mismo instinto y la misma precisión con que las bestias salvajes reconocen y recuerdan las huellas en el bosque—, aunque sabía que su relación no sería definitiva, como nunca nada había sido definitivo, por más fuerte que hubiese sonado la voz secreta y decidida de algunas mujeres, un mensaje oculto que simplemente decía: «Aquí estoy. Tengo algo en común contigo. Soy yo.» El mensaje era siempre el mismo. Y él atendía siempre la llamada de aquella voz, como las bestias en el bosque. Aguzaba el oído, sus ojos relampagueaban, se erguía. Y partía en la dirección de la voz, olfateando, escuchando, acechando, guiado por un instinto que no puede ser engañado. De esta manera lo llamaban las jóvenes y las guapas, las maduras y las marchitas, las harapientas y las insignificantes, las princesas, las monjas, las actrices, las modistas, las camareras, las mujeres a quienes se podía comprar con una moneda de oro, las refinadas que vivían en palacios y a las que había que pagar al final con mucho oro, la viuda del panadero, la astuta hija del vendedor de caballos judío, M. M., la amante del embajador francés, C. C., la joven corrupta del convento; así lo llamaba también la jovencita sucia y sarnosa que más tarde terminaría en los brazos de Luis de Borbón, el rey más católico, en su harén del palacio de Versalles; también la joven esposa de un capitán francés y la del alcalde de Colonia, de cuarenta y tres años cumplidos y a quien le faltaban un par de dientes delanteros; y la princesa de Urfé, más vieja que Matusalén y tan flaca que sus costillas se clavaban en las manos de quien la abrazaba... Todas aquellas llamadas, todas aquellas voces se dirigían a él, y él siempre sentía la misma curiosidad que lo incitaba a olfatear y a husmear, el mismo temblor y la misma atención maliciosa; siempre oía la pregunta oculta: «¿Será ella?» Sin embargo, cuando llegaba el turno de las preguntas, él ya sabía que no era ella, que no era ninguna de ellas. Así que seguía sus andanzas.

Además, había posadas por todas partes, en los teatros se ofrecían representaciones todas las noches, y la vida brindaba sus regalos maravillosos a diario a todos los que se atrevieran a aceptarlos. «Yo siempre me he atrevido», pensó con satisfacción, y abrazó con más fuerza el dócil cuerpo de la muchacha. «Estaría bien que fuera ella —pensó a continuación—. Estaría bien poder descansar por fin, saber que no se necesitan más cálculos complicados, más planes astutos; saber que la ecuación se vuelve sencilla, que uno está vivo y que hay una mujer a quien ama, y que eso es todo. Estaría bien que fuera así», se dijo con ironía y tristeza. Pero era como si la ecuación se hubiese complicado definitivamente, hasta no poder hallar la solución; como si la figura delicada que él buscaba se hubiese roto en pedazos y ya sólo quedaran fragmentos. Y él iba recogiéndolos. La muchacha que estaba abrazando tenía unas orejas preciosas, rosadas e infantiles, unas orejas diminutas y nobles, de trazo refinado, de tacto agradable, con unos lóbulos carnosos, ingenuos, un tanto ridículos; sí, sus orejas eran bonitas y apetitosas. «¿Qué debería susurrar a estas orejas? ¿Decirle: sólo tú?...» Ya lo había dicho tantas veces... Pero le dio miedo empezar a declinar, así que —más bien para ejercitarse y recordar— se inclinó sobre la oreja y le susurró con su aliento ardiente:

—Sólo tú.

La oreja diminuta y noble se puso colorada al oír esa frase. El rostro de la muchacha también se sonrojó, como si le hubiese entrado vergüenza por primera vez. Había algo descarado y agresivo en esa frase, algo impertinente, como en cualquier mentira de las que se suelen decir en las grandes ocasiones. También había algo familiar y exaltador, como en las canciones patrióticas, en las estatuas majestuosas y en los consagrados lugares comunes que se repiten durante siglos y siglos. Él acababa de decir: «¡Sólo tú!», y ella se había ruborizado como si hubiese escuchado una frase impertinente pero muy amable. Se había ruborizado porque había comprendido que el hombre estaba mintiendo, y él se calló, con un sentimiento de victoria y de ligera sorpresa, como quien sabe que no puede hacer otra cosa, que ya no puede decir una mentira mayor. Aun así los dos sintieron que, en el fondo y de una manera secreta, esa mentira era verdad. Por eso callaban, un tanto confusos. Sentían que ese «sólo tú» era verdad, de un modo misterioso, como todas las cosas eternas, como cuando alguien dice «¡Patria!» o «Destino» y a continuación se echa a llorar, creyéndose obligado a ello. Porque siente que, por más vulgar e indecente que sea su intención, ese lugar común, esa mentira son una verdad en su interior, porque siente de verdad la patria y el destino, y siente de verdad el «sólo tú». Como no sabían qué más decirse, empezaron a besarse.

Las dos bocas se juntaron, y entonces ocurrió lo siguiente: una fuerza empezó a mecerlos. Era una fuerza que los mecía como cuando un adulto coge a un niño en brazos para acunarlo, un niño que ya ha jugado y corrido mucho, y que se siente triste porque está anocheciendo; el adulto lo coge en brazos, lo acuna y le dice, en voz baja: «Ya has jugado mucho, estás agotado, descansa un poco, pequeño mío. No hagas nada, tan sólo cierra los ojos y descansa. ¡Estás ardiendo! ¡Tienes calor! ¡Cómo te late el corazón!... Cuando te calmes un poco, te daré unas galletas de vainilla.» (En este instante, la muchacha, caprichosa y voluntariosa, retira un poco los labios, como el niño que dice: «¡No me gustan las galletas de vainilla!») Siguieron besándose. Ese balanceo, ese apenado y extraño vaivén los trasladó a lo más profundo del beso; un vaivén similar al del mar, cuyas ondas son como una nana y como un riesgo, son el destino y la aventura. Como alguien que se desmaya y se cae desde las orillas de la realidad —y advierte con sorpresa que en ese nuevo elemento, en ese elemento desconocido del destino también es capaz de vivir y de moverse, y que tampoco está tan mal alejarse de las orillas con esos movimientos lentos, con ese vaivén, y perder cualquier lazo con la realidad, avanzar despacio, sin decisión, sin voluntad, hacia la nada y hacia la destrucción—, así miraban ellos a su alrededor entre beso y beso, con ojos somnolientos, como alguien que saca la cabeza de entre las olas y luego vuelve a hundirse en ese elemento peligroso y placentero, indiferente y oscilante, y piensa: «¡Quizá no sea tan malo destruirse! Quizá sea lo mejor que la vida puede brindar, ese vaivén, ese olvido en el que se pierden los recuerdos, en el que todo se vuelve borroso, tan familiarmente borroso.» Los dos abrieron los brazos en un movimiento de súplica y de invitación, y se estrecharon mutuamente en un abrazo. Así continuaron besándose.

En ese preciso instante entró Balbi, se detuvo en la puerta y dijo:

—¡Giacomo! ¡No le hagas daño!

Se separaron lentamente, se deshicieron del abrazo y miraron a su alrededor sin saber qué pasaba. Al soltar a la muchacha, él se dio cuenta de que todavía tenía el puñal en la mano; en la izquierda, la misma con que le había estado ciñendo la cintura.

Un escritor

Cuando la muchacha salió de la habitación, con la cabeza agachada y unos pasos tan silenciosos como sólo son capaces de dar quienes andan descalzos a menudo, Balbi dijo:

—Me has asustado de verdad. Estabas ahí, con el puñal en la mano, como un asesino que se dispone a matar a su víctima.

—No soy un asesino —replicó él con seriedad, jadeando un poco, y volvió a dejar el puñal en la repisa de la chimenea—. Sólo soy escritor.

—¿Escritor? —repitió Balbi, boquiabierto—. ¿Qué has escrito? —le preguntó a continuación, perplejo e incrédulo.

—Pues... Algo he escrito... —contestó él. Hablaba gruñendo, como quien desprecia a su interlocutor y no lo considera digno de respuesta, una respuesta que de todos modos no comprendería—. He escrito muchas cosas... Incluso poemas —explicó alegre, como si hubiese encontrado la prueba definitiva.

—¿Y has cobrado por escribir? —inquirió Balbi.

—Claro, también he cobrado por escribir. Un escritor de verdad siempre cobra por escribir. ¿Lo comprendes, idiota? No, eres incapaz de comprenderlo. Siento de veras,

Balbi, no haberte clavado el puñal allí, cerca de Valdepiadene, cuando te mostraste tan impertinente y pusiste en peligro nuestra fuga. Entonces yo sí que sería un asesino, como acabas de decir, y habría un bufón menos en este mundo, cosa que el mundo me agradecería. Lamento haberte rescatado de tu madriguera, de entre las ratas.

—Sin mí no habrías podido escapar —respondió el fraile con calma. No se había alterado lo más mínimo por los insultos. Se sentó en el sillón, abrió las piernas, juntó las manos encima de su barriga y se puso a juguetear girando los pulgares.

—Es cierto —reconoció el otro, constatando el hecho—. Cuando uno está en peligro, es capaz de agarrarse hasta a la cuerda de la horca. —Se miraron, sopesándose mutuamente—. La verdad es que ha sido una lástima —prosiguió Giacomo, y se encogió de hombros para dar a entender que no valía la pena lamentar más los errores que uno había cometido en la vida—. Tú no puedes entenderlo, barrigudo, no puedes entender que soy escritor. ¿Qué has escrito tú? Cartas de amor por cinco monedas, en el mercado, para criadas desaseadas, contratos falsos para mercaderes mancos y ladrones de caballos, cartas llenas de súplicas dirigidas a tus superiores que, por otra parte, se mostraron descuidados y olvidadizos por no haberte mandado a galeras a su debido tiempo.

—Sin embargo —objetó el fraile con suavidad—, sin embargo, ha sido la escritura la que me ha salvado la vida, Giacomo. Acuérdate de que tú y yo nos escribíamos cartas que parecían de enamorados. Nos escribíamos cartas larguísimas y fogosísimas, y Lorenzo, el carcelero, hacía de mensajero; nos conocimos a través de esas cartas, nos lo contábamos todo, el pasado y el presente. Si yo no supiera escribir, nunca habría podido empezar a escribirte y nunca me habría salvado. Tú me desdeñas, me menosprecias. Ya

sé que a veces te entran ganas de matarme. No eres justo.
Yo también sé que escribir es una cosa grandiosa, que es
como el poder.

—¿Como el poder? —dijo su compañero de fuga,
contemplando al fraile con orgullo y suspicacia, con la cabeza echada hacia atrás y los ojos entornados—. ¡Significa
mucho más que el poder! Y no es «como», Balbi, acuérdate, no es «como»; es el poder, el único poder auténtico.
Tienes razón, la escritura te ha liberado. ¿Ves?, nunca había pensado en ello. Y tienen razón las Escrituras cuando
dicen que son bienaventurados los pobres de espíritu porque de ellos es el reino de los cielos. La escritura es la fuerza más poderosa que existe; la palabra escrita tiene más
poder que el papa, más que el rey, más que el dux. Nuestro
ejemplo también lo corrobora así. Hemos fijado los detalles de nuestra fuga por escrito, las letras han roto nuestras
cadenas, las letras se han transformado en soga y en escalera de cuerda, las letras nos han conducido desde el infierno de regreso a la tierra. Se dice —añadió pensativo— que
las letras conducen también de la tierra al cielo. Aunque yo
no creo en ello.

—¿Y en qué crees? —le preguntó el fraile con aire co-
loquial, lleno de expectación.

—Creo en el destino —contestó él con naturalidad—, en
el destino que nos forjamos y que luego aceptamos. Creo
en la vida, en sus miles de variantes que terminan acoplán-
dose de forma maravillosa, creando a partir de numerosos
detalles una unidad, un hombre y un destino. Creo en el
amor y en la suerte siempre cambiante. Creo en la escritura, porque la escritura tiene poder sobre el destino y sobre
el tiempo. Todo lo que uno hace, todo lo que desea, todo
lo que ama, todo lo que dice, se acabará algún día. Se acabarán las mujeres y los amores. Se acabarán todas las emociones, el tiempo borrará las huellas de nuestros actos. Pero

65

la escritura permanecerá. Ya te digo: soy escritor —concluyó con alegría, como si hubiese descubierto algo, muy satisfecho.

Se pasó los diez dedos por el cabello despeinado, inclinó la cabeza hacia atrás, con un movimiento muy típico en él, como el de un concertista famoso antes de colocar el violín en el hombro y atacar las cuerdas con su arco. Se había acostumbrado a ese gesto y a esa postura desde joven, cuando tocaba el violín en una orquestina de Venecia. Atravesó la habitación con sus pasos peculiares, rápidos y nerviosos, como si estuviera cojeando un poco a causa de los nervios. Y añadió en voz baja:

—En ocasiones me sorprende a mí también.

—¿Qué es lo que te sorprende? —inquirió Balbi con la curiosidad de un niño.

—Me sorprende ser escritor —repuso él con franqueza—. Soy escritor y no puedo evitarlo, Balbi; pero, por favor, no se lo digas a nadie: no me gusta la queja que es a la vez ostentación. Sólo te lo digo a ti porque no tengo el menor aprecio por tu persona. Se puede escribir de muchas maneras. Hay personas que se sientan a la mesa, escriben y no hacen otra cosa. Ésas son las más felices. Puede que su vida sea desgraciada y que sean unos seres solitarios que miran a las mujeres como un perro mira a la luna, que gritan su tristeza al mundo con pena, que se lamentan de que todo les duele: el sol, las estrellas, el otoño y la muerte. Su vida es desgraciada, pero ellos son felices, son los escritores más felices; viven para la escritura ya que no pueden hacer otra cosa: desayunan sustantivos y se duermen con un hermoso y suculento adjetivo entre los brazos. En sueños sonríen amargamente. Cuando se despiertan, miran al cielo con sus ojos bizcos porque viven en una suerte de éxtasis, en el ciego entusiasmo de que ellos, con la ayuda de palabras y frases, con sustantivos y adjetivos, tartamudeando o con soltura, gimiendo o vociferando, pero de manera persistente, son capaces de expresar algo que incluso Dios sólo pudo hacer una vez. Así son los escritores felices, esos que se pasean entre nosotros con cara de desgraciados y a los que las mujeres tratan con ternura, con mucha compasión, un poco como a un hermano idiota a quien ellas, las hermanas, mejores y más listas, consuelan y preparan para que acepte la muerte. A mí no me gustaría ser un escritor así —añadió despreciativo—. Ésos son tan sólo escritores... Existen otros que utilizan la pluma como si fuera un puñal o una espada: escriben con sangre, derraman bilis sobre el papel. Los puedes ver en sus estudios, con el gorro de dormir en la cabeza, los puedes ver mientras ponen verdes a los reyes, a los vagos, a los usureros y a los traidores; son mercenarios que luchan por una idea, por una causa humana... Yo mismo he conocido a algunos. Una vez estuve con el feo Voltaire. No me interrumpas; de todas formas no te suena ni su nombre. Ya no tenía dientes, pero podía morder; reyes y reinas buscaban su benevolencia, y ese miserable desdentado, simplemente con la pluma entre sus dedos achacosos por la gota, era capaz de mantener el mundo a raya. ¿Lo comprendes?... Yo lo comprendo. Estos escritores, para quienes la escritura no es más que un medio para cambiar el mundo, estos escritores desgraciados que son poderosos porque poseen el espíritu y la fuerza, carecen, sin embargo, del silencio y la devoción, y por eso son tan desgraciados. Estos mismos que son capaces de matar a un rey con una sola palabra, o de acabar con un régimen entero, no son capaces en cambio de expresar el sentido secreto de la vida, de expresar el éxtasis de la vida, la felicidad de no estar solos, de estar protegidos por las estrellas, las mujeres y los demonios, ni son capaces de expresar el asombro ante lo inevitable de la muerte. No son capaces de expresarlo, porque su pluma es tan sólo una espada, un puñal, por más poderosos que sean aquí, en la tierra... Tienen poder sobre las fortunas, sobre los tronos, sobre los regímenes y las vidas humanas, pero carecen de un verdadero poder sobre el tiempo. Y, por último, hay escritores que son como yo. Éstos no abundan —aseguró, muy satisfecho.

—Sí —dijo Balbi con fervor—. ¿Y por qué no abundan, mi amo y maestro?

En su voz profunda y grave —enronquecida por la prisión, el vino y la enfermedad que había encontrado en los cobertizos de los caminos y en las camas de las criadas— se traslucía una curiosidad llena de respeto y una prudente desconfianza. Estaba sentado boquiabierto y seguía jugueteando con los pulgares, como si se hallara por pura casualidad en un teatro donde los actores hablan un idioma que el público no acaba de entender.

—Porque yo salgo perdiendo —respondió Giacomo con enfado—, ¿lo comprendes, pies planos barrigudo? ¿Lo comprendes, héroe de chamizos y burdeles? ¿Lo comprendes ya? ¡Yo soy el escritor que siempre sale perdiendo! ¿Me preguntabas qué había escrito?... Te diré que no demasiado, por lo menos hasta ahora. Algunos poemas..., un tratado sobre magia... Pero eso no vale mucho. He sido embajador, he sido fraile, he sido soldado, he sido violinista, he sido doctor en ciencias mundanas y en ciencias eclesiásticas. Bettine, a sus catorce años, me introdujo en las ciencias mundanas; y el doctor Gozzi, que ocupaba la habitación de al lado en Padua y que desconocía por completo las enseñanzas de Bettine, me introdujo en los secretos de las ciencias cultas y distinguidas. Pero no se trata de nada de eso, Balbi, no importa lo que haya escrito o no. Sólo importo yo, el escritor, yo, la persona humana, porque es más difícil ser alguien que hacer algo, ¡entérate de una vez! Gozzi lo niega. Gozzi afirma que solamente los malos escritores quieren vivir, y que los buenos se contentan con escribir. Pero yo niego la teoría de Gozzi porque sé que las batallas mundanas se resumen en lo siguiente: en afirmar o en negar de manera verdadera y contundente. Sólo importo yo, aunque sea un escritor malo según Gozzi; sólo yo, porque quiero vivir. No soy capaz de escribir hasta que conozca a fondo el mundo. Y sólo me encuentro al principio —dijo en voz baja, casi con fervor—. Tengo cuarenta años. Apenas he vivido. Nunca se vive lo suficiente. Todavía no he visto bastantes amaneceres, todavía no conozco todos los sentimientos humanos, ni todas las emociones; todavía no me he reído lo bastante con el engreimiento de los escribanos y de sus superiores, tan respetables; todavía no he hecho callar suficientes veces a los curas apoltronados que venden la salvación a cambio de dinero contante y sonante; todavía no me he hartado de reír con la idiotez humana, ni de carcajearme con la vanidad, la ambición, la lujuria y la codicia de los hombres; todavía no me he despertado bastantes veces en brazos de mujeres para poder saber algo cierto sobre ellas y conocer esa otra realidad que es algo más que el secreto triste e indiferente que esconden debajo de sus faldas, un secreto que solamente incita la imaginación de los adolescentes y los poetas... Todavía no he vivido lo suficiente, Balbi —repitió con terquedad y verdadera conmoción en la voz—. ¡Y no quiero perderme nada! ¿Lo comprendes? Renuncio a la victoria mundana, renuncio a la fortuna, renuncio a un hogar feliz; aún tengo tiempo de sobra para andar con chinelas entre los parrales y escuchar los trinos de los pájaros, con el pagano de Boecio debajo del brazo y su *Consolatio philosophiae*, y con el sabio de Horacio, que fue quien me enseñó que al hombre auténtico lo cuidan dos hermanas divinas que siempre están a su lado, la sabiduría y la compasión... No deseo entregarme todavía a la compasión. Deseo vivir para ser capaz de escribir algún día. Y eso cuesta mucho. Tengo que verlo todo, compréndelo, hermano de infortunio y de galeras; tengo que ver las habitaciones donde duermen los hombres, tengo que escuchar los gemidos que lanzan cuando empiezan a envejecer, cuando ya sólo son capaces de conseguir el favor de las mujeres a cambio de oro; tengo que conocer a madres y a hermanas, a amantes y a esposas, las que dicen siempre algo verdadero y fiable acerca de la vida, si no con una retahíla de palabras, sí con una presión de la mano. Soy escritor, y por consiguiente tengo que vivir. Gozzi dice que sólo los malos escritores quieren vivir. Pero Gozzi no es un hombre, Gozzi es un ratón de biblioteca cobarde y perezoso, y nunca creará nada que permanezca.

—¿Y cuándo... cuándo quieres escribir, Giacomo? —le preguntó Balbi—. Me refiero a que... después de ver, oír y oler todo lo que estás diciendo, todo lo que te propones..., ¿cuándo dispondrás de tiempo para escribir? Tienes razón, yo no entiendo nada de esto. Sólo entiendo de poner una palabra detrás de otra, y según mi corta experiencia hace falta un tiempo largo incluso para escribir una carta. Yo creía que para la escritura, para la labor de los escritores hacía falta un tiempo más largo todavía. Quizá toda una vida.

—Al final —replicó él, y levantó la vista al techo, moviendo los labios como si estuviera contando—, quiero escribir al final.

Delante de la ventana, en el patio de la posada, alguien estaba riendo. Alguien reía con una risa juvenil, cálida y ronca, y él se acercó hasta la ventana y se inclinó hacia fuera. Empezó a hacer señas y reverencias hacia abajo, con una amplia sonrisa, y a continuación acercó dos dedos a sus labios y lanzó un beso hacia abajo.

—¡Preciosa! —gritó—. ¡Única! ¡Hasta esta noche!...

Luego se volvió a meter y prosiguió sombríamente:

—Para poder escribir algún día, he de gastar todo lo que poseo. La vida y todo lo que la vida me da. Escribir es algo costoso... He de verlo todo para poder describir las costumbres de la gente y los lugares donde me he sentido feliz, infeliz o indiferente. Todavía no dispongo de tiempo para escribir. Y ésos —gritó de repente, furioso, con tanta ira que se le resaltaba el blanco de los ojos—, ¡ésos se han atrevido a encerrarme a mí en una prisión! Venecia ha renegado de mí, de mí que hasta en galeras sería tan veneciano como el más señorial de los señores que aparecen en las pinturas de Tiziano. ¡Ésos se han atrevido a despojarme de mi derecho a convertirme en escritor, en un escritor auténtico que vive y que reúne, día a día, su material! ¡Ésos se han atrevido a juzgarme, a juzgar a un escritor, a un escritor veneciano; esos señores de Venecia se han atrevido a excluirme de la vida, de la luz del sol y de la luna, a quitarme un tiempo valioso de mi existencia, que, al fin y al cabo, no es otra cosa que un servicio a la comunidad!... ¡Sí, a mi manera!... ¡Un servicio a la comunidad!... ¡Ésos se han atrevido a quitarme dieciséis meses de mi vida! ¡La peste! —dijo con soltura y decisión—. ¡Que la peste y el cólera caigan sobre Venecia! ¡Que vayan los árabes, que vayan los turcos paganos con su pelo recogido en coletas, que asesinen a los senadores, con la excepción del señor de Bragadin, que ha sido para mí un padre en el lugar de mi padre y que me ha dado dinero. Me alegro de haberme acordado de él, ahora mismo voy a escribirle una carta. ¡Destrucción y vergüenza para Venecia, por haberme encerrado a mí, a su hijo más verdadero, entre las ratas! ¡Será el propósito de mi vida devolver ese préstamo a Venecia!

—Sí —repuso Balbi con entusiasmo, y su grueso rostro, amarillo y rugoso como una calabaza, empezó a brillar—. Tienes razón, Giacomo, sí, te comprendo. Yo tam-

71

bién siento lo mismo. Porque, aunque no soy veneciano, también sé escribir. La peste para Venecia, dices bien. Yo también, créeme, yo también...

No pudo terminar la frase. El otro lo agarró de repente por el cuello y empezó a apretárselo.

«¡No hagas daño a Venecia!»

—¡No hagas daño a Venecia! —dijo con voz ronca—. ¡Ya lo haré yo! ¡Sólo yo! ¿Lo comprendes?... ¡Yo le haré daño a Venecia! —exclamó, y se golpeó el pecho con la mano izquierda.

Su rostro, extrañamente desencajado, provocaba miedo. No parecía un rostro humano: recordaba las divertidas y terribles máscaras que los venecianos suelen llevar en los carnavales. Con la mano derecha tenía agarrado al fraile por el cuello de la camisa y la solapa del abrigo, y la mano izquierda flotaba en el aire como un ave rapaz, buscando el puñal que acababa de dejar en la repisa de la chimenea. Intentando acercarse a ella, empujaba hacia atrás al fraile, cuyo amarillento rostro se había puesto morado por el apretón. Así alcanzó el puñal en la repisa de mármol de la chimenea, lo asió y lo levantó muy alto.

—¡No hagas daño a Venecia! ¿Lo entiendes?—repitió a media voz, con el puñal alzado en la mano, aplastando a su víctima contra la pared—. ¡Nadie puede permitirse hacer daño a Venecia! ¡Nadie tiene derecho a ello!... ¿Lo comprendes?... ¡Absolutamente nadie!

Escupía las palabras, y no solamente en un sentido figurado, sino también literal: de entre sus labios carnosos y sus dientes amarillentos salían unos escupitajos blancos y espumosos que salpicaban el rostro del fraile, como si en su interior, en aquella caldera humana recalentada, algo estuviese hirviendo, haciendo brotar y emanar la sustancia de la vida. Estaba pálido, amarillo y gris por la ira y la furia.

—¡Ya lo haré yo! —susurró como si fuera una dulce y voluptuosa promesa, y siguió hablando y murmurando en el oído del aterrado y mudo fraile, que ya tenía la cara azulada—. ¡Sólo yo! ¡Sólo puede hacerlo un veneciano! ¿Qué sabes tú? ¿Qué puedes saber?... ¿Qué podéis saber vosotros, los trotamundos y los peregrinos, los holgazanes y los forasteros? ¿Cómo podríais saber dónde está Dios y dónde está Venecia? Os sentáis en las tabernas de las callejuelas de la Mercería, bebéis vino avinagrado y pensáis que eso es Venecia. Os llenáis la barriga con pescado y con carne, con paté y con pasta, con *dolci* y con quesos olorosos y creéis que eso es Venecia. Os acostáis en una cama de burdel por cinco monedas, os revolcáis en un miserable camastro con una fulana de Chipre, y al oír las campanas de San Marcos creéis que eso es Venecia. ¿Me has oído? ¡Ni te atrevas! ¿Qué sabes tú de Venecia? ¿Qué has visto de ella? ¿Qué has oído de ella?... ¡No te atrevas ni a pronunciar su nombre! Calla como si estuvieras en la tumba y los gusanos se comieran la grasa que has rebañado de los pucheros de las cocinas venecianas; calla como callan los judíos circuncisos acerca de Dios, calla si en algo aprecias tu vida y quieres volver a ver Venecia. ¿Cómo podrías tú saber?... Tú sólo has visto las piedras y los pucheros, las pantorrillas de las mujeres, los muslos de las criadas venecianas; sólo has visto el mar que te ha llevado hasta allí con indiferencia, como a todos los demás: a los franceses con sus poemas, sus enfermedades y sus buenos modales; a los alemanes que pasean por nuestras plazas y entre nuestras estatuas con unas caras tan preocupadas como si la vida no importara, como si sólo importara la lección que tendrán que recitar más tarde o más temprano; a los ingleses que prefieren tomar agua caliente en vez de beber vino tinto y que son capaces de contemplar durante horas, con ojos vidriosos, la imagen de un altar, sin reparar en que el modelo de la imagen, la hija fértil del tabernero de al lado, está arrodillada junto a él, en las escaleras del altar, meditando sobre sus pecados, unos pecados que conoce toda Venecia y que Venecia ya ha perdonado. Porque Venecia no es el dux, ni el Messer Grande, y no se resume en sus apoltronados canónigos, ni en los senadores que el resto del mundo compra por un saco de oro cuando lo desea. Venecia no es sólo el campanero de San Marcos, no se limita a las palomas sobre las piedras blancas de la plaza, a las fuentes que construyeron con arte y perfección los artesanos venecianos, los antepasados de mis padres y de los padres de mis padres. Venecia no es sólo el brillo de la lluvia en las calles estrechas, no es sólo el resplandor de la luna sobre los puentes, ni los alcahuetes, los negreros, los tahúres, las mujeres perdidas, registradas en las oficinas malolientes de la procuraduría; Venecia no es sólo lo que se ve en sus calles. ¿Quién conoce Venecia? Es necesario haber nacido allí para conocerla. Es necesario haber mamado junto con la leche materna sus olores podridos, mohosos y agrios, ese perfume viciado y noble, parecido al último aliento de un moribundo o al recuerdo de las horas felices, cuando todavía no temíamos a la vida, ni a la muerte, cuando cada fibra de nuestro cuerpo y cada rincón de nuestra mente estaban colmados del encanto del momento, de la embriaguez de la realidad, del entusiasmo de la conciencia, de la conciencia de vivir en la tierra, de vivir en Venecia. ¡Bendigo mi suerte, me inclino hasta el suelo por la felicidad y el orgullo de haber nacido en Venecia! ¡Le doy gracias al cielo porque el primer aliento que inhalé en este mundo estuviera

lleno del perfume podrido y sabio de los canales! He nacido en Venecia, así que tengo todo aquello por lo que vale la
pena vivir, he recibido como regalo el sentido de la libertad, el mar, el arte y las nobles costumbres, y sé que vivir
significa luchar, y que luchar significa ser veneciano de
pura cepa. ¡Venecia es la felicidad! —exclamó. Soltó el cuello morado del fraile, abrió los brazos y miró a su alrededor con los ojos vidriosos, pálido, como un cura al anun-
ciar que se ha producido el milagro, que el Ser Divino está
en la tierra, entre los hombres—. Es una felicidad y un orgullo que Venecia exista, flotando por encima de la insignificante y aburrida realidad, sostenida entre el cielo y la
tierra no solamente por los pilotes, sino también por el
alma de mis antepasados. Es una felicidad que sus plazas y
sus calles, donde las personas llegadas del mundo entero se
quitan las sandalias y caminan descalzas, llenas de fervor,
hayan sido el escenario de mi infancia, donde jugaba a esbirros y bandidos, a turcos y cristianos con los hijos de los
patricios y de los barrenderos. Es una ciudad encantada
donde todos son aristócratas, hasta los niños que viven en
la calle y se revuelcan en las cagadas de las palomas que hay
alrededor del campanario. ¡Todos los venecianos son aristócratas, recuérdalo, Balbi, y háblame con más respeto! La
leche que uno chupa con sus ávidos labios del seno de su
madre lleva el sabor de los canales y del mar, el sabor y el
olor de Venecia; es un poco salada, tibia y terriblemente
familiar. Vaya a donde vaya, siempre me acuerdo de Venecia, y cuando huelo el mar, me acuerdo de Venecia y de
mi madre. Todo lo mejor lo he vivido en Venecia. Tenía
tres años y ya aprendía a andar sobre las aguas, como el
Salvador. Íbamos sucios y harapientos, pero lo teníamos
todo: los palacetes de mármol, los portales de piedra tallada, el puerto donde se descargaban las mercancías desde la
mañana hasta la noche y desde la noche hasta la mañana.

El oro y el marfil, la plata y el ámbar, las perlas y el aceite de rosas, las telas, la seda, el terciopelo y el lino, todo lo que llegaba de los bazares de Constantinopla, de los talleres de Creta, de los salones de moda de Francia, de las fábricas de armas de Inglaterra; todo llegaba hasta allí, al puerto de Venecia, ¡y todo era nuestro, todo era mío, todo era de los venecianos! Yo jugaba y sabía que era veneciano. Iba creciendo, me paraba en el Rialto y veía cómo las personas del mundo entero llegaban a los pies de Venecia llevando oro, incienso y mirra para rendir honores a la ciudad. Su excelencia, el secretario del tribunal, el secretario y perro guardián de la Inquisición, me reprochó que utilizara en mi nombre la partícula que indica nobleza sin tener derecho a ello. Pero ¿quién hay en el mundo que pueda sentirse noble con más derecho que yo, hijo de Venecia?... ¿Dónde está el papa, el emperador, el rey o el príncipe que tenga más derecho a donar un título de nobleza que la reina del mundo, mi ciudad natal, Venecia?... Mi madre y mi padre eran venecianos, mis hermanos y yo nacimos allí; ¿existe, pues, una *grandezza*, una nobleza más auténticas que la nuestra?... ¿Lo comprendes ya? Te lo digo otra vez: ¡no hagas daño a Venecia!

Tenía el rostro pálido, con unas bolsas oscuras debajo de los ojos, y parecía sumido en un éxtasis o un delirio. Balbi se palpaba el cuello y respiraba con dificultad, presa del pánico.

—Lo comprendo, lo comprendo, Giacomo —dijo con los labios apretados, gruñendo tras sus dientes picados—. ¡Que el diablo esté contigo! Ya comprendo bien que eres veneciano. Pero, si te atreves a tocarme el cuello otra vez, te arrancaré la nariz de un mordisco.

—No te haré más daño —replicó Giacomo, despreciativo—. Por esta vez te dejaré escapar. Nos quedaremos aquí unos cuantos días más, en Bolzano, porque tengo unas cosas que hacer en esta ciudad: he de escribir una carta al señor de Bragadin y esperar su respuesta, y también debemos comprarnos ropa, porque sin ropa hasta el más noble de los venecianos lleva el trasero al aire. Tengo unas cuantas cosas que hacer aquí, en Bolzano. Pero el fin de semana nos iremos. A ti te llevaré a Múnich, a la orden a la que lamentablemente sigues perteneciendo. En cuanto a mí, mi destino y mi vocación de escritor me conducirán más lejos. La venganza puede aguardar. La venganza nunca se extinguirá en mi corazón. Hay que cuidarla como al león enjaulado, hay que alimentarla todos los días con sangre y carne cruda, con los restos sangrientos de los recuerdos, para que no pierda su devoción por la sangre. ¡Porque un día regresaré a Venecia! Porque no permito que nadie le haga daño a Venecia, mas la venganza sobrevive, la venganza es nuestra, de los dos, mía y de la Inquisición, mía y del secretario del tribunal, mía y de los venecianos. No le hagas daño a Venecia si aprecias en algo tu vida, pero no te preocupes, confía en mí, que ya me ocuparé yo de darle una lección a Venecia. Quiero que sepas también que Venecia no es lo mismo que los venecianos. A ellos, nadie los conoce mejor que yo, que he nacido entre ellos, que soy sangre de su sangre, yo, a quien los venecianos han tratado de difamar, yo, a quien los venecianos han desterrado de su seno. ¿Quién podría conocerlos mejor que yo? Yo, que le presenté al cardenal el muchacho que se convirtió en su amante; yo, que conseguí del dinero público destinado a los huérfanos una suma considerable para el senador encargado de las artes; yo, que le presenté el castrado al generoso presidente del tribunal de censura; yo, que he visto a todos los sublimes, a todos los solemnes y todos los devotos entrar al atardecer y con el cuello del abrigo levantado, escondidos tras sus máscaras, por la famosa puerta de Madame Ricci; yo, que sé que la vida de un hombre vale apenas cinco cequíes en Venecia; yo, que conozco las señas de todos los asesinos a sueldo que se pasan el día en las tabernas de las calles cercanas al mercado de pescado y que suministran abiertamente, muy serviciales, el veneno o el puñal a los sublimes, los solemnes y los devotos, como los vendedores de objetos litúrgicos suministran las velas y las imágenes de los santos a las beatas. ¿Quién sabe mejor que yo por qué y cómo desapareció la bella Lucia, hija adoptiva y amante secreta del nuncio del papa? ¿Quién sabe mejor que yo dónde compraron la aguja, el hilo y la tela para el saco en el que, en la noche de San Miguel, metieron al noble Paolo, el hijo bastardo de su excelencia? ¿Quién sabe mejor que yo lo que se pudre en los sótanos de las casas de Venecia? ¿Quién sabe mejor que yo a qué cabezas pertenecen los troncos que bajan por el Gran Canal después de los carnavales? ¿Quién podría conocer Venecia mejor que yo? ¡Ésos!... —exclamó, y agarró la mesa de roble, haciéndola crujir con sus fuertes manos—. ¡Y ésos son los que han intentado juzgarme! ¡Esos parricidas, esos usureros, esos administradores de las lágrimas de los huérfanos y la sangre de las viudas, esos que sólo entienden de gula y de lujuria, ésos se han atrevido a juzgarme! ¡Asesinos! ¡Ladrones! ¡Barrigudos! ¡Recuerda lo que te estoy diciendo, Balbi! ¡Un día regresaré a Venecia!

—Sí —dijo el fraile, santiguándose—. Y no me gustaría acompañarte en ese viaje, Giacomo.

Se miraron fijamente. A continuación, todavía mirándose a los ojos, empezaron a reír y estallaron en carcajadas.

—Mándame al barbero —ordenó Giacomo al fin—. Y también una taza de chocolate bien caliente. Tinta, pluma cortada muy fina y papel para escribir. Quiero mandarle una carta al señor de Bragadin, que ha sido para mí un padre en el lugar de mi padre; quizá consiga sacarle cien cequíes. Date prisa, Balbi, no se te vaya a olvidar que eres mi secretario y mi criado. Es posible que tengamos que pasar unos cuantos días más aquí, en Bolzano. Entérate de todo, mantén los ojos bien abiertos y no husmees demasiado alrededor de las faldas de las criadas: los calabozos del mundo entero tienen sus puertas abiertas para un pajarraco grasiento como tú. Y yo no te volveré a sacar nunca más de entre rejas. ¡Date prisa! Vive en esta ciudad un noble usurero llamado Mensch. ¡Averigua su dirección!

Con un ademán de la mano que había aprendido del papa —como si estuviera ofreciendo su mano y su anillo para que los besaran— despidió a su compañero de viaje. Se colocó delante del espejo y con movimientos cuidadosos y minuciosos empezó a peinarse.

Francesca

Teresa subió con la taza de chocolate y anunció que Giuseppe, el guapo, el de la cara rosada, el de cabello rubio y ojos azules, había llegado y esperaba órdenes. Él le dio dinero a la muchacha y la envió a comprar unos cuantos pares de medias blancas en la tienda de artículos de moda cercana, y también —a cuenta— dos pares de guantes de encaje y un par de zapatos con hebilla. Mientras el barbero lo enjabonaba, las criadas de la casa revoloteaban a su alrededor de puntillas; le hicieron la cama, le echaron agua caliente en la palangana, le plancharon la ropa interior... Le había encargado a Teresa que tuvieran especial cuidado en almidonar bien los volantes de sus camisas. Las suaves manos del peluquero le acariciaban la cara, le ponían jabón y, con gestos dignos de un director de orquesta, peinaban y arreglaban los rizos del cabello del famoso huésped.

—Cuéntame —dijo éste, sentado delante del espejo, relajado en su sillón, con los ojos cerrados—, ¿qué noticias corren por la ciudad?

—Por la ciudad —respondió el guapo barbero con un tono melodioso y femenino—, la noticia que corre es usted mismo, señor mío. Desde anoche no existen más noticias en Bolzano. Sólo usted. Con permiso... —añadió, y empezó a recortar con sus tijeras los pelos de los amplios orificios de la nariz de su ilustre cliente.

—¿Y qué se cuenta? —preguntó él, sintiéndose agradablemente satisfecho—. También me puedes decir las malas noticias.

—Sólo se cuenta lo mejor —replicó el peluquero, y puso a trabajar nuevamente sus tijeras; después cogió el rizador, sopló y hábilmente le dio una vuelta en el aire—. Hoy, como de costumbre, he llegado al alba al palacio de su excelencia. Voy todas las mañanas. Debe de saber, señor mío, que su excelencia honra con su confianza a nuestra firma. Yo lo afeito y le arreglo la peluca, porque su excelencia, y que esto quede entre nosotros, es completamente calvo. Mi jefe, el famoso Barbaruccia, de quien se dice que ni siquiera en Florencia hay un barbero como él, tan experto en practicar sangrías y en preparar brebajes para devolver a los hombres su vigor, es el médico y el peluquero de su excelencia. Y ya le digo: yo lo afeito. La señora Barbaruccia le da masajes dos veces por semana, y siempre que lo necesite.

—Vaya —dijo él con frialdad—. ¿Así que su excelencia necesita de masajes y brebajes?...

—Sólo desde que se casó, señor mío —respondió el barbero, y empezó a moldear con su rizador caliente los desordenados mechones.

Él escuchaba la noticia con poca atención, entregándose al *dolce far niente* que nos brindan los minutos en que dejamos la cabeza al cuidado de los suaves dedos del barbero. Giuseppe trabajaba con rapidez y chismorreaba con una velocidad todavía mayor. Hablaba en voz baja y refrescante, como corre el agua de una fuente, con el descaro típico con que tratan los barberos los asuntos humanos. Los barberos son a la vez amigos, maestros, consejeros y secretarios, y conocen todos los secretos de la ciudad, todas las confidencias ocultas de los cuerpos que envejecen, las venas y arterias que se enfrían, las cabezas que pierden sus galas, los tendones que se aflojan, los huesos que se resquebrajan y crujen, las encías que pierden los dientes, los alientos que huelen cada vez peor, las sienes que se llenan de arrugas, los labios que van perdiendo su color. «¡Vamos, sigue hablando!», pensaba él, con la sabiduría de un cómplice; se relajó y permitió que el mozo de voz femenina le frotara la frente con alcohol quemado y perfumado y que le echara polvos de arroz en el cabello. Le gustaba esa media hora en una ciudad desconocida, esos minutos en cualquier ciudad desconocida en los que, al despertar, llegaba el barbero, el traidor de la ciudad, y, haciendo sonar sus tijeras, susurraba al oído del huésped los secretos de los vivos y los muertos. Él animaba al aplicado mozo con alguna palabra suelta, con alguna mirada.

—¿Cómo? ¿Completamente calvo? —preguntó con sorpresa, como si ese detalle fuera lo más importante y como si sospechara quién era esa excelencia que necesitaba de masajes y brebajes desde que se había casado—. Supongo que al menos tendrá unos mechones sueltos por la nuca, ¿no? —comentó, guiñando un ojo con complicidad.

—Sí que los tiene —respondió Giuseppe, muy servicial, con una voz que reflejaba esa locuacidad servil de quien está dispuesto a susurrar a los oídos del mundo otros secretos, mucho más tristes y sombríos—. Pero pocos, muy pocos. Mi maestro, el señor Barbaruccia, y yo tenemos un importante protector en su excelencia. Hoy en día no viene mal un protector así. Nosotros le servimos desde Grado el caviar que aumenta su vigor masculino, y la esposa del señor Barbaruccia le prepara los brebajes de remolacha, rábano picante y cebolletas que lo protegen de una apoplejía cuando tiene pensamientos lujuriosos. Hasta su excelencia ha estado hablando de usted, señor mío.

—¿Y qué ha dicho? —inquirió él abriendo mucho los ojos.

—Sólo ha dicho que quería verlo —contestó el barbero con un tono dócil, de colegial—. El conde de Parma quiere verlo. Sólo ha dicho eso.

—¡Ah! —exclamó él sin demostrar mayor interés—. ¡Qué benevolencia! Ya iré a rendirle honores si el tiempo me lo permite.

Charlaban así. El barbero acabó con su trabajo y se marchó. «¡El conde de Parma!», gruñó Giacomo para sí. Luego se lavó, se calzó las medias blancas que Teresa había dejado encima de su cama, y se tomó el chocolate; se humedeció los dedos para arreglarse las pobladas cejas delante del espejo, se cortó las uñas con el afilado puñal, se puso la camisa y, con la yema de los dedos, se arregló los volantes bien almidonados y planchados y se palpó el cuello varias veces con el índice y el anular, como si estuviera examinando el cuello de la camisa y cerciorándose de que su cabeza seguía en su sitio.

—¡El conde de Parma! —musitó—. ¡Así que quiere verme!

No había pensado en ello cuando, en su fuga, alquiló una diligencia y se dirigió a Bolzano. Silbando bajito, encendió las velas delante del espejo, porque la tarde llevaba sus sombras azuladas y marrones a la habitación, y se sentó al lado de la mesa de patas finas. Tras disponer el papel para cartas, la tinta y los polvos de secar, levantó la pluma de oca, inclinó el torso ligeramente hacia atrás y, alzando las cejas, parpadeó con desconfianza y se miró con atención y curiosidad en el espejo. Hacía mucho tiempo que no se veía así, en esa distinguida situación, digna de él, propia del escritor. Hacía mucho tiempo que no estaba en una habitación llena de muebles selectos, delante de una chimenea que ardía, con una camisa recién almidonada, medias largas de color perla y una pluma de oca en la mano, lo correcto, preparado para el trabajo literario, en la hora de la soledad y la retrospección, listo para el trabajo en el que iba a ponerlo todo, para el trabajo que en ese momento se le presentaba en forma de una carta para pedirle un préstamo al señor de Bragadin. «¡Vaya carta será!», se dijo muy satisfecho, como el poeta que piensa en el soneto que va a escribir, un soneto cuyas primeras y sonoras rimas ya empiezan a mariposear en las profundidades de su alma agitada. «¡El conde de Parma! —recordó otra vez, debido a una asociación de imágenes que no pudo evitar—. ¡Todavía vive!», pensó, y se puso a contar en voz alta, apretando los labios.

—Cuatro... —contó, y dirigió la vista al techo, muy preocupado, sumando y restando—. ¡Cinco! —exclamó después con la precisión de un comerciante.

Miró la llama de la vela con curiosidad, con los labios echados hacia delante. «Ahora mismo —dijo para sí con la pluma en la mano, reclinado en el sillón del escritorio, frente a la chimenea, recién lavado y vestido con ropa bien planchada— tengo el aspecto del poeta que va a iniciar su labor.» La situación le agradaba. «Cinco», pensó después con preocupación, levantando los cinco dedos de una mano, como si estuviera enseñándoselos a alguien, tratando de justificar algo, como los niños cuando gritan: «¡Yo ya no juego más!»

—Cinco —gruñó, y se mordió el labio inferior, agachando la cabeza. Miró la luz con los párpados medio caídos, miró las sombras profundas de la habitación, miró más lejos, la vida, su pasado. De repente, como quien encuentra lo que ha estado buscando, silbó en voz baja. Y pronunció el nombre—: Francesca.

Levantó la mano con la pluma de oca y escribió el nombre en el aire con un gesto de sorpresa, como queriendo decir: «¡Diablos! ¡Si yo no soy culpable de nada!» Se desperezó ante el rojizo resplandor de la chimenea, en medio del calor perfumado, tiró la pluma y se puso a contemplar el fuego. «¡Vaya! ¡Francesca! —pensó; y de nuevo—: ¡El conde de Parma! ¡En Bolzano! ¡Qué casualidad!» Sin embargo, sabía que las casualidades no existen, y que aquélla tampoco era una. De pronto lo vio todo con claridad, como si se hubiesen encendido centenares de velas en la habitación. Oyó una voz, sintió un perfume familiar, el perfume sabio y jubiloso de la verbena y de la ropa interior femenina recién planchada. «Hace cinco años, sí», recordó, y se asustó un poco. Porque los últimos cinco años, con su fluir ardiente y sucio, lo habían borrado todo, incluso a Francesca, y él no había tendido la mano hacia ella, que se alejaba. ¿Acaso recordaban todavía la historia de Pistoia, del palacio, desde donde la condesa solía viajar al mediodía hasta Florencia, en su carroza cubierta por un baldaquino negro, a la hora en que los señores y los señoritos se reúnen como en un desfile de monos delante de los elegantes escaparates de la via Tornabuoni? ¿Acaso recordaban todavía el duelo que había tenido lugar a medianoche en Pistoia, cuando el anciano pretendiente, su excelencia, lo había aguardado a la sombra de los cipreses, calvo, con la espada en la mano, y los dos se habían batido allí mismo, delante de los ojos del viejo conde y de Francesca, en el patio del palacio, en silencio, y cómo sus espadas echaban chispas bajo la luz de luna? Lucharon durante un buen rato, con una furia que disolvía el motivo de la pelea, y ya ninguno de los dos exigía venganza ni reparación; ya tan sólo querían la pelea, puesto que dos hombres eran demasiados alrededor de Francesca. «¡Peleó bien el viejo! —dijo para sí, reconociendo sus méritos—. Entonces la señora de Barbaruccia aún no tenía que prepararle brebajes para aumentar sus posibilidades de ganar los favores de Francesca.» Se cubrió los ojos con las palmas de las manos; podía ver la escena con claridad y no sabía por qué no quería dar la espalda a las imágenes que se presentaban con toda nitidez tras sus párpados cerrados.

Veía a Francesca, en la brisa de una mañana lejana, de pie al lado del desplomado muro medio del jardín del palacio del conde, en bata de noche, delgada y quinceañera, con su negro cabello cayéndole sobre la frente, sujetando sobre los senos con una mano un pañuelo de seda blanca, levantando la vista al cielo. «¿Hace cinco años ya?...» Hacía cinco años que había tenido lugar el duelo a espada, pero el instante en que había visto a Francesca en el jardín del palacio se alejaba más en el tiempo, se situaba en profundidades todavía más secretas. La veía junto al muro, a la sombra de los cipreses, con el apacible y acuoso cielo azul sobre ellos, como si todas las emociones humanas se hubiesen disuelto y sosegado bajo aquella inmensidad azul. El viento envolvía a Francesca, y la suave bata de noche se pegaba a su cuerpo joven como si se hubiera envuelto en una fina sábana después del baño, como si acabara de salir del baño nocturno del sueño, empapada, cubierta del rocío del alba, con unas gotas brillantes debajo de los ojos, unas gotas de las que no podía decirse con certeza qué fenómeno milagroso eran, si se trataba de lágrimas o de gotas de rocío que se hubiesen posado infieles en sus pestañas, en vez de decorar los cálices de las flores... Él estaba delante de la muchacha y callaba. «Sólo los sentimientos más profundos callan así —pensaba ahora—. Yo siempre hablo mucho, demasiado. Pero aquella vez, en Pistoia, callé, ante el palacio medio derruido, en medio del jardín lleno de olivos abandonados y de cipreses sombríos, alabarderos de un rey destronado.» Francesca se había escapado al jardín, desde su cama del palacio, huyendo de la noche, de su infancia y de su escondite, la mañana del día en que intercambió anillos con el conde de Parma. En ese instante él veía, sentía y olía aquella mañana, con una apreciación tan celosa y emocionada como las que son capaces de experimentar, al evocar tiempos pasados, quienes ya no son muy jóvenes. Porque Francesca era la juventud, y aquellos silenciosos jardines habían constituido quizá el decorado de los últimos momentos de la juventud: los jardines del palacio del conde empobrecido, en Pistoia, en aquel escenario sombrío y destartalado que se derrumbaba, que se caía a pedazos bajo el peso de sus propios recuerdos y su propia madurez; todo aquello había sido la juventud, aquella mañana de junio, más de cinco años atrás, tantos años atrás, cuando el cielo azul brillaba encima de aquel jardín de la Toscana, cuando Francesca se encontraba de pie delante del muro del jardín, con el cabello y la bata flotando en el viento y los ojos cerrados, y callaban los dos, embriagados y emocionados por un sentimiento cuyo recuerdo lo seguía impresionando y atormentando. «¡Qué muchacha tan bella! —pensó, apretando las palmas de las manos contra los ojos con más fuerza—. Era como si estuviera llena de luz; de su ser emanaban unos rayos dulces y conmovedores que trastornaban al que estuviera frente a ella. Sí, estaba llena de luz. Alguien así es de lo más raro —constató con seguridad—. Era un ser lleno de luz, y cuando lo miraba a uno a los ojos, era como si el mundo se hubiese iluminado: todo se volvía más sereno, más verdadero y más real a su alrededor.» Francesca estaba hechizada, y él callaba, y entonces apareció por la puerta del palacio el novio anciano, se inclinó profundamente ante su prometida, le ofreció el brazo y la condujo de vuelta al palacio. Eso fue todo. Un año más tarde, en el mismo lugar, en un rincón del patio del palacio, se batieron en duelo.

«El viejo manejaba bien la espada», pensó con una mueca de aprobación, sonriendo amargamente. ¿Habría sido sólo eso?... Quizá la juventud era la esencia de aquella aventura, el último año de su verdadera juventud, el período transitorio, misterioso y emocionante en que el viajero inquieto afloja las riendas del caballo y disminuye la marcha, mira a su alrededor, se limpia el sudor de la frente y ve que por delante el camino es abrupto, y que a lo lejos, por encima del bosque y de los montes, ya empieza a anochecer. Cuando conoció a Francesca, él se encontraba en el mediodía de su vida y aún brillaba el sol. Estaban en el valle, al pie de las colinas de la Toscana. Él acababa de llegar de Roma, con los bolsillos repletos de monedas de oro y cartas de recomendación del cardenal. «En aquellos tiempos ya viajaba de otra manera —pensó con satisfacción y envidia—. Y eran pocos los que sabían viajar de aquella forma», se dijo sin modestia, con la vanidad propia del artista que declara: «¡Mi voz es única en el mundo! ¿Quién sabe cantar como yo? ¡Que empiece el concurso!» Sí, pocos sabían viajar como él, y menos aún sabían llegar con la perfección que lo caracterizaba por aquel entonces, hacía más de cinco años. Porque todas las cosas tienen sus modos y artimañas en el escenario del mundo, y él conocía estas últimas: sabía escoger las carrozas, los caballos, los aparejos, los cocheros con sus vestimentas; conocía todos los detalles, sabía llegar a los palacios adonde lo invitaban o a las mejores posadas en las que se alojaba, sabía entrar por las puertas de las ciudades desconocidas; se echaba hacia atrás en el asiento, ponía una pierna encima de la otra, vestía un capote de viaje gris con bordes morados, levantaba con su mano enguantada los anteojos de mango dorado, mostrando cierto interés despreocupado, como habría viajado Febo de madrugada en su carroza de fuego tirada por cuatro caballos por encima del mundo, fastuoso aunque un tanto desdeñado... Ésos eran los modos y las artimañas, de esa forma había que viajar y llegar. Pocos sabían hacerlo así. Pocos sabían llegar como él, congregar a su alrededor al cabo de media hora a todos los empleados e inquilinos de una posada o de un palacio. Y así había llegado un día a Pistoia, al palacio del conde anciano y empobrecido, pariente del cardenal que mandaba su bendición a la familia, a la gruesa condesa y a Francesca, su ahijada. Se quedó durante un mes, mantuvo a toda la familia, le regaló doscientos ducados de oro al conde junto con varias cajitas del mismo metal, volvió en dos ocasiones durante el año siguiente y al cabo de un año —una noche, bajo la luz de luna— se batió en duelo con el viejo pretendiente, el conde de Parma. En ese momento se abrió la camisa para recordar sus heridas.

Se palpó las cicatrices del pecho, una por una, evocando sus recuerdos. Tenía tres, de tres heridas, en el lado izquierdo, encima del corazón, como si sus contrincantes, proponiéndoselo inconscientemente, hubiesen querido herirlo justo ahí. La cicatriz del medio, la más profunda y ancha, correspondía al duelo que había mantenido con el conde de Parma por Francesca. Se acarició la herida con el dedo índice, pero ya no le dolía. Se habían batido a espada, y el arma del conde había penetrado profundamente por encima de su corazón, así que el cirujano estuvo sacándole pus y sangre durante semanas; era una herida complicada, pues sangraba también para dentro, y la víctima concluyó su aventura entre fiebres, escalofríos, estados de inconsciencia, desmayos y mareos, entre gemidos y gritos de dolor. Estuvo internado en Florencia, en el hospital de las Hermanas de la Piedad, adonde lo habían trasladado la misma noche del duelo en la carroza del conde. A partir de ese instante no volvió a ver a Francesca. Se enteró de los esponsales tres años más tarde, en Venecia, durante los carnavales; se lo contó el embajador francés, comentándole entre lamentos que el primo de su majestad todopoderosa, del rey más católico, el conde de Parma, había cometido un acto completamente irresponsable en su senectud al casarse con una simple muchacha de la Toscana, una vulgar condesa de provincias, olvidándose así de su condición y linaje... Entonces él sonrió y calló. La herida ya no dolía, sólo le molestaba ligeramente los días de lluvia. La vida pasaba, y nadie volvió a pronunciar el nombre de Francesca.

«¿Cómo es posible que a pesar de todo no haya dejado de pensar en ella durante estos años?», se preguntó. Más tarde —cuando recibió la segunda herida, larga y profunda, debajo de la señal que le había dejado el conde de Parma encima del corazón, una herida que le causó el sable del mercenario del tahúr de Orly, una madrugada en que salía de una casa de juego de Murano llevando en el bolsillo de su capote unas monedas de oro trabajosamente conseguidas, arrebatadas con astucia y habilidad a un jugador bribón y embustero que manejaba la banca—, cuando estuvo entre la vida y la muerte en los días posteriores al ataque, no dejó de ver aquella imagen, la imagen de Francesca al lado del muro del jardín, bajo el cielo azul de la Toscana. Y cuando recibió la tercera herida —un arañazo extraño, causado por las uñas de una griega, que le había dolido más que todas las demás heridas de duelo causadas por hombres. Una herida misteriosa a través de la cual unos venenos mortales penetraron en su cuerpo, una herida más pequeña que la que puede causar una simple aguja, y, sin embargo, tan peligrosa que el señor de Bragadin y los mejores médicos del Consejo estuvieron ocupados durante semanas al lado de su cama, maltratando al herido con lavativas y sangrías, hasta que se aburrió de la agonía, y un día pidió un zumo de naranja y una sopa de verduras, y se levantó sin más—, cuando recibió la tercera herida, provocada por armas femeninas, durante la fiebre y el delirio también siguió viendo y llamando a Francesca. «¿Por qué? ¿Estaría enamorado de ella?», se preguntó entonces con una sorpresa profunda, sincera, casi infantil. Se miró en el espejo que había encima de la chimenea. «A lo mejor la amaba... ¡Sólo Dios lo sabe!», pensó, mirándose fijamente con ingenuo asombro.

Pero la vida era más fuerte, más fuerte incluso que el recuerdo de Francesca, y todas las mañanas le esperaban nuevas maravillas, por lo menos cuando estaba sano y se preparaba para el nuevo día sin temor. ¿Qué fue Francesca para él durante los años en que sus dedos dejaban caer monedas de oro en las mesas de juego, en las manos de las mujeres, en los bolsillos de los vendedores de artículos de moda, en las manos de sus holgazanes amigos, en las de cualquiera allí donde se vendiera un arcano contra el peor de los males, el menos evidente y el más terrible de todos: el aburrimiento? «Soy escritor —pensó—, pero no me gusta estar solo.» Reflexionó largamente sobre ese extraño hecho. Quizá por eso mismo lo había castigado la vida con la terrible penitencia de la soledad, quizá los sabios maestros torturadores de la Inquisición fueran conscientes de su profunda aversión a la soledad y el aburrimiento, quizá hubiesen intuido que para él la soledad y el aburrimiento eran peores que las botas de tortura, las tenazas ardientes o el suplicio de la rueda. Desterrado del escenario del mundo, ¿qué valor tiene la vida? El sueño y la imaginación, los pensamientos y los recuerdos, los sentimientos encerrados en sí mismos y reducidos a cenizas; nada de eso tenía ningún valor en comparación con cualquier detalle de la vida real, por mínimo e insignificante que fuera. «¡No quiero estar solo! —pensó, y se estremeció—. Prefiero incluso vivir en la pobreza y la miseria, ser objeto de burla y de desprecio, pero quiero poder estar allí donde haya luz, donde brillen las lámparas y suene la música, donde haya gente, mucha gente; mezclarme en la complicidad grasienta y maloliente, dulcemente vil; estar donde esté la felicidad, en medio de la vida.» Para él, la vida se reducía a eso: estar con gente, siempre con otra gente; atreverse, arriesgarse, jugarse el pellejo porque valía la pena. La vida era el bullicio, la cercanía de los demás, la aventura más burda o la aventura ideal, metódica e ingeniosa, el juego, el concurso y el duelo con el destino. La vida se reducía a eso para él, el escritor. Se rascó una oreja y se estremeció nuevamente.

Por eso sus astutos y arrogantes torturadores lo habían castigado con la soledad y el aislamiento. «¡Es peor que la muerte!», pensó asqueado. ¡Cuatrocientos ochenta y ocho días! ¡Y los recuerdos, esas almas en pena! Y a veces la imagen, la imagen de aquel momento luminoso, blanco y azul, la imagen de aquel jardín de la Toscana, la imagen de Francesca. Como si aquel rostro, el único sobre el cual él nunca se había inclinado con la curiosidad atrevida, vanidosa y triste con que solía inclinarse sobre las mujeres, como si aquel rostro hubiese permanecido grabado con más fuerza y terquedad que la realidad misma, incluso en el infierno, en la tumba de los vivos. El encuentro que hubo entre él y Francesca, el momento en que sus pasos y sus vidas se cruzaron, fue de lo más vulgar. La pariente del cardenal lo había recibido entre sucios espejos de Venecia y destartalados muebles de Florencia, con un vestido descosido, mientras el viento de los Apeninos azotaba las ventanas rotas del palacio. El criado —como todos los criados de todas las casas donde la pintura de las paredes y la autoridad de los dueños empiezan a resquebrajarse— era excesivamente familiar, entrometido, parlanchín y gordo. La condesa no quería saber nada de nada: sólo le importaban sus paseos en carroza, sus viajes a Florencia para oír misa y curiosear por el *corso*, donde se entretenía recordando las sombras de su juventud gloriosa. El conde, entre

93

tanto, criaba palomas y esperaba al mensajero de Roma; era un viejo triste y asustado que esperaba al mensajero de Roma porque el día tres de cada mes le llevaba en una bolsita morada una pequeña ayuda del cardenal, unas pocas monedas de oro de parte del papa. En el palacio reinaban los sueños, las arañas y los murciélagos. Las primeras palabras de Francesca habían sido: «Así que usted conoce Roma...» Miraba al forastero con los ojos muy abiertos, con una expresión de pavor en el rostro. Luego estuvo un rato largo sin decir nada.

Aquel amor maduró lentamente, como una fruta noble; necesitaba tiempo, varios cambios de estaciones, sol y lluvia olorosa, amaneceres en los que se pudiera pasear por el jardín cubierto de rocío, entre los majuelos en flor; necesitaba conversaciones en las que una palabra aclarase de repente los paisajes de un alma femenina tímida y tierna, mientras él tenía la sensación de mirar al pasado, de ver palacios en ruinas, una fiesta antigua, carruajes con ruedas doradas que avanzaban por los caminos de jardines muy cuidados, vestidos de todos los colores y los duros rasgos de hombres crueles y malvados. En Francesca había un aire del pasado. Tenía quince años entonces, y parecía haber llegado de algún siglo anterior, como si el Rey Sol le hubiese hablado una mañana por los paseos de Marly, como si en su infancia hubiese jugado con unos aros envueltos en papeles de colores por el césped de Versalles. En sus ojos brillaba la luz de otros ojos femeninos de antaño, los ojos de las mujeres que habían sido capaces de vivir y morir por una pasión. Pero la muerte sólo lo marcó a él, al pretendiente y torpe galán, cuando la espada del viejo novio, terriblemente rico e inquietantemente distinguido, le hirió el pecho desnudo por encima del corazón. Francesca contempló el duelo desde una ventana del primer piso. Estaba tranquila, con el cabello suelto y los rizos negros sobre los hombros, tiernos e infantiles, vestida con una bata de noche que el conde de Parma le había mandado unos días antes desde Lyon, porque se ocupaba personalmente de la dote de su prometida, y con sus huesudas manos llenas de anillos abría los paquetes repletos de encajes, sedas y telas de todo tipo... Francesca parecía tranquila a la luz de la luna, en una ventana del primer piso, con los brazos cruzados, mientras contemplaba a los dos hombres, el viejo y el joven, que estaban dispuestos a derramar su sangre por ella. «¿Por qué? —debió de preguntarse en aquellos instantes—. Si ninguno de los dos ha recibido nada del otro ni le ha quitado nada al otro.» Estaban allí, dando brincos bajo la luz plateada, con el pecho al aire, bañados por el resplandor de la luna, que arrancaba destellos de las puntas de sus espadas. Las hojas sonaban como las copas de cristal al brindar, y la peluca del conde se ladeó ligeramente en el ardor de la batalla; Francesca temió que perdiera definitivamente su cabellera postiza en aquel noble duelo. Más tarde vio que uno de los dos, el más joven, caía. Y aguardó a que se levantara. Oprimió con más fuerza el pañuelo de seda sobre su pecho. Esperó un poco más. Y al fin se casó con el conde de Parma.

«Quiere verme —dijo Giacomo para sí—. ¿Qué querrá de mí?» Se acordó vagamente de la noticia que había oído chismorrear en Venecia, de que el conde había heredado unas tierras cerca de Bolzano, una finca y un palacio en las montañas. No podía pensar en el conde con ira. Había manejado bien la espada, y en la manera de llevarse a Francesca de entre los sueños, las arañas y los murciélagos había algo señorial y cruel; y él, ahora que ya sólo recordaba vagamente el color de los ojos de Francesca, admiraba ese estilo señorial y cruel. «Fue una derrota —pensó, mirando el fuego—. Una derrota y quizá el mayor triunfo sobre mí mismo. Francesca nunca fue mi amante; me compadecí de ella y me mostré tonto y sentimental. Ella fue la primera y la última de quien me he compadecido. Ya sé que fue un fallo grave, un error imperdonable, y tal vez nunca me reponga de ello. Había algo noble y extraño en Francesca; yo tenía ganas de vivir con ella, de beber chocolate caliente por las mañanas, en la cama, a su lado; de viajar a París, de enseñarle el mercado de Saint Germain, el circo de pulgas, al rey; de calentar para ella la tapadera de un cazo cuando le doliera la tripa; de comprarle faldas y medias, joyas y sombreros de moda. Tenía ganas de envejecer a su lado, de disfrutar junto a ella de los atardeceres que envuelven las ciudades, los paisajes, a los aventureros y la vida entera. Eso era lo que sentía a su lado, aquella mañana en el jardín, bajo el cielo azul. Por eso huí de ella —pensó, con la tranquilidad de alguien que se enfrenta a la única realidad con sentido, a la única ley de su vida—. Porque esas cosas no son para mí.» Se levantó, y su corazón empezó a latir con agitación.

Al acordarse de Francesca y del conde de Parma, al enterarse de que vivían efectivamente en las cercanías, como habían afirmado los chismosos de Venecia y de Bolonia, al imaginar que quizá habitasen la casa de al lado, algún palacete de la plaza principal, porque probablemente abandonarían la finca y el palacio austeros durante el invierno y se trasladarían a la ciudad para pasar la época de los fríos; al enfrentarse al asedio de los recuerdos del pasado, donde se mezclaban su vergonzoso fracaso y su triste triunfo, se dio cuenta de que aquella noche, al desplomarse en el césped del patio del palacio de la Toscana, ante los ojos de Francesca, ni habían zanjado ni habían resuelto nada. Porque la sangre y las caídas nunca resuelven nada. El conde, tras herirlo, se mostró cortés, generoso y señorial: lo depositó personalmente en su propia carroza —él estaba medio inconsciente, pero se sorprendió por la fuerza del anciano— y lo llevó a Florencia conduciendo los caballos con cuidado, obligándolos a andar a paso lento, deteniéndose en cada encrucijada para restañar la sangre de la herida con su pañuelo de seda, todo ello sin pronunciar una palabra, con el silencio de alguien que sabe que las cosas serias no se dirimen entre los hombres con palabras, sino con hechos, comportamientos y actos. Fue un viaje largo que duró toda la noche, desde Pistoia hasta Florencia. Fue un viaje largo; la herida sangraba abundantemente, y arriba, en la lejanía del firmamento, las estrellas relucían con un brillo extraño. Él estaba medio sentado, medio echado en el asiento de atrás, y con sus ojos, cubiertos por el velo de la fiebre y de la noche, no distinguía más que las estrellas, la oscura bóveda celeste, la silueta recta y enjuta del conde, que gobernaba los caballos con habilidad. «¡Hemos llegado! —anunció el hombre cuando a altas horas de la madrugada se detuvieron ante las puertas de Florencia—. Ahora te llevaré al mejor cirujano. Tendrás todo lo que necesites. Cuando te recuperes, te marcharás de aquí, bien lejos. No volverás nunca. Si intentas verla otra vez —añadió, alzando la voz pero sin inmutarse, con las riendas en las manos—, te mataré o mandaré que te maten. Has de saberlo.» Hablaba con una naturalidad amistosa, de manera afable. Atravesaron las puertas de la ciudad; el conde de Parma no esperaba respuesta alguna a sus palabras.

Accesorios

Así pues, escribió la carta para el señor de Bragadin. Era una carta hermosa, digna de un escritor, que empezaba con un: «Padre»; y terminaba diciendo: «Le beso los pies.» En seis hojas contaba todo con detalle: la fuga, el viaje, Bolzano, el conde de Parma, sus planes; también mencionó a Mensch, el usurero y agente de cambio a cuya dirección le podía enviar dinero. Pidió una suma considerable, sin precisar; si era posible, más bien una carta de crédito para Múnich y París, porque se iba lejos, hacia la gran aventura, hacia los paisajes fatales de la vida, y quizá con esa misiva se despidiese definitivamente de su protector y padre, puesto que ¿quién sabía si los corazones de los pudientes de Venecia se ablandarían hacia el fugitivo, hacia el hijo infiel de la ciudad? La pregunta era retórica, así que procuró dotar a las frases altisonantes de un contenido más práctico. ¿Qué podría brindar él, el fugitivo, el desterrado, a Venecia, a los pudientes, a los orgullosos y a los crueles? Ésa era su pregunta, y la respondió enseguida, así: «Podría dar mi pluma y mi espada, mi sangre y mi vida.» A continuación, a sabiendas de que eso era poca cosa, ofreció también sus conocimientos del lugar y de sus habitantes, de los misterios de Venecia; una información servicial sobre toda cosa y todo individuo cuyos secretos la Inquisición quisiera conocer. Como veneciano nato, sabía que la República no precisaba de su pluma, ni tampoco de su espada, pero sí de oídos agudos y lenguas sueltas, de ojos atentos, de perros rastreadores nobles y astutos, de todos quienes fueran capaces de conocer y contar los secretos de los venecianos.

Por el momento no tenía intención de regresar a Venecia. La ofensa que ardía en su corazón había cubierto con un humo espeso los recuerdos agradables y atractivos, y volvía borroso todo aquello que pudiera hacerle evocar su Venecia tierna y pacífica. Por el momento quería odiar y viajar. El señor de Bragadin, tan sabio, tan bueno, noble y sencillo, sin duda lo comprendería. El senador —que estaba convencido de que aquel violinista veneciano, a quien una madrugada había recogido medio desmayado de las aguas de un canal, le había salvado la vida a él tiempo después con sus palabras y su magia, e incluso con armas más potentes que el hechizo cotidiano, y había arrancado su viejo cuerpo de las manos de los médicos y de las garras de la muerte—, el señor de Bragadin, noble consejero de Venecia, era quizá su único amigo en la tierra, y seguramente el único en Venecia. Su amistad, como los sentimientos humanos en general, no se podía explicar con palabras. A decir verdad, él había engañado, traicionado y ridiculizado al noble anciano desde el primer instante. El señor de Bragadin era bueno con él, de una manera altruista, como nadie lo había sido y —según sospechaba— como nadie lo sería jamás en su agitada e insegura vida. Aquella bondad no se agotaba, era muda y paciente. Él había estado observando durante largo tiempo con suspicacia aquel fenómeno humano que no era capaz de comprender, que ni siquiera era capaz de apreciar, tal como le ocurre a quien es ciego para los colores, incapaz de distinguir el rojo del verde. Con los párpados entornados observaba atentamente esa bondad, aguardaba el momento en que se agotaría, en que el anciano delataría sus verdaderas intenciones, exigiría una recompensa y una paga por la ternura paterna con que lo había estado colmando, se quitaría la máscara de bondad y mostraría el terrible rictus de su auténtico rostro. Imaginaba que el cambio no podía tardar mucho. Pero pasaron los meses, pasaron los años, y la paciencia del señor de Bragadin no se acababa. A veces lo regañaba por las monedas de oro malgastadas, se negaba a satisfacer alguna de sus descaradas y salvajes exigencias, le llamaba la atención sobre el valor del dinero y sobre los placeres del trabajo honrado o sobre la importancia del honor; pero lo hacía sin ninguna intención concreta, con el tacto y la paciencia del alma noble de un digno anciano de Venecia, y no esperaba gratitud alguna, porque sabía que la gratitud es la madre de la venganza y el odio. Tardó en comprender al señor de Bragadin. El anciano —con su traje de seda, su nariz aguileña, su cabello blanco, su frente color marfil, brillante y lisa— podría haber figurado en cualquier pintura de cualquier altar de Venecia como un personaje secundario sublime, como un mártir envuelto en su toga, un observador inmutable, un pilar seguro en medio del terremoto de la vida. «¡Ha de tener algún propósito! —pensaba él con impaciencia, porque a veces odiaba aquella bondad sin propósito y aquella paciencia casi inhumana, y se preguntaba—: ¿Quién podría amarme a mí sin deseos ni emociones?»

Una persona así constituía un fenómeno extraño, mucho más extraño que un amigo o una amante llenos de sentimientos apasionados; vivía en un mundo aparte, un mundo donde, a su parecer, él nunca tendría cabida. Se mantenía en el umbral y desde allí contemplaba ese mundo noble, silencioso y paciente del señor de Bragadin. «¿Qué sabrá de mí?», se interrogaba a veces, al alba, cuando regresaba al palacio por los canales, entre las casas que dormían, en su góndola que flotaba en las aguas pesadas y calmas, en el doloroso silencio del amanecer, sólo perturbado por el remo del gondolero, en esas madrugadas que únicamente Venecia es capaz de brindar a los viajeros nocturnos para saludarlos, de modo que éstos creen desplazarse por los senderos del infierno hacia territorios desconocidos. El palacio del señor de Bragadin reposaba en la oscuridad; sólo en la ventana del anciano palpitaba una luz suave. Él subía la escalera de mármol de puntillas, hacia su habitación, porque era el hijo adoptivo de aquella casa noble, su hijo pródigo; abría su ventana de par en par para contemplar el cielo de Venecia, se tumbaba en su cama y se sentía muy avergonzado. Había estado jugando a las cartas otra vez y lo había perdido todo de nuevo, salvado por la palabra y el crédito de su protector; luego se había dedicado a vagar por las tabernas de los muelles en compañía de sus escandalosos amigos y de las hadas risueñas, sedosas y alegres de la noche veneciana, y ya de madrugada había regresado a aquella casa silenciosa donde un alma solitaria había estado velando y aguardando su vuelta sin reprocharle nada... «¿Por qué? —se preguntaba cada vez más impaciente—. ¿Por qué lo aguanta todo, por qué lo perdona todo, por qué no me entrega a los esbirros, él que lo sabe todo de mí, hasta las cosas más terribles que bastarían para que los hipócritas jueces de Venecia me enviaran a galeras?» El señor de Bragadin era el hombre excepcional que mencionan los libros de cuentos, un hombre capaz de sacrificarse sin esperar nada a cambio, sin esperar gratitud ni recompensa; un hombre que contemplaba cualquier pasión o debilidad humanas con una paciencia irreal, casi inhumana. Era uno de los hombres más poderosos de Venecia, pero administraba su poder con cautela, como quien sabe que la verdadera fuerza que rige la vida de los Estados y de las personas no se basa en las órdenes sino en la comprensión.

Escribía la carta para el señor de Bragadin, y sonreía mientras escribía. «Quizá haya sido justamente por eso —pensó, mirando la llama palpitante de la vela— por lo que siempre me ha protegido y defendido: porque a mí me falta todo lo que exigen las tablas de las leyes humanas y divinas; todo, menos la ley de la pasión.» Releyó con interés las líneas que acababa de escribir, corrigió con su pluma algún adjetivo y suspiró profundamente, en silencio. La sabiduría del señor de Bragadin era madura y noble, como si el anciano fuera cómplice de todo lo humano, de todas las pasiones y todos los errores. «El papa también es así —pensó con satisfacción—, y Voltaire, y el cardenal. Ha habido algunas personas así en Italia y en el reino del rey más católico. Algunas, sí, no muchas... Porque lo que yo sé por mis sentidos, por mi ser y mi destino, ellos lo saben por su espíritu y su corazón; saben que la ley en la que yo nací, la que he conocido a costa de múltiples heridas y llagas, no es la ley de la virtud. Existe otra ley que los guardianes de la virtud condenan, pero que el Todopoderoso perdona: una virtud que no es otra cosa que una fidelidad incondicional a nuestro ser, a nuestro destino, a nuestras inclinaciones.» Esa certeza recorrió todo su ser, desde la misma coronilla hasta la punta de los dedos de los pies, e hizo que se estremeciera ligeramente, como sacudido por un escalofrío. «Tal vez por eso me haya defendido el señor de Bragadin —pensó—. Él participaba en los trabajos del Consejo con sus compañeros, escuchaba los informes secretos, castigaba y perdonaba, pero en su fuero interno sabía que más allá de las leyes escritas existe otra ley, no escrita, y que también merece ser respetada.» Miraba fijamente la llama de la vela, muy emocionado, con ojos brillantes. «Le ruego que me envíe el dinero aquí, a Bolzano, a la dirección del señor Mensch», escribió turbado aunque con letra segura.

«Tal vez no debería haber vendido el anillo de esmeraldas», se dijo, sin concederle mucha importancia al hecho. Su protector había escogido personalmente para él esa joya entre el tesoro familiar, y él apenas la había llevado una noche, una noche en que se lanzó vestido de príncipe oriental al peligroso y atractivo torbellino del carnaval veneciano. El anillo era un recuerdo, un valioso recuerdo de la esposa muerta del anciano. «Fue un error empeñarlo aquella misma noche para poder seguir jugando a las cartas; debí recuperarlo más adelante, y no vender el comprobante del empeño... Son errores que se cometen», pensó comprensivo. ¿Y el comprobante del empeño, que más tarde, cuando él ya estaba en los Plomos, le enseñaron al anciano, el comprobante cuya firma debió de parecerle extraña, el comprobante del que él nunca más volvió a tener noticia?... «Lo ha pagado», se dijo encogiéndose de hombros. El señor de Bragadin lo había pagado sin reprocharle nada; él fue el único que le envió un paquete al infierno en Navidad y Año Nuevo, movido por las irresistibles emociones de su corazón de anciano, porque es obvio que es necesario amar a alguien: nadie es capaz de vivir de otra manera, ni siquiera un viejo, ni siquiera si el objeto del amor es indigno de ese noble sentimiento, ni siquiera si se vende un anillo de esmeraldas que constituye un recuerdo entrañable, ni siquiera si se falsifica con talento una firma sobre el comprobante del empeño. Nada de eso importa si alguien ama a alguien. A veces casi envidiaba al señor de Bragadin por la emoción altruista cuyo auténtico significado él era capaz de comprender sólo con su inteligencia, pero no de sentir con su corazón. Durante un tiempo había sospechado que el anciano lo amaba con sentimientos enfermizos que quizá no se confesaba ni siquiera a sí mismo, puesto que la vida del viejo era un libro abierto: desde su nacimiento, nunca había abandonado su ciudad natal, había crecido en los canales de Venecia como si hubiese sido una planta noble y pura que resiste al hedor de los cenagales. Él no podía imaginar que un ser humano fuera capaz de amar a otro sin ningún propósito, sin sombra de sensualidad; tal fórmula no tenía cabida en su mundo: pensaba que había algo erróneo en ella. Los sentimientos humanos se le antojaban demasiado caóticos. Y eso le provocaba suspicacia. Sabía que, además del amor entre hombre y mujer, existían otros lazos más escondidos entre los seres humanos. Obviamente, al ser asiduo de los muelles venecianos, donde los deseos del Oriente y del Sur se mezclaban en las miradas de la gente, conocía la existencia de tales lazos. Odiaba aquel amor deforme y diferente; se enfrentaba a las emociones y sentimientos humanos más profundos sin ningún miedo, pero los sentimientos se desarrollaban para él entre los dos sexos, entre el hombre y la mujer, de manera eterna e invariable. Aunque vivía en Venecia, donde había un mercado de castrados, de orientales, de esclavos del amor, donde la carne humana se vendía y se compraba como en una carnicería, él nunca se había entregado a la tentación; se paseaba asqueado por aquel mercado del amor y contemplaba con una mezcla de ironía y de repulsa a los enfermos y desgraciados que intentaban ganarse los favores de Eros más allá de las mujeres. «Las mujeres...», se dijo, y pensó en ellas con calma, con sobriedad y decisión, como si pensara en la vida misma.

Pero precisamente porque vivía en Venecia, durante un tiempo se mostró suspicaz incluso con el señor de Bragadin. El mercado de Venecia era demasiado surtido, demasiado bullicioso y variado. Sin embargo, la fama del senador permaneció incorrupta aun en la sucia boca de los alcahuetes venecianos. Nadie podía ufanarse en la plaza de

San Marcos de que el senador hubiese comprado sus favores por dinero o por poder. Si bien el anciano había nacido en esa ciudad, no provenía de las sucias callejuelas cercanas a los teatros, como su protegido, sino de una familia noble y señorial; siempre había vivido en Venecia, se había casado allí, y pese a su avanzada edad seguía guardando luto por su esposa, muerta en su juventud. Vivía solo, sin parientes, en compañía de algunos frailes de palabra sabia y gustos refinados y de algunos viejos criados. Su casa, uno de los palacios más honrosos y reservados de toda la República, no se abría para muchos; a las cenas celebradas para sus amigos íntimos se invitaba a unos pocos, y participar en ellas constituía todo un honor. Aquel hombre prudente y distinguido, noble y puro, lo había rescatado de su vida caótica, lo había salvado de la inmundicia de los canales, a él, a ese cazafortunas, en un momento en que su buena estrella se había apagado. ¿Por qué lo había hecho? Sin ningún motivo secreto, sin ningún deseo ni emoción, sólo movido por su misericordia y su bondad, que nunca se agotaban.

Es verdad que de los Plomos no lo había podido librar ni el señor de Bragadin; frente a la Inquisición, ni siquiera el consejero veneciano había podido salvar a su protegido de la cárcel y el destierro. Las acusaciones que sus excelencias formulaban contra él eran ridículas. Giacomo sabía que no lo acusaban porque ejerciera la magia, ni porque participara en fiestas desenfrenadas y anduviera por las tabernas; tampoco por el apasionado celo con que hacía perder la cabeza a las mujeres y las muchachas venecianas. «No había que hacer nada en especial para que la perdieran —pensó—. ¡Qué equivocados estaban! ¡Nunca fui yo quien las elegía!» De eso no se podía hablar con el secretario del tribunal. La gente mentía sobre ese punto de las acusaciones, como suele mentir sobre el verdadero contenido de la vida. Él se había convertido en un «seductor», en un amante oficial «infiel», en un poseso, en un mujeriego, en el enemigo público designado por la autoridad... «¡Si ellos supieran!», pensó. No había podido explicar que él nunca había elegido, que siempre lo habían elegido; no podía decir ni escribir que las mujeres tenían una opinión sobre la virtud y los secretos de la elección amorosa muy distinta de la que se propagaba desde los tribunales de la autoridad y desde los púlpitos de las iglesias. No había podido decírselo a nadie, e incluso a sí mismo sólo se lo confesaba en algunos momentos de soledad; en tales momentos reconocía que en la batalla amorosa siempre había sido él el despojado, utilizado y tirado, siempre había sido él la víctima... El comprobante del empeño, el anillo de esmeraldas, las fiestas descontroladas, los juegos de cartas que duraban cinco jornadas, las promesas incumplidas, el comportamiento irrespetuoso, obstinado y desafiante; nada de eso constituía la verdadera acusación. La vida era así en Venecia... Lo que no pudieron perdonarle, aquello por lo que lo metieron en prisión sin que el poderoso señor de Bragadin pudiera rescatarlo, lo que de verdad era peligroso y constituía un crimen y un pecado a los ojos de las autoridades era una cosa bien distinta; no se trataba de sus actos, de los delitos o los errores que hubiese cometido, sino de su manera de comportarse, de su manera de ser. «Era imposible que me perdonaran», pensó, comprendiéndolos, y se encogió de hombros. Porque el mundo exigía orden y consentimiento, rendición a regañadientes, sumisión incondicional a las leyes divinas y humanas. Pero dentro de él, de manera arraigada y terrible, ardía la llama de la resistencia; y eso no podían perdonárselo.

Por esa razón nadie había podido hacer nada, ni siquiera el señor de Bragadin. Por Navidad le mandó un abrigo de piel a la prisión, unas monedas de oro y algunos libros. Eso fue todo. No se puede salvar a un hombre en contra del mundo: tarde o temprano se arrojan sobre él y lo obligan a arrodillarse. Ese día, el día del ajuste de cuentas final, no había llegado todavía. Esta vez se había rebelado y se había fugado, y ahora tenía que prepararse para la batalla, como un soldado; tenía que conseguir armas y afilar su puñal y su espada. Así que escribió la carta, se vistió y fue a Bolzano en busca de armas y munición. En la ciudad se orientó con rapidez. Levantó el cuello de su capa, pues ya estaba anocheciendo y caía aguanieve; por las calles nadie lo reconocía. Caminaba rápido, examinando el terreno con ojo avizor. La ciudad no parecía muy prometedora. Como si la hubiesen aplastado las montañas y los prejuicios; la belleza de sus casas lo cautivaba, pero la mirada de sus habitantes lo llenaba de suspicacia. Como los grandes intérpretes y los artistas de la conversación, él sólo se sentía seguro en compañía de personas sensibles, entre sus almas gemelas. «Aquí no voy a poder cosechar muchos éxitos», pensó disgustado al recorrer la vistosa plaza y adentrarse en las calles laterales por primera vez. Todo estaba en el justo medio entre lo profundo y lo elevado, y por consiguiente todo se situaba fuera de su estilo de vida. La ciudad vivía en la frontera de todo, en el límite de todo lo que él amaba y de todo lo que él trataba de evitar. Era sobria y ordenada; las aventuras que en ella se desarrollaban eran ajenas a sus preferencias, y por ello temibles. Avanzaba por las calles sujetándose el pañuelo delante de la boca, porque temía coger un resfriado por el aire inclemente, y con el ala del sombrero bajada porque temía las miradas de los transeúntes. Examinaba con atención los portales de las casas, las ventanas iluminadas, intentando adivinar cuál de los palacios de tejados puntiagudos podía ser el del conde de Parma, y sus ojos entrecerrados se encendían de vez en cuando al mirar a los ojos de los hombres y de las mujeres. «Es una bella ciudad —pensó al final de su paseo sin estar muy convencido—. Es una ciudad pulcra. Extraña, condenadamente extraña.» Con eso quería decir que la ciudad era extraña para él, que no sentía en su aire la complicidad atractiva y familiar, ni la misteriosa irradiación de las ganas de vivir, las pasiones, la fastuosidad, la afición por divertirse que él era capaz de sentir tanto en las ciudades como ante las personas desconocidas. «Una ciudad virtuosa y seria», tuvo que reconocer. Aquello le puso piel de gallina, y empezó a contar los días.

Según sus cálculos, podía recibir una respuesta del señor de Bragadin en un plazo de cinco días. Entró en las tiendas situadas bajo los arcos de la plaza y se dispuso a hacer sus compras. Necesitaba muchas cosas, necesitaba de todo para volver a levantar cabeza, «para renacer de mis cenizas, como el ave fénix», pensó con ironía, con una frase hecha y literaria. «¿Qué necesita el ave fénix?», se preguntó, y se detuvo en una esquina a la luz de un farol, una lámpara de aceite cuya pequeña llama casi se desvanecía con el viento del norte. Se echó un extremo de la capa por el hombro para cubrirse a medias el rostro, y miró así a los transeúntes, resistiendo el viento como la llama de la lámpara. Ante todo, necesitaba camisas de encaje, una docena; medias blancas de París, puños de encaje, dos fraques —uno verde con solapas doradas y otro morado con hombrillos grises—; necesitaba zapatos de charol con hebillas de plata, varios pares de guantes, unos de encaje para la noche y otros de cuero fino para el día; un abrigo de invierno con cuello de piel, una máscara blanca de seda veneciana, unos anteojos, sin los cuales se sentía desarmado, un sombrero de tres picos y un bastón de plata. Echó sus cuentas. Debía conseguir todo eso antes de la noche del día siguiente. Sin vestuario, sin máscara ni accesorios, se sentía desnudo, sí, se sentía sarnoso. Ante todo, debía vestirse como sólo él sabía hacerlo, debía volver a levantar cabeza. Por lo tanto, entró con rápida decisión en la tienda de apuestas que tenía enfrente, jugó en la lotería tres números, las fechas de su nacimiento, su encarcelación y su liberación, y compró dos barajas de cartas francesas.

Escondió los naipes con cuidado en los bolsillos y se presentó en la casa de préstamos del señor Mensch. A primera vista, el usurero parecía desmentir su nombre, que en alemán significa «ser humano». Lo encontró en un cuartucho oscuro que daba al patio de un edificio de un solo piso situado detrás de la iglesia, rodeado por sus balanzas y sus cofres de hierro. Era un hombre bajo y flaco; estaba sentado detrás de una mesa larga y estrecha, vestido con una bata de noche, y asía los objetos con unas manos amarillas y finas, de uñas largas y curvadas, como un depredador que coge a su víctima con las garras; unos mechones de cabello gris, espeso y grasiento, le caían sobre la frente; los ojos pequeños, relucientes y astutos, muy hundidos en las órbitas, miraban al forastero con ardiente curiosidad. El usurero, que según descubrió Giacomo no llevaba una bata sino un caftán sucio, lo saludó con voz sibilante e hizo una inclinación, aunque sin levantarse de su asiento, por lo que aquél resultó un movimiento forzado. Al hablar, mezclaba palabras francesas, italianas y alemanas, y respondía entre gruñidos, como si nada de aquello fuera serio, como si estuviera pensando en otra cosa y no atendiera por completo a su cliente.

—¡Ah! —dijo al oír su nombre; alzó las cejas hasta la altura de sus sucios y espesos mechones y parpadeó muy rápido, como un mono cuando se está espulgando.

¿Había oído bien su nombre el anciano? ¿Había oído bien su nombre con su oído enfermo, el pobre? El usurero hablaba de sí mismo en tercera persona, con una compasión profunda y sincera, como mimándose.

—Mensch está muy viejo —explicó—, nadie viene a verlo ya. Es viejo y pobre —añadió para evitar equívocos—. Pero el forastero ha venido a verlo —concluyó, y se calló.

—Mi primera visita en la ciudad ha sido a su casa —dijo con educación el forastero.

Hablaron de dinero en voz baja, como los enamorados de sus sentimientos. Empezaron a hablar inmediatamente, sin rodeos, con la pasión y la curiosidad de los entendidos, como dos expertos que se conocen en un viaje o una reunión social, y que, mientras la dueña de la casa está tocando el piano o alguien recita unos poemas, se apartan y, entregándose a los estimulantes secretos de su profesión, dan rápidamente inicio a un discurso sobre los minerales o sobre el aparato digestivo de los canguros. Así hablaban del dinero, de una manera distendida, utilizando términos clave que sabían que el otro iba a comprender porque era versado en la materia, midiendo las palabras, como dos científicos.

—Garantía —decía Mensch, y la palabra sonaba en su boca como si estuviera formulando un juramento con ella.

—Crédito —decía el cliente, con tal ardor, convicción y naturalidad como si no pudiera haber cosa más sencilla, como si la entonación y la insinuante musicalidad del término pudiesen ablandar el corazón del anciano.

Discutieron largamente esos dos conceptos, con buena disposición y afabilidad. Quien los contemplara a lo lejos podría haber pensado que se trataba de dos científicos que mantenían una discusión puramente teórica. Con esas sencillas palabras, los dos expresaban una profunda convicción, el fuero interno de su personalidad, la fe y la realidad en que se basaba su vida. Porque lo que para uno era «garantía», para el otro era «crédito», no sólo en esos instantes oscuros de la noche, sino en cualquier otro de su vida. Lo que uno sólo se podía imaginar en forma de garantía y de fianza, el otro lo exigía del mundo en forma de crédito, de manera constante y apasionada, más allá de los intereses económicos momentáneos, como un credo. El uno sólo percibía el mundo en la medida de sus garantías, y el otro quería la vida entera a crédito: la felicidad, la belleza, la juventud y, por encima de todo, el dinero como accesorio de la existencia. No estaban hablando de la suma, sino de cuestiones de principio.

El nombre del señor de Bragadin surtió debido efecto sobre el agente de cambio.

—Un señor muy distinguido —sentenció, y parpadeó con mayor rapidez—. ¡Un buen nombre! ¡Vale oro! —Lo decía con desconfianza, convencido hasta la médula de que el forastero quería engañarlo, de que quería venderle algo que no tenía, algo dudoso, y de que finalmente intentaría venderle al mismo señor de Bragadin—. ¿Quizá un anillo como garantía? —sugirió, levantando un dedo meñique de uña larga y sucia como para señalar que cualquier cosa concreta era más válida y más apropiada para un negocio mundano que el nombre de una persona—. Un anillo —repitió con voz melodiosa, de súplica, como un niño que estuviera pidiendo un dulce de mazapán—, un anillito de piedras preciosas —dijo entre risas, guiñando un ojo y frotando el dedo índice de la mano derecha contra el pulgar, para indicar así qué hermoso, qué valioso podía ser un anillo de piedras preciosas, un anillo que avalaría la inmediata concesión de un crédito.

Los ojos glaucos del usurero se llenaron de lágrimas con esa idea y no dejaron de parpadear, mostrando una ligera preocupación y una alegría desbordante, y —también sin querer— un profundo respeto, como un luchador que sale a la arena y comprende que acaba de encontrar, por fin, un contrincante de mucho valor, a su medida. Habría preferido terminar con la lucha cuanto antes, pero al mismo tiempo los pies y las manos le hormigueaban por la excitación del momento, tan ardiente y llena de entusiasmo como en el amor; la excitación que indicaba que había llegado el instante de enfrentarse a un contrincante de verdad, a un compañero digno de él, que conoce las reglas secretas y las artimañas de la pelea y que, al fin y al cabo, le da sentido a su vida, porque en realidad siempre había deseado encontrarse con un contrincante de esa categoría. Se subió las mangas del caftán por sus esqueléticos brazos, como diciendo: «¡Vamos! ¡Midámonos!», y ambos se observaron con deleite.

Mensch sabía que acabaría prestándole dinero a su cliente porque no podía hacer otra cosa, y el cliente sabía que acabaría recibiendo dinero del usurero, incluso aunque el señor de Bragadin no enviara las monedas de oro solicitadas con tanto poder de convicción; algo que por otra parte no se podía ni tomar en cuenta. «Mensch me prestará dinero», había pensado ya en los Plomos, cuando planeaba los detalles de su fuga y había tenido una especie de visión inspirada por ese nombre. Entonces, delante del usurero, constató con satisfacción que su visión había sido correcta, que la realidad no desmentía sus sueños. Su instinto, que él mismo no era capaz de explicarse, le había dicho que Mensch —cuyo nombre había oído en una ocasión en boca de un comerciante de telas holandés— era un contrincante y un negociante de calidad, y que ellos dos tenían algo en común; que él se presentaría ante el agente de cambios, y que entonces Mensch se quejaría y chillaría, pero que en el fondo no podría hacer nada. «La dirección del prestamista —le había dicho Balbi—, aquí está la dirección.» ¿Qué significaba una dirección? ¿Qué valor poseía? Él sabía que significaba mucho, que lo significaba todo: una dirección era una persona, un acontecimiento y una acción; había que insuflarle aliento y calentarla con la fuerza de la imaginación y la voluntad, y entonces la dirección cobraba vida, devenía real y acababa entregándole el dinero a regañadientes. Él conocía direcciones así en París, en Lyon, en Viena y hasta en Manchester. Las direcciones corrían por la vida de los pueblos como las leyendas; en Nápoles, por ejemplo, vivía un usurero a quien bastaba con decir «¡Que te lleve Caronte!» para que el hombre se pusiera inmediatamente a llorar y aceptara el pagaré. Por eso miraba a Mensch con calma, contento de que la realidad y los sueños encajaran de manera tan perfecta; lo miraba tranquilo, casi con ternura. Mensch también lo miraba así, parpadeando, con la conciencia terrible pero alentadora con que uno se enfrenta a su destino.

Al final acabó entregándole el dinero; no mucho, mas el suficiente para que él pudiera salir por fin a escena en Bolzano, donde —así lo sentía— el público ya lo aguardaba con impaciencia. Mensch le dio treinta ducados de oro; contó las monedas conmocionado, con manos temblorosas, y las puso sobre la mesa barnizada sin exigir anillo ni garantía alguna, simplemente a cambio de un pagaré, como un adelanto a cuenta del dinero que le enviaría el señor de Bragadin, una suma que por el momento estaba en la luna, muy lejos, como cualquier otro dinero que no estuviera en su mesa. Cuando entregó el dinero, envuelto en papel de seda, se levantó y acompañó a su cliente hasta la puerta entre inclinaciones y reverencias casi religiosas, dignas de un sumo sacerdote. Desde el umbral lo estuvo siguiendo con la mirada.

El hombre a quien acababa de prestar dinero a crédito, a cambio de un pagaré, avanzaba con pasos rápidos por la calle oscura. Asintiendo con la cabeza y mascullando palabras en italiano, alemán y francés, Mensch lo siguió con la mirada hasta que el otro desapareció en la bruma. Éste caminaba de prisa, casi corriendo, en dirección a la plaza principal. Llegó a la iglesia justo a tiempo de ver una carroza en la cual iban dos lacayos con antorchas, sentados en el pescante trasero, y distinguir a través de una de las ventanas el pálido rostro de Francesca.

—¡Francesca! —gritó.

En ese momento empezó a nevar. Él estaba solo, en medio de la plaza, bajo la nieve, y la carroza pasó a su lado. Sintió el dolor que sentimos siempre cuando nuestros deseos se convierten en realidad. Con las manos juntas detrás de la espalda y la cabeza gacha continuó su camino hasta la Posada del Ciervo, sumido en profundas reflexiones. Se sentía más solitario que en el infierno de la prisión de los Plomos.

La consulta

Esa misma noche se sentó en el comedor de la posada a beber vino caliente con miel y esperar a los jugadores de cartas. Llegaron uno tras otro: un boticario que acompañaba a Balbi, un deán que había estado hasta en Nápoles, un actor retirado y un oficial que acababa de desertar de su destacamento en Bolonia. Jugaron con poco dinero, para practicar un tanto y conocerse. El boticario hacía trampas, así que terminaron por echarlo; con su sable desenvainado, el oficial persiguió al grueso jugador de mirada boba hasta la puerta, hasta la calle cubierta de nieve. En torno a la medianoche, aburrido ya, él subió a su habitación con Balbi, encendieron las velas, se sentaron a la mesa y, con gran pericia, empezaron a marcar las cartas compradas esa misma tarde, fabricadas en Nápoles; el grabador de la imprenta había decorado las barajas con el sello de «*stampatori de naibi*» y con las imágenes de la Muerte y del Ahorcado. El fraile se mostraba sorprendentemente hábil en la tarea. Trabajaban en silencio; marcaban con cera los ángulos de las cartas más importantes, y con las uñas hacían señales en la cera.

—¿No tienes miedo? —le preguntó el fraile con tono despreocupado, inmerso en su trabajo.

—No —respondió él, que levantó el as de picas hacia la luz y, cerrando un ojo, observó con mucho cuidado la carta marcada—. ¿De qué debería tener miedo? Un caballero nunca tiene miedo.

—¿Un caballero? —objetó Balbi, sacando la lengua entre los labios carnosos, como era su costumbre, para expresar su admiración—. ¿A quién te refieres?

—A mí mismo —contestó con calma, mientras palpaba con las yemas de los dedos la carta marcada—. ¿A quién si no? —inquirió sin darle importancia, como por descuido—. Puesto que sólo estamos nosotros dos en la habitación, no puedo referirme más que a mí.

—¿Entonces por qué haces trampas?

—¿Que por qué hago trampas? —Él arrojó los naipes sobre la mesa y se estiró hasta que le crujieron los huesos—. Porque de otra manera es muy difícil ganar. Las cartas poseen la característica de que son aleatorias. Hay muy pocas personas que ganen a las cartas sin ayuda artificial —añadió con el tono objetivo de un relator—. Por otra parte, todos hacemos trampas; hasta las personas más destacadas de Versalles hacen trampas, incluidos los jefes de los ejércitos y los sacerdotes.

—¿El rey también? —inquirió Balbi con devoción.

—No —replicó él muy serio—. Pero se pone furioso cuando pierde.

Meditaron sobre tales posibilidades. Cuando, hacia medianoche, Giacomo se quedó solo, se acostó entre suspiros y bostezos. Pasó tres días así, en completa soledad, sin más compañía que la de Balbi, Teresa y Giuseppe, aunque jugaba a las cartas con los mensajeros y los comerciantes de aceite que pasaban por la posada; gracias a las cartas marcadas, ganaba a menudo, mas también perdía, porque era cierto que en aquella época todo el mundo hacía trampas, en Londres, en Roma, en Viena y en París, sobre todo en las posadas, donde los jugadores profesionales de paso trabajaban con *banque ouverte*. En una ocasión, hasta se peleó con un griego que sacaba los ases de la manga de su abrigo con admirable habilidad; se batió con él no porque estuviera enojado, sino simplemente para no perder la práctica. A Francesca no volvió a verla durante esos días, aunque tampoco buscó encontrarse con ella. La vida transcurría adormilada en el aire leve y claro de la ciudad situada al pie de las montañas. Una ventisca azotó durante tres días las ventanas de la posada, llenándolas de nieve. El cielo estaba cubierto por nubes grises y algodonosas, unas nubes tan sucias como los mechones que le caían a Mensch sobre las orejas. Los tenderos le mandaron la ropa que había encargado, las camisas, los zapatos, la máscara de seda veneciana, el bastón y los anteojos; también había pedido un abrigo para Balbi, más que nada para que tuviera un aspecto honrado y decente, ya que el fraile se paseaba por la ciudad con una capa con la que parecía un ahorcado recién bajado del patíbulo. Pasó mucho tiempo en soledad en su habitación, sentado delante del fuego, con el estado de ánimo indiferente y melancólico del que había sido presa durante los últimos años en varias ocasiones, aunque fuera amante de la música, la acción, la luz, los aromas y la curiosidad. Como si todo lo que había planeado en la cárcel, las posibilidades de alegría y diversión que ofrecía la vida hubiesen perdido interés ahora que estaba de vuelta en el mundo y sólo tenía que tender la mano para alcanzar la realidad. Durante esos días pensó seriamente en regresar a Roma, arrodillarse delante de su generoso amigo, el cardenal, implorarle perdón y hacerse fraile o bibliotecario de las estancias del papa. Pensaba en las ciudades desconocidas donde nadie lo esperaba, donde sólo lo aguardaban posadas, camas frías y el calor de mujeres de cuyo abrazo se separaría entre bostezos; pensaba en los pasillos de los teatros donde podría pasearse y decir mentiras, donde las palabras perderían su verdadero sentido; o bien en las casas de juego y las tabernas donde ganaría unas cuantas monedas de oro con la ayuda de sus cartas hábilmente preparadas; y todo ello lo invitaba a bostezar. Conocía y temía tal disposición del espíritu. «Suelo acabar sangrando por la nariz y huyendo», pensó, y se abotonó hasta el pecho la bata de noche porque tenía frío. Ya en su infancia había atravesado esos estados de ánimo que empezaban siempre con miedo y hastío, que se apoderaban de él de repente, sin aviso previo, y que solían provocarle hemorragias nasales de tal calibre que sólo las hierbas y las cataplasmas de la Nonna, su bondadosa y fuerte abuela, eran capaces de detener. Pensaba a menudo en la Nonna, mientras que nunca lo hacía en su madre ni en sus hermanos; su fuerte abuela había sacado adelante a tres generaciones venecianas y amaba especialmente a Giacomo, de modo que, ya muerta, lo visitaba en sus agitados y tristes sueños. En su infancia, cuando le sangraba la nariz, la Nonna le preparaba cocciones de remolacha porque estaba convencida de que los brebajes de remolacha y rábano picante detenían el flujo de la sangre, y le ponía cataplasmas con hielo en la nuca... Y, en efecto, el flujo de la sangre se detenía y la tristeza disminuía. «¡Nonna!», pensó en ese momento con el afligido y profundo deseo que quizá nunca había sentido por ninguna mujer.

Francesca vivía cerca de la posada. Él conocía ya su casa, al portero suizo, con su bastón de empuñadura de plata y su capa con cuello de piel de oso; a los lacayos, los cazadores y los mensajeros que acompañaban al conde de Parma en sus andanzas por la ciudad. Algunas noches pasaba delante del portal y miraba las ventanas iluminadas del palacio; el conde llevaba una vida social intensa, recibía a muchos invitados en sus fiestas, y a Giacomo le bastaba ver la abundante luz que desde las ventanas semicirculares se derramaba en la calle para imaginarse la suntuosidad de sus salones. Balbi, que se relacionaba con las criadas del palacio, le contó que todas las noches se colocaban tres docenas de velas nuevas en los dorados candelabros de las lámparas; unas velas finas, hechas con grasa de cabra, que los fabricantes de Salzburgo preparaban especialmente para el conde. «¡Francesca vive en la luz!», pensó con satisfacción. Se cuidaba de no hacer partícipe a Balbi de su secreto. Sí, Francesca vivía en la luz, en un palacio, y los lacayos la acompañaban cuando salía de su casa; por las noches podían verse los nerviosos caballos del cardenal delante de su portal, y en las puertas de las carrozas y en los aparejos plateados de los caballos brillaban nobles coronas principescas. El conde de Parma llevaba una vida muy ajetreada durante los meses de invierno, para cumplir con las exigencias de su rango, y quizá también por otras razones, en honor de su joven esposa. Habría sido fácil entrar en aquella casa y saludar a Francesca; el conde no habría dicho nada en contra de su afán de rendirle honores, puesto que de todas formas deseaba verlo —al menos eso le había dicho Giuseppe, el barbero guapo, el del rostro rosado y los ojos azules—. Cierto que sólo lo había dicho una vez, el primer día, aunque acudiese a diario para afeitar a Giacomo con sus suaves dedos, frotarle las sienes y rizarle el cabello, y por más que todas las mañanas le contara los detalles de las fiestas nocturnas, las recepciones y los juegos de sociedad, de los bailes y las partidas de cartas que se organizaban en el palacio. Él lo escuchaba con atención. En el palacio del conde de Parma había baile todas las noches, partidas de naipes, veladas donde se leía poesía, se practicaban juegos de sociedad, se cenaba y se bebía vino.

—¿No se cansa el conde? —le preguntó con cautela al barbero—. Quiero decir, ¿no se cansa de tanta fiesta?

Siempre se acuesta tarde... ¿No crees que es un poco excesivo a su edad?

Giuseppe se encogía de hombros y callaba.

Sólo una vez, sólo el primer día le había dicho que el conde de Parma deseaba verlo; sólo una vez, y luego había guardado silencio sobre el asunto, aunque hablara de todo, y hacía como que no comprendía sus insinuaciones.

—¿Que si el conde no se cansa? —repitió el barbero con cierto amaneramiento, buscando las palabras—. Es posible que se canse, es posible. Su excelencia se levanta todas las mañanas al alba, se va de cacería, por muy tarde que se haya acostado, y al volver desayuna en el dormitorio de su esposa; allí reciben a los que acuden a rendirles honores, a participar en el *lever*. ¿Que si el conde no se cansa? —volvió a repetir—. El cansancio de los grandes señores es diferente del de los pobres —opinó—. Los grandes señores comen mucha carne, y por eso se cansan.

En cuanto a él, Giuseppe, sólo podía afirmar que él, personalmente, nunca se cansaba de bailar, de hacer la corte, de jugar a las cartas, pero que sí se sentía cansado cuando tenía que pensar, demostrar buenos modales o comportarse como un hombre mundano.

—¡El conde piensa mucho! —dijo con aire de misterio, dándose importancia.

Guiñó un ojo y parpadeó, como si acabase de delatar la pasión secreta del conde de Parma, su pecado venial, su inclinación sospechosa e impúdica; guiñó un ojo como para indicar que aún podría contar más cosas, pero que no lo hacía porque era sabio y prudente y había aprendido bien las costumbres de la alta sociedad, y que por el momento sólo diría eso. Él escuchó la noticia y asintió con la cabeza.

—Así que piensa mucho, ¿eh? —susurró, mostrándose confidencial.

Se comprendían perfectamente. El idioma que hablaban entre sí el barbero y el escritor era el idioma materno de los dos, en el sentido más profundo de la palabra: el que hablan los individuos de la misma clase que comparten gustos, inclinaciones y conocimientos, el que se emplea en los bajos fondos de la sociedad y que los nobles caballeros no llegan a entender plenamente. Giuseppe no volvió a mencionar que el conde deseara ver a Giacomo; había transmitido el mensaje el primer día, como un cortés deseo sin importancia, y luego calló, callaba a su manera parlanchina y cotilla.

—¿Es guapa la condesa? —preguntó un día el forastero, entre educado e indiferente, sin demostrar demasiado interés.

El barbero se preparó para responder. Dejó el rizador, las tijeras y el peine en la repisa de la chimenea, levantó sus finas manos, blancas y decadentes, de dedos largos, como el cura que durante la misa bendice a los feligreses, carraspeó y empezó a responder con voz suave y melodiosa, *in crescendo*.

—La condesa tiene ojos negros. En el rostro, en el lado izquierdo, junto a la barbilla cubierta de una suave pelusilla y agraciada con dos hoyuelos, tiene una pequeña verruga que el boticario le quitó con ácido sulfúrico pero que volvió a aparecer. La condesa la esconde con un falso lunar.

Recitaba todo eso con multitud de detalles, como si recitara una lección aprendida de memoria. Hablaba con la objetividad de un aprendiz de pintor que describe las virtudes y los fallos de una obra maestra, con una fría objetividad que en su boca significaba el mayor de los cumplidos, y que poseía más entusiasmo y más fervor que cualquier descripción apasionada. Porque Giuseppe veía a la condesa a diario, antes del pequeño y el gran *lever*, cuando las doncellas le quemaban con cáscaras de nuez ardientes el

123

vello de las piernas, cuando le abrillantaban las uñas con un sirope, cuando untaban su noble cuerpo con aceites, cuando le perfumaban el cabello con vapor de ámbar antes de peinarla.

—¡La condesa es muy guapa! —sentenció con aire grave y severo, y esa severidad contrastaba con su rostro, infantil y femenino; un rostro redondo que no era del todo humano, que parecía haber sido pintado en la pared de la habitación de una dama de Versalles por un pintor frívolo; se asemejaba al rostro de un pastorcillo representado en alguna escena amorosa un poco boba, profundamente inconsciente y graciosamente perversa...

El forastero esperó hasta que los largos y suaves dedos del barbero terminaran de arreglarle la cara y el cabello, escuchó las interesantes noticias, se enteró de que el conde pensaba mucho y de que la condesa era guapa aunque tuviera una verruga en el rostro, asintió con la cabeza y calló; y los dos, el barbero y el escritor, sabían que —según las reglas de su idioma común— estaban hablando de otra cosa. Porque el conde no había dicho una segunda vez que deseaba ver al forastero.

Así que éste permaneció en la ciudad, en esa ciudad desconocida donde no tenía ningún pariente, aunque el señor de Bragadin ya le había mandado las monedas de oro, acompañándolas con una carta bondadosa y erudita repleta de sabiduría inútil, de noble comprensión y de consejos sin la menor esperanza de que fueran a ser tenidos en cuenta. El señor de Bragadin había mandado el dinero, para sorpresa y encanto de Mensch, el agente de cambio —llevado por el entusiasmo, el usurero mezclaba palabras alemanas, francesas e italianas de una manera totalmente incomprensible, mientras, con manos temblorosas pero seguras, contaba las monedas de oro venecianas y descontaba luego los intereses y el capital prestado, repitiendo sin cesar las palabras «crédito» y «garantía»—; sí, el señor de Bragadin había mandado más dinero del que su protegido había solicitado, no mucho, pero algo más, para colmar la suma oficial del préstamo con un regalo del alma. «¡Una persona muy noble!», pensó el fugitivo, emocionado, y Mensch chillaba: «¡Un buen nombre! ¡Oro puro!» El señor de Bragadin había puesto en su carta todo lo que su viejo corazón solitario era capaz de decir y de desear en medio de una aventura de sentimientos contradictorios. Porque cualquier sentimiento constituye una aventura, y el señor de Bragadin era consciente de que aquella relación no era digna de su impecable fama ni de su inmaculado honor. El chismorreo y la insinuación no podían manchar el nombre del senador, mas al fin y al cabo Venecia no acababa de comprender la verdad profunda de su afecto, no podía creer que un sentimiento así pudiera encontrar su eco y su recompensa en un sujeto tan indigno, ni podía entender que un noble consejero de la ciudad colmara con el afecto de su viejo y débil corazón a un joven petimetre de fama sospechosa e incómoda. «¿Por qué?», se preguntaban los venecianos con razón; los más vulgares se tapaban la boca con la mano y, guiñando un ojo, susurraban: «¿Qué querrá de él?» Sin embargo, el señor de Bragadin conocía el mayor de los secretos, el secreto de la tarea más dolorosa de la vida humana; sabía que no debemos avergonzarnos de nuestros sentimientos aunque los malgastemos en alguien que no es digno de ellos. Por eso mandó el dinero, más de lo que su amigo fugitivo le había pedido, y por eso le escribió una larga carta llena de sabiduría.

«Acabas de emprender otra vez tu camino por la vida —escribía con letra firme y angulosa— y no volverás pronto a tu ciudad natal, hijo. Piensa en tu patria con amor.» Así le hablaba. Le habló largamente de la patria, se extendió en el tema en una hoja y media. Decía que había que perdonar a la patria porque, de modo misterioso, siempre estaba en lo cierto. El fugitivo, llevado por los vientos de los cuatro puntos cardinales hacia las grandes aventuras de la vida, debía recordar siempre que la patria es eterna, incluso si se equivoca. El señor de Bragadin se expresaba con dignidad, con la seguridad de las personas mayores, cultas aun en sus sentimientos, que conocen bien el segundo sentido, el sentido interior de las palabras; que saben que no se puede huir de los recuerdos; que, al escribir, se dan cuenta con desesperación de que no pueden transmitir sus verdaderas experiencias a nadie; que son conscientes de que todos vivimos solos, cometemos nuestros errores solos y morimos solos, y de que los consejos de los demás no pueden ayudarnos, ni puede socorrernos la sabiduría ajena, la sabiduría que no hayamos adquirido nosotros mismos y que no hayamos conseguido con el precio de nuestra propia sangre. Así escribía sobre la patria, hablando de ella un poco como de un tirano, y un poco como de un pariente con quien es imposible romper los lazos ni aun proponiéndoselo. También escribió sobre el dinero, más brevemente y desde un punto de vista más práctico; sobre un fraile de Múnich que podía facilitar al viajero ciertas sumas con ciertos intervalos, y también sobre la Inquisición, que era más poderosa que las personas más influyentes del mundo, diciendo así: «Las fuerzas del mundo y de la Iglesia se unen en perfecta armonía en las manos de los destacados miembros de esa institución sin par.» El destinatario sabía que esa frase no podía faltar en la carta, puesto que el Messer Grande vigilaba también el correo del señor de Bragadin. Al final, le daba su bendición para el viaje y para la vida, que terca y continuamente tildaba de «aventura».

Leyó la carta dos veces y luego la rompió y la tiró al fuego. Recibió las monedas de oro restantes de manos de Mensch, y así ya hubiera podido partir hacia Múnich u otro destino. Pero no partió. Llevaba ya cinco días en Bolzano y conocía a todo el mundo; lo había visitado incluso un capitán de la policía para preguntarle con mucha cortesía hasta cuándo pensaba quedarse. Evitó la respuesta y habló mal de la ciudad. Pagó sus deudas y gastó el resto del dinero jugando a las cartas en la taberna de la posada y en una casa privada donde ofrecía la banca el griego al que había pegado y echado de la taberna. Sin dinero, y con la dirección del conocido del señor de Bragadin en Múnich en el bolsillo, tenía razones suficientes para partir. Pero ya que había pagado todas sus deudas al posadero y a los tenderos, que había comprado un regalo para Teresa y entregado una propina sustanciosa a Giuseppe, ya que por un tiempo breve lo había cubierto el reflejo del resplandor del oro veneciano, también se podía permitir quedarse; tenía crédito, no solamente con Mensch, a quien volvió a visitar, no solamente con los tenderos, a quienes había pagado con creces, sino también en la casa de juego, el sitio más difícil en ese sentido. Un caballero inglés —que cuando no estaba jugando a las cartas estudiaba los minerales de las montañas cercanas— aceptó su pagaré válido para París. Así, entre las pérdidas y las ganancias conseguidas con artimañas y con la habilidad de sus manos, habiendo saldado sus deudas y habiendo contraído otras nuevas, poco a poco se fue solidificando a su alrededor la argamasa natural de su nueva situación vital: la buena disposición de la invariabilidad de su entorno y de sus intereses. En Bolzano ya tenía crédito porque lo conocían, porque sabían que no se podía calcular cuándo y cuánto ganaría o perdería; lo aceptaban porque la ciudad se había acostumbrado a él con rapidez y lo toleraba entre sus muros, como nos acostumbramos incluso a un peligro.

¿Por ese motivo se quedaba? Por supuesto, se quedaba por Francesca y porque el conde le había dicho que tenía deseos de verlo. Se quedaba al igual que el mozo a quien provocan en la taberna, que se planta con las manos apoyadas en las caderas y dice: «¡Qué, aquí me tenéis!» Así se quedó, callado y con aire desafiante. ¿Qué quería de Francesca? El nombre sugería algo e irradiaba la tristeza preocupante de las experiencias que no han sido acabadas. Obviamente, hubiera podido marcharse sin dinero y viajar a Múnich, adonde acababa de llegar el príncipe elector de Sajonia, y donde iban a empezar unas semanas festivas prometedoras, llenas de pompa y alegría, con mucha nieve y diversión y con los mejores actores y tahúres de toda Europa. Hubiera podido marcharse, no sólo durante la noche llena de bruma, sino también a plena luz del día, en una carroza lujosa y decorada, con la cabeza alta, porque había pagado al posadero y a los tenderos, y porque Mensch estaba encantado de servirle. Pero se quedaba porque esperaba la misiva del conde. Sabía que algún día iba a recibir un mensaje del palacio, en cuyo portal se mantenía el suizo con grave dignidad y sin decir palabra, con su bastón de plata en la mano; sabía que ese mutismo era uno de los diálogos secretos de la vida, y sabía que no había llegado a Bolzano por casualidad, que tenía algo que hacer en la ciudad. Sus días adquirieron de repente un sentido repleto de devoción: estaba aguardando algo. Y mientras hay esperanza, hay vida.

Una tarde, cuando la plaza comenzaba a llenarse de sombras azuladas y negras, el viento soplaba y silbaba por las chimeneas de la posada como si ulularan los búhos, y él se encontraba helado, sentado sin hacer nada en su habitación, delante de la chimenea, con un libro de Boecio sobre las rodillas, de pronto se abrió la puerta y apareció en ella Balbi, anunciando con los brazos abiertos y una expresión triunfante en el rostro:

—¡Ya están aquí!...

Él se puso pálido y se levantó de un salto del sillón. Se pasó los diez dedos por el cabello lleno de polvos de arroz, y, con un largo gemido, susurró:

—¡Mi frac morado!

—No hace falta —replicó Balbi, que se acercó tambaleándose—. Puedes recibirlos tranquilamente en mangas de camisa. ¡Pero pídeles un buen precio!

Al ver la cara asustada y confusa de su compañero de fuga, Balbi se detuvo, se apoyó en la pared, cruzó las manos sobre la barriga y empezó a contarle todo, aunque la lengua se le trababa a causa de la bebida; se reía avergonzado, le bailaba la panza llena de comida y bebida, pero se mostraba alegre y contento de haber sido autor y partícipe de una astuta estratagema.

—De momento sólo han venido tres —dijo—, aunque los tres son muy ricos. El primero, el panadero, es muy viejo y está esperando al otro lado de la puerta. Es viejo y sordo, así que debes tener cuidado y transmitirle tus consejos más íntimos con señas; si no, mañana por la mañana toda la ciudad estará enterada de su vergüenza. También ha venido el gallardo de Petruccio, el capitán. Ahora no se le ve tan apuesto. Está muy callado, con los brazos cruzados, apoyado en la barandilla de la escalera, mirando al vacío, y tiene el rostro tan sombrío como si estuviera planeando un asesinato o el suicidio. Con él no vas a tener problemas, porque es muy tonto. También ha venido el secretario del vicario, exactamente a la hora que yo le había sugerido. Es muy joven y parece tener muchas ganas de echarse a llorar. Luego vendrán más. Porque has de saber, maestro mío, que tu fama es irresistible y que provoca tanto respeto como miedo; desde el día en que llegamos me han estado asediando en secreto, en los rincones de las tabernas, en los portales, en las tiendas y en los talleres, incluso en la calle, en cualquier sitio, llamándome aparte con discreción, dándome unas monedas de plata, invitándome a tomar unas copas de vino o a comer oca asada, rogándome que te los presentara. Tu fama es irresistible y provoca respeto y miedo: nadie puede librarse de su hechizo.

—¿Qué quieren? —preguntó él muy severo.

—¡Quieren que los aconsejes! —dijo Balbi. Encantado, juntó las yemas de los dedos y se los llevó a los labios; a continuación los movió con alegría, siguiéndolos con la mirada, con los ojos trastornados, mientras la panza le temblaba por una risa secreta e íntima.

—¡Ya te entiendo! —repuso Giacomo sonriendo con amargura.

—¡Escúchame! Trata de cobrar un buen precio por tus consejos —le dijo Balbi con tacto y cuidado—. ¿Hasta cuándo deseas quedarte aquí? ¿Otro día más? ¿Otra semana más? Yo me ocuparé de que la escalera se llene todas las tardes de gente que venga buscando consejo y ayuda, como las escaleras de los médicos famosos a los que acuden los moribundos y los epilépticos. Pide un buen precio por tus consejos, por lo menos dos cequíes por cada uno; y si quieren pócimas y brebajes, no dudes en pedir más. Ya ves, yo también he aprendido algunas cosas en Venecia. En mi soledad —Balbi llamaba así a la prisión, de manera refinada y decorosa— aprendí que las ideas son punzantes como una aguja, y valiosas como el oro batido. Tú eres muy sabio, Giacomo, y los bolsillos de la gente están llenos de cequíes. Vamos a vender tu sabiduría, ya que vale su peso en oro. ¿Estás de acuerdo? Te traeré al panadero.

Así, en fila india, llegaban todas las tardes conducidos por Balbi, desde la hora de la sobremesa hasta el atardecer. Su nuevo oficio le divertía. En su variada carrera jamás había probado esa charlatanería, y ahora la gente se acercaba a su puerta con las piernas flojas y el corazón afligido;

130

hacían cola delante de su habitación tal como había dicho Balbi, como los que esperan ante la puerta de los famosos practicantes en las grandes ciudades, sólo que, en vez de llegar a la consulta con una pierna o un brazo rotos, llegaban con el corazón roto y la confianza herida. ¿Qué pretendían? Buscaban un milagro. Buscaban invariablemente el milagro, el amor, para satisfacer su vanidad; pretendían poseer al ser querido sin entregar nada a cambio; querían el sacrificio del otro, pero no estaban dispuestos a sacrificar más que un par de monedas de oro por ello; buscaban la entrega y la ternura, pero sin devolver ni la más mínima de las atenciones... La gente quería amor, preferiblemente de manera gratuita. Hacían cola por los pasillos de la posada, delante de su puerta, inválidos y humillados, débiles y cobardes, anhelando venganza y suplicando para obtener el secreto del perdón. La amplia gama de sus pretensiones divertía a Giacomo. Era parte de su oficio dar consejos secretos, preparar pócimas y brebajes de amor; se trataba de un oficio antiguo que no le hacía falta aprender, puesto que todos los venecianos poseían la experiencia sentimental necesaria, y en cada uno de ellos hervía chispeante la antigua sabiduría. Sí, se trataba de una sabiduría ancestral, y él la había heredado; y, tras las primeras sorpresas, una vez conocidos los secretos de los enfermos y localizados el dolor, las roturas y las heridas, se lanzó con alegría y pasión al deleite del curanderismo. Pronto se difundió la noticia de que recibía todas las tardes, hasta la puesta de sol; Balbi repartía las demandas de consulta dándose importancia y trataba con severidad a los que se presentaban.

Y se presentaban muchos de los vecinos de la ciudad y de los habitantes de los alrededores. Primero llegó el panadero sordo, que había sido tocado y derribado por la pasión a los setenta años. Entró en la estancia apoyándose

131

en su bastón, encorvado y grueso; la tripa, cubierta sólo a medias por la capa de paño marrón, le colgaba hasta las rodillas.

—Todo ocurrió de la siguiente manera... —empezó su relato; se detuvo, jadeante, en el centro del aposento, y describió un círculo en el aire con su bastón.

Y contó lo ocurrido. Todos acababan por hacerlo, aunque al principio callaban con obstinación, se encogían de hombros con enfado; pero, después del primer tartamudeo, después del primer rubor y la primera confesión balbuceante, la gente cambiaba de actitud; ya no sentía vergüenza y lo confesaba todo. El panadero hablaba con ira, muy alto, casi gritando, con el estilo furioso y suspicaz de los sordos; él tenía que calmarlo con tacto, con ademanes llenos de temor. Con voz grave pero elevada, el hombre le contaba que apenas podía con Lucia, y que no sabía si entregarla a la Inquisición, o bien estrangularla con sus propias manos y quemarla en el horno donde sus muchachos preparaban al alba el pan del día. De esa sencilla manera veía Grilli, el panadero, jefe del gremio de los panaderos, a Lucia y todos los problemas relacionados con su persona y su nombre. El confidente, cuyo consejo y opinión experta estaban todos solicitando, callaba. Se cogía la barbilla entre dos dedos, como un sabio científico, cruzaba los brazos sobre el pecho, examinaba al iracundo anciano con una mirada aguda y suspicaz que lanzaba por debajo de sus fruncidas cejas, y escuchaba, reflexivo, sus protestas.

—¡Es un caso difícil! —sentenció con un grito, para que el panadero lo pudiera oír—. ¡Un caso muy difícil!

Con un movimiento inesperado asió al panadero por el brazo; arrastró hasta la ventana al sobresaltado viejo y, agarrando con ambas manos el ajado rostro lleno de verrugas, giró al enfermo hacia la luz y lo miró durante un buen rato a los ojos vidriosos. Hablaron largo y tendido. El panadero lloró. Lloró entre hipos, no con total sinceridad, pero con la impotencia de alguien que no puede hacer otra cosa porque, una vez revelados los secretos de la vida, comprende que no puede aceptar la ofensa que lo acompañará hasta la tumba.

—Cómprale cosas —dijo él después de haber reflexionado seriamente—. Cómprale unas sortijas, por ejemplo. He visto algunas en la tienda de Mensch; son bastante bonitas, con zafiros y rubíes.

El panadero gemía. Ya le había comprado sortijas, le había comprado una cadena de oro, una pequeña cruz con diamantes engastados y una bonita estatuilla de plata del santo de Padua, con incrustaciones de esmalte. Pero ninguna de esas cosas había servido de nada.

—Cómprale seda para que se cosa tres faldas —insistió el consejero—. Pronto llegará el carnaval.

Pero el panadero hizo un gesto de impotencia, lleno de vergüenza, y se secó las lágrimas de los ojos.

—Los armarios —dijo— están llenos de retales de seda, lino, paño y brocado.

Ambos callaron.

—Dile que venga a verme —ofreció él de repente, generoso. El panadero gimió y empezó a retroceder hacia la puerta—. ¡Son dos cequíes! —exclamó sin darle importancia; cogió el dinero, lo tiró a la mesa y acompañó a su cliente hasta la puerta—. Dile que venga por la mañana —añadió, como si le estuviera haciendo un gran favor con su oferta—, después de misa. A esa hora tengo más tiempo. Ya le hablaré yo. De momento, no la mates.

Abrió la puerta y esperó a que el anciano, inquieto y asustado, humillado por el consejo del otro y por su propia impotencia, atravesara el umbral.

—¿Hay alguien más? —preguntó, gritando hacia el oscuro pasillo, fingiendo que no veía bien a las personas que aguardaban en la penumbra—. ¡Ah, claro! ¡Capitán! ¡Por aquí, mi capitán! —dijo con serenidad, y cerró la puerta detrás del severo oficial.

Así pasaba consulta. No le sorprendía la amplia variedad de los síntomas: conocía la enfermedad y sabía que detrás de todas las variantes se encontraba la misma miseria. ¿Cuál era la enfermedad? Reflexionó y luego, una vez solo en la habitación, pronunció el nombre del mal: egolatría. Detrás de cada mal de amores aullaba la egolatría, tratando de salvar lo que se pudiera salvar, exigiendo todo lo que una persona puede exigir a otra, preferentemente sin entregar nada a cambio, nada verdadero o importante. La egolatría compraba para el ser amado palacios, carrozas y joyas, y creía que con esos regalos también entregaba los valores más ocultos, sin cuyo intercambio no hay verdadera atracción ni paz en los corazones. La egolatría lo exigía todo y creía haberlo entregado todo al invertir tiempo, dinero, pasión y ternura en el ser amado, pero se negaba a realizar el sacrificio supremo, incapaz de ofrecer la sencilla disposición a renunciar a todo, a entregar su alma y su vida al otro sin esperar nada a cambio. Eso querían los enamorados, esos extraños tiranos. Entregaban con el mayor de los gustos tiempo, dinero, sortijas y collares, sí; daban incluso su apellido y su mano. Pero, en medio de aquel grandioso intercambio de regalos, todos querían guardarse algo para sí, y ese algo era justamente su propia persona; Lucia, Giuseppe o Petruccio, el gallardo capitán que se encontraba en el centro de la habitación, agarrado a su sable con ambas manos, tan serio como si lo estuvieran conduciendo a la horca.

—¿Qué le pasa, mi capitán? —le preguntó con amabilidad, muy afable.

El oficial miró a su alrededor, girando la cabeza lentamente, como una bestia salvaje enjaulada. A continuación, se inclinó al oído del consejero y le susurró su secreto. Allí estaba el valiente, aferrado a su sable con el pecho palpitante y los ojos encendidos, murmurándole su secreto. No, a ése no podía ofrecerle ningún consejo, así que negó con la cabeza y lanzó una exclamación ahogada, como si se sintiese también ultrajado.

—Quizá deberías abandonarla —dijo en voz baja—. Eres un hombre, un oficial.

Pero el capitán callaba, callaba como los muertos cuando comprenden que todo va a seguir igual eternamente, que tendrán que permanecer acostados en su tumba para siempre, bajo tierra y bajo las estrellas. No respondía al consejo, como si su dolor y su enfado tuvieran tal rango que toda discusión atentara contra su dignidad.

—Abandónala —repitió él cálidamente, con verdadera compasión—. Y si no aguantas, aun así será mejor que ese sufrimiento.

El capitán gimió al comprender que no existía consejo posible, ni consuelo ni remedio para sus males. Con su gemido, su bufido ofendido y desesperanzado, quería decir: «Este sufrimiento es mejor que no volver a verla; es mejor vivir así que abandonarla.» No se podía ayudar a la gente.

Se presentaban muchos, la mayoría hacia el atardecer; recibió consejo el secretario del vicario por una moneda de oro, y un muchacho lleno de granos que leía a Petrarca y que no se atrevía a escribir una carta a su amada. El forastero la escribió y acompañó a la puerta a su cliente con una expresión muy seria. Tras cada consulta, regresaba a su habitación y se reía a carcajadas, lanzando las monedas de oro al aire, arrojándole la parte correspondiente a Balbi, y para terminar se estrechaban las manos, alegres y encantados.

—¡El médico milagroso! —exclamaba el fraile, riéndose de manera extraña, como si estuviera relinchando—. ¡Ya vienen hasta de los pueblos cercanos!

Nevaba abundantemente, pero la gente iba en su busca incluso bajo la nieve. Se presentaban también mujeres, que se cubrían el rostro con un velo, le prometían dinero contante y sonante, se arrancaban las joyas, se quitaban el velo y le suplicaban:

—¡Haz que se produzca el milagro, Giacomo! ¡Habla con él! ¡Dame un brebaje milagroso! ¿Crees que hay esperanzas?

Un día llegó una mujer del campo, no muy joven, corpulenta y respetable, con un fuego ardiente en los ojos, con la llama de la pasión y la ofensa.

—He venido en medio de la nieve —empezó diciendo con un tono brusco y sensual; se detuvo delante de la chimenea para desabrocharse el abrigo de piel de garduña, sacudió la cabeza y esperó hasta que los brillantes copos se fundieran en el velo y en el pañuelo que le cubría los hombros—. Uno de mis caballos ha muerto. Casi nos congelamos, porque nos sorprendió la noche. Sin embargo, a pesar de todo he venido a verte porque se comenta por ahí que sabes dar consejos, que eres versado en el arte de la magia y que conoces el corazón y las entrañas de los hombres y las mujeres. Así que responde a mi pregunta.

Hablaba con enfado e ira. Él le ofreció una silla, cuidando cada uno de sus movimientos. Conocía a mujeres de todas las edades, conocía sus estados de ánimo, y por lo tanto las temía y vigilaba sus explosiones. La mujer no aceptó el asiento. Tenía cuarenta y tantos años y era alta y rubicunda, carnosa y sana; se veía que era una de esas mujeres que no tienen inconveniente en quedarse en la cocina cuando se chamusca el pellejo del cochinillo, que se lavan la cara con agua de lluvia, cuyos armarios de ropa interior huelen bien aun sin perfumarlos, y que le ponen personalmente las lavativas al hombre que aman. Él miraba a la mujer con admiración. Debajo de su abrigo de piel y en sus ojos chispeantes ardían tantas emociones que habrían bastado para provocar varios incendios y acabar con bosques enteros. Era una mujer acostumbrada a impartir órdenes y que exigía respeto en su hogar; criados y huéspedes, parientes y amantes obedecían sus palabras sin rechistar y evitaban su ira. Hasta su ternura echaba humo, un humo amargo como el que arroja un fuego hecho con ramas en el bosque y que los monteros se olvidan de apagar después de la comilona con que concluye la cacería. La mujer era fuerte, y su voz iracunda y apasionada también lo era; se mantenía erguida y orgullosa, dispuesta a repartir bofetadas a todo el mundo y a abrazar, con el movimiento apasionado y mortal de sus gruesos brazos, al hombre que escogiera como amante. El consejero revoloteaba alrededor de su clienta con gran respeto. El cuerpo de la mujer despedía los perfumes de la nieve, de los amplios campos helados de la Lombardía, de las aguas del río Adigio.

—Así que —prosiguió la mujer, resoplando, intentando guardar la calma— he venido a verte. He venido, aunque en mi casa están todos en plena faena, y aunque he oído que por aquí, en las montañas, los lobos devoran a los viajeros en noviembre. Yo soy de la Toscana —añadió en voz baja mas con firmeza.

El consejero se inclinó.

—Yo soy de Venecia, señora —dijo, y miró a la mujer a los ojos por primera vez.

—Ya lo sé —replicó ella con brevedad tragando saliva—. Por eso he venido. Escúchame, Giacomo, tú te has fugado de la prisión, y se dice que conoces el secreto de los corazones de los enamorados. ¡Mírame a mí! ¿Tengo el aspecto de una mujer que mendiga para obtener el amor de los hombres? ¿Quién se preocupa de mantener la casa en orden? ¿Quién va a los prados y a los campos en julio para vigilar la cosecha? ¿Quién compra muebles nuevos en Florencia cuando hay que mostrar al mundo el boato y el rango de la casa? ¿Quién se ocupa de los caballos y los aparejos? ¿Quién remienda los calcetines y los calzoncillos del refinado señor? ¿Quién cuida de que haya flores en la mesa todos los días? ¿Quién logra que vayan los músicos en su cumpleaños a tocarle sus canciones preferidas? ¿Quién mantiene en orden cada cajón? ¿Quién lava la ropa todos los días con agua fría? ¿Quién encarga telas de Rumburg para que la cama en la que el señor se inclina sobre mí tenga un perfume parecido al de los campos de la Toscana en el mes de abril? ¿Quién cuida de la cocina para que sus intestinos y su estómago delicados tengan todos sus caprichos satisfechos con creces? ¿Quién palpa al gallo joven antes de que lo maten para comprobar si su carne es blanda y tierna como a él le gusta? ¿Quién huele la pata de ternera que sirven de la carnicería? ¿Quién baja a la bodega por la empinada escalera para guardar los barriles de vino que traen del lagar? ¿Quién se ocupa de que el agua que se le deja en la mesilla tenga unas cucharadas de azúcar, por si su corazón maltratado por las fiestas y las borracheras de los hombres necesita azúcar por la noche? ¿Quién lo vigila para que no tome demasiado jengibre ni demasiada pimienta negra? ¿Quién cierra los ojos cuando entra en celo y no se le puede retener en casa ni atado con una cuerda? ¿Quién calla cuando su abrigo y su ropa interior apestan por los vapores de los perfumes malolientes de otras mujeres? ¿Quién aguanta todo, quién trabaja, quién calla? Mírame, Giacomo. Se dice que tú eres un verdadero maestro en asuntos de mujeres y que conoces los remedios para el amor. Mírame bien: he parido dos hijos y he abortado otros tres, por más que le haya rezado noches enteras a la Virgen para no perderlos. Mírame bien: el tiempo ha pasado por encima de mí, ya lo sé; hay otras, más jóvenes, que ponen caras más agradables y que mueven las caderas con más gracia. Pero dime, tal cual estoy, ¿soy una mujer a quien haya que rechazarle un beso? ¡Mírame bien! —gritó la mujer con su voz ronca y fuerte, y abrió del todo su abrigo de piel.

Llevaba un vestido morado y un pañuelo de encaje de Venecia sobre la cabellera, castaña y tupida; un broche de oro decoraba su vestido a la altura de sus senos, maduros pero atractivos y proporcionados. Era alta y musculosa, nada gruesa, dura de carne y vigorosa de sangre, una mujer de cuarenta y tantos años, de brazos blancos y fuertes; allí estaba, delante de él, con la cabeza echada hacia atrás con todo su orgullo. Él se inclinó ante su figura con la cortesía y respeto propios de un caballero. El rostro hermoso, maduro e inteligente de la mujer se ruborizó por el gesto.

—No me halagues —dijo en voz baja, un tanto confusa—. No he venido hasta Bolzano desde la finca, bajo la nieve, para recibir los halagos de un desconocido. No necesito consuelo. Sé lo que sé. Soy una mujer; siento el deseo sincero en la mirada descarada e irrespetuosa de algunos hombres, y la pasión prudente en la mirada tímida de otros. Sé que me quedan algunos años para poder darle una felicidad completa al hombre que me ame —añadió en voz mucho más baja, temblorosa, y volvió a cerrar el abrigo sobre su pecho con ademán de embarazo—. ¿Por qué entonces no me han salido bien las cosas por más empeño que haya puesto en ellas? —preguntó, igual de bajo, tragando saliva como si estuviera aguantando las lágrimas. Hablaba con humildad, sin rastro alguno en la voz del orgullo típico de los hombres y las mujeres de la Toscana—. ¿Qué más tendría que haber hecho? Se lo he dado todo, todo lo que una mujer puede darle a un hombre: pasión y paciencia, hijos y aventuras, calma y seguridad, ternura y despreocupación. Tú que, según se dice, sabes del amor como los joyeros del oro y de la plata, examina mi corazón, juzga y ofréceme consejo. ¿Qué más tendría que haber hecho? Me he humillado, Giacomo, he sido amante y cómplice de mi marido, he comprendido que existieran otras mujeres para él, porque así es su naturaleza, aunque sabía que en secreto lo atraía yo, y sabía que, al venir a mí, huía del mundo, de sus pasiones, de sus aventuras, porque es cobarde, porque ya no es joven, porque los perros de la muerte lo están acechando ya, y a veces hasta he esperado y deseado que le llegue la vejez para que sea mío y sólo mío, achacoso por la gota, para cuidarlo y ponerle cataplasmas en los pies deformados... Sí, he esperado y deseado la vejez y la enfermedad, que la Virgen me perdone y que Dios no lo considere un pecado. Se lo he dado todo. Respóndeme si es que sabes responder: ¿qué más tendría que haberle dado?

Susurró la pregunta con voz llorosa y suplicante. El hombre reflexionó. De pie frente a la mujer, con los brazos cruzados, le respondió con cortesía pero de manera inapelable, como si dictara una sentencia:

—La felicidad, *signora*.

La mujer agachó la cabeza y se llevó el pañuelo a los ojos. Callaba y lloraba en silencio. Al fin suspiró profundamente y dijo temblorosa, con humildad:

—Sí, tienes toda la razón. No he sido capaz de darle la felicidad. —Con la cabeza gacha, toqueteaba distraídamente con sus bonitas manos el broche de oro que llevaba en el pecho. Volvió a hablar, mirando el suelo—. ¿No crees que hay algunos hombres a quienes no se les puede dar la felicidad? Quizá por eso mismo lo ame tanto. Hay hombres cuyo único atractivo, cuya única virtud, cuyo único encanto reside en la carencia de sensibilidad para la felicidad, en que son sordos para la felicidad; al igual que los sordos son incapaces de oír la dulce música, ellos son inca-

140

paces de oír la dulzura de la felicidad... Porque tienes razón: él nunca ha sido feliz. Ya ves, sin embargo, que ese hombre, que al fin y al cabo es mío según las leyes terrenales y divinas, tampoco ha encontrado la felicidad en otro lugar, aunque la haya estado buscando durante cincuenta años como busca alguien un tesoro enterrado en su jardín cuyo escondrijo ha olvidado. Él ya lo ha removido todo, toda la vida que había a nuestro alrededor... También partió en muchas ocasiones en busca de la felicidad, y yo vendí mis sortijas y mis collares para que él pudiera viajar. Porque, créeme, yo sólo quería verlo feliz; deseaba que hallara la felicidad por barco, viajando a tierras extrañas a través de los mares, en los brazos de mujeres negras o amarillas, si su destino era ése... Pero él siempre regresaba a mi lado, pedía vino y se ponía a leer, o bien se marchaba una semana con alguna mujer de cabello teñido, con alguna actriz. Él es así. ¿Qué debo hacer? ¿Repudiarlo? ¿Matarlo? ¿O bien dejarlo, irme o suicidarme? Todas las mañanas, después de misa, me quedo de rodillas delante del Salvador en nuestra pequeña iglesia; te lo aseguro, he examinado mi corazón antes de venir, dolida y ofendida. Pero ahora volveré a mi hogar y nunca más me mostraré ofendida. Tienes toda la razón: nunca he sido capaz de darle la felicidad. Ahora sólo quiero servirlo. Pero ¿no crees que...? Dímelo, por el corazón de Cristo, ¿no crees que el error no ha sido sólo mío y que hay hombres así, incapaces de conocer la felicidad? La buscan, con tristeza y curiosidad, en los brazos de las mujeres, en la ambición, en el mundo, en las peleas a muerte, en el dinero, en todas partes, y siempre son conscientes de que la vida puede brindarles todo menos la felicidad. ¿Conoces a algún hombre así?

Pronunció las últimas palabras en voz alta, como exigiendo algo y pidiendo cuentas. En ese momento fue el hombre el que agachó la cabeza.

—Sí que conozco alguno —respondió—. Si te sirve de consuelo, conozco muy bien a un hombre así. Está delante de ti.

Abrió los brazos y se inclinó profundamente, como para indicar que la audiencia había terminado. La mujer lo miró con detenimiento. Se abrochó el abrigo con manos temblorosas y, mientras se dirigía a la puerta, dijo para despedirse, aunque más bien hablando para sí:

—Sí, de alguna manera lo intuía... Al entrar en tu habitación, he sentido que tú también eras un hombre así. Quizá lo intuía ya en mi casa, antes de partir bajo la nieve. Ya ves, él también es tan solitario y tan triste... Existe una especie de tristeza inconsolable, la tristeza de quien tiene constantemente la sensación de haber llegado tarde a una cita divina y, por lo tanto, ya no se interesa por nada. Tú sabes mucho más de ti mismo que él; lo noto en tu voz, lo veo en tus ojos, lo siento en tu ser. ¿Por qué, Giacomo?... ¿Qué les pasa a los hombres así? ¿Se debe quizá a que Dios los ha castigado dándoles inteligencia, de modo que conocen todas las emociones y los sentimientos humanos a través de la mente, y no por el corazón? No es la primera vez que lo pienso. Soy una mujer sencilla, Giacomo. No niegues con la cabeza ni intentes mostrarte cortés: no te lo estoy diciendo por decir. No te lo digo con modestia porque sé que existe otro tipo de inteligencia fuera del vanidoso territorio de la mente, y que también el corazón posee su sabiduría, y eso es importante, muy importante... Ya ves, he venido aquí para pedirte consejo, y al final soy yo la que se compadece de ti... ¿Cuánto te debo?

Sacó del bolsillo de su abrigo de piel un monedero de ganchillo, de hilo plateado, y se lo tendió, confusa, al hombre.

—De ti —dijo él, que se inclinó de nuevo doblando ligeramente las rodillas y abriendo los brazos de par en par, como si se despidiera al final de un baile— no aceptaré dinero.

Lo dijo con generosidad y humildad, pero también con un orgullo que hizo que la mujer, que ya se disponía a salir por la puerta, se volviera.

—¿Por qué? —le preguntó por encima del hombro, con la cabeza girada—. ¿Acaso no vives de esto?

Él se encogió de hombros y respondió así:

—Tú ya has pagado tu tributo a la vida, estimada señora. Quiero que puedas afirmar que una vez encontraste a un hombre que te dio algo sin cobrar nada por ello.

Acompañó a la mujer hasta la sombría escalera, y en el momento de la despedida se miraron con seriedad y una ligera desconfianza. Él levantó la vela para iluminar el camino, porque ya reinaba la oscuridad, y vieron que por allí empezaban a revolotear los murciélagos.

El contrato

Era noche cerrada, tocaban las campanas de la iglesia de Santa María, y en las profundidades, en la penumbra de la taberna y el comedor de la Posada del Ciervo, se oía el entrechocar de las copas de cristal y los cubiertos de plata. Se estaban preparando las mesas para cenar cuando Giacomo oyó el tintineo de las campanillas de plata de un trineo. Se quedó escuchando el sonido durante unos segundos, inclinándose por la barandilla de la escalera. Parecía uno de los murciélagos, suspendido por encima del mundo, en las sombras; un animal que sólo empieza a vivir con las señales, los sonidos y las tenues luces de la noche. El trineo se detuvo delante de la entrada de la posada y alguien gritó, con lo que los criados bajaron corriendo, llevando antorchas; al mismo tiempo, en la taberna y el comedor se interrumpieron los ruidos que anunciaban la cena y que él siempre escuchaba con gusto en las posadas de las ciudades en que se detenía, en los pasillos, al bajar de puntillas desde su habitación, con sus zapatos negros de hebilla dorada, sus medias de hilo blanco ajustadas a las musculosas pantorrillas, su frac morado, su espada fina de empuñadura dorada, su capa de seda negra que le llegaba hasta los tobillos, su cabello peinado con polvos de arroz, sus anillos, sus monedas de oro envueltas en papel de seda y sus cartas marcadas con cera en los bolsillos; dispuesto para la noche, para el mundo y la aventura, con el corazón lleno de curiosidad y de tristeza —que son la misma cosa—, andando de puntillas, observando y espiando todo por los pasillos y por las escaleras de la posada desconocida; consciente de que, en las diversas habitaciones de la ciudad, las mujeres estaban sentadas delante de sus espejos, junto a velas humeantes, ajustándose con manos veloces los lazos de la blusa, adornándose con flores el cabello, untándose el cuerpo con perfumes olorosos y el pelo con polvos de arroz, y colocándose falsos lunares en el rostro; consciente de que los músicos ya afinaban sus instrumentos en los teatros, mientras que el escenario y el patio de butacas se llenaban del olor agrio y amargo de las lamparillas de aceite; consciente de que todos se preparaban para la vida, para la noche misteriosa y festiva. En esos momentos le gustaba detenerse en el pasillo de la posada desconocida y escuchar los suaves ruidos del ir y venir de los criados y los camareros, el tintineo de las copas de vidrio, de los cubiertos de plata y de los platos de porcelana que se estaban colocando en las mesas. Porque para él eso era lo más hermoso de la vida, estuviera donde estuviera: los preparativos para la fiesta, el juego previo, el prólogo, los movimientos impregnados por todo lo inesperado y lo imprevisible de la celebración que se anunciaba. Vestirse, hacia las ocho, cuando las campanas de la iglesia ya no tañían y las manos blancas ya habían cerrado las ventanas con movimientos sensuales y ocultos, dejando el mundo fuera de la casa y preservando así el hogar, el escenario de conspiración y recogimiento; vestirse y acicalarse para la noche, con el ligero y agradable palpitar del corazón que nos recuerda que todas las posibilidades están dentro de nosotros mismos, tanto la de felicidad como la de aniquilación; avanzar entre las casas con

146

pasos ágiles y seguros hacia las orillas semioscuras del mundo ensombrecido: ésos eran los momentos del día que más le gustaban. Entonces su manera de andar cambiaba, su oído se aguzaba, sus ojos brillaban y veían incluso en la oscuridad. Se sentía totalmente hombre, y al mismo tiempo más bestia —en el sentido más complejo de la palabra, en absoluto humillante—, más animal salvaje, como el depredador que, tras ponerse el sol —cuando las criaturas pacíficas se dirigen a los vados y los abrevaderos—, se mantiene inmóvil y silencioso en medio de la maleza, escuchando los sonidos de la noche y levantando la cabeza, al acecho. Así escuchaba él los ruidos de las tareas, de los quehaceres y del ir y venir que subían a sus oídos desde el comedor. El mundo se volvía festivo durante unos segundos, y él se preguntaba si podía existir algún otro sentimiento que hiciera palpitar los corazones humanos con mayor ardor y misterio que la emoción de la fiesta y de la espera.

De repente, los ruidos cesaron y se oyeron otros, un rumor de pasos apresurados que iban y venían, de pasos de gente que corría en zuecos. «¡Un huésped importante!», pensó él, humedeciéndose con avidez el labio inferior reseco, como si le hubiese entrado sed. Se identificó completamente con la agitación de la casa: la palabra «huésped» era para su agudo oído casi mágica, algo que sonaba a presa, a botín, a asombro, a posibilidad; en resumen, a lo mejor que puede ocurrirle a alguien. «Un huésped sustancioso», pensó con complicidad y una agradable excitación. La luz de las antorchas iluminaba también el primer piso, y se oían frases ahogadas, breves y cortantes; el huésped se encontraba seguramente en la puerta de la posada, de pie, y el posadero probablemente se inclinaba ante él atendiendo a sus órdenes, prometiéndole todas las comodidades de la tierra y del cielo. «¡Un huésped difícil!», pensó desde el punto de vista práctico del experto, al mismo tiempo que se identificaba por completo con el recién llegado, puesto que él mismo era otro «huésped difícil»: le gustaba controlar todos los detalles, torturar al cocinero, ir a la cocina, echar un vistazo al capón, el salmón o el lomo de cervatillo que había pedido, examinar su calidad; que subieran desde la bodega una botella de algún vino que le habían recomendado vivamente, ordenar que la descorcharan, olfatear largamente el corcho, rechazar el caldo con muecas de disgusto, con un desprecio altivo, exigir otra botella, paladear con seria atención un sorbo tinto como la sangre de algún vino de Francia o del sur de Italia, espeso como el aceite, mostrarse al fin de acuerdo con la selección de alguno, con más muecas de disgusto pero con generosidad, desde los peldaños de la bodega o desde la puerta de la cocina; volverse con el dedo índice levantado para recordarle al posadero, con voz dura y admonitoria, que vigilara que las castañas con que rellenarían la pechuga del pavo se cocieran previamente en leche con vainilla y que colocaran la botella de vino de Borgoña en la cestita de mimbre para templar el caldo justo cuarenta minutos antes del comienzo del festín; sentarse a continuación a la mesa entornando los ojos en señal de desdén, un poco cansado, muy satisfecho, mirar a su alrededor no porque la decoración, los muebles o las pinturas, todo el conjunto a la vez local y foráneo le interesase, sino porque, tratándose de un «huésped difícil» —que ya había cumplido con la parte más enojosa de su tarea—, debía asegurarse de que el personal de servicio se situase exactamente a dos pasos de distancia, lo bastante lejos para no poder oír lo que él discutiera en voz baja con sus contertulios, mas lo bastante cerca para poder escuchar sus órdenes, acercarse a la mesa de inmediato y cumplirlas con la mayor brevedad posible. «¡Están negociando!», pensó, porque todavía se oían las dos voces, la dura y decidida, y la otra, humilde y entusiasmada, la del posadero del Ciervo. «¡Un huésped foráneo!» Reflexionó. Se acordó de que en casa de Francesca había baile aquella noche, un baile de máscaras, y de que sin duda estarían también invitados los señores de los alrededores. En la ciudad se había hablado mucho del festejo: desde hacía días, todos los sastres, los zapateros, los tenderos de artículos de moda, los comerciantes que vendían accesorios para la ropa, todas las costureras y los peluqueros se quejaban con orgullo de que no podían con tanto trabajo; y él mismo, por mucho que lo exigió, no había conseguido que le entregaran por fin las dos elegantes camisas de encaje que había mandado a planchar tres días antes, ya que las lavanderas y las planchadoras sólo se preocupaban de lavar, almidonar y planchar los lujosos vestidos y la delicada ropa interior de los invitados al baile de Francesca; la ciudad entera estaba invadida por los preparativos de la suntuosa fiesta, un gran baile de máscaras, con el fervor malicioso, alegre y emocionado que requieren las grandes celebraciones, que, de manera misteriosa y extraña, se contagia incluso a las personas que no participarán en ellas... «Probablemente —pensó— muchos de los invitados dormirán aquí, en la posada, después del baile; el tiempo es inclemente: a esa mujer de la Toscana casi se la comen los lobos; las damas y los caballeros de los alrededores de la ciudad no partirán de regreso a sus casas al alba, en sus carrozas, por unos caminos llenos de nieve. Este huésped difícil también habrá llegado para el baile.» Estaba seguro de que era así, y de repente lo embargó un sentimiento de envidia al darse cuenta de que había quedado excluido de un lugar donde deseaba estar. Ese sentimiento lo sorprendió. De niño solía experimentar el mismo rencor cuando los adultos planeaban algo grandioso e interesante sin contar con él. Se encogió de hombros, permaneció escuchando durante unos instantes más la conversación entre el huésped y el posadero, y a continuación se giró para regresar a su estancia.

—¡Absolutamente nadie! —ordenó la voz dura desde el piso inferior, al pie de la escalera.

No pudo oír la respuesta, pero se imaginó al posadero, que estaría con los brazos cruzados sobre el pecho, jurando y perjurando —con el cuerpo inclinado hacia delante y los ojos alzados al cielo— que todo sería como el huésped lo deseaba. Sin embargo, la voz lo detuvo en el umbral de su habitación. Era una voz familiar, íntima y terriblemente familiar como sólo puede ser la voz de alguien a quien conocemos, con quien tenemos algo en común, algo que nos relaciona de manera inevitable. Lo «familiar» significaba para él una atracción, una brújula en la vida, algo infalible; levantó la cabeza, olfateó y aguzó el oído, al acecho. Se encontraba delante de la puerta de sus aposentos con una mano en el picaporte, el cuerpo tenso y un gesto de atención seria, casi respetuosa en el rostro, como si estuviera esperando que se cumpliera su destino. Ya sabía que tenía algo que ver con la persona que avanzaba con paso lento, decidido y mesurado por la escalera; ya sabía que la voz que subía desde las profundidades desconocidas le llevaba un mensaje personal; ya sabía que el huésped, el «huésped difícil», iba a verlo a él, y que la constelación de su vida volvería a cambiar al cabo de unos instantes, y no por última vez. Aspiró profundamente y se enderezó. Durante un momento, como siempre en ocasiones así, sintió el instintivo impulso, más poderoso que la razón, de meterse inmediatamente en su habitación y huir por la ventana, bajar por el canalón de la posada y, fiel a sus costumbres, esfumarse en medio de la noche y la tormenta de nieve. Porque le había entrado miedo a causa de aquella voz «familiar» que ya se aproximaba a él por la tenebrosa escalera; lo atemorizaba lo que tenían en común, lo que los unía, como siempre que se encontraba con las mujeres de su pasado y con los hombres que pertenecían a esas mujeres; no había tenido inconveniente en batirse en duelo en aquel lugar de la Toscana, con el pecho desnudo bajo la luz de luna y la espada en la mano, con aquel anciano enloquecido por las emociones y los celos que manejaba tan bien su arma; tampoco había tenido ningún inconveniente en saltar desde los tejados de las casas, en revolcarse por el suelo de las tabernas en las trifulcas con los vagabundos de los canales: no temía nada en absoluto; sólo lo atemorizaba lo «familiar», en cuyas profundidades encontraba invariablemente un mismo sentimiento; tenía miedo porque sabía que todos los sentimientos, y ése en especial, significaban lazos y ataduras. Por eso tenía miedo, sólo por eso. Por eso mismo había pensado meterse en su habitación, coger el puñal y saltar por la ventana. También sabía que en la vida no era posible evitar del todo lo familiar, que se trataba de una trampa de la que no se podía escapar sin arañarse hasta cierto punto. Se detuvo en el umbral, con el pelo de punta y el vello erizado por el miedo y la espera, con la mano en el picaporte, y miró hacia atrás, escudriñando en la penumbra con ojos atentos, aguardando al hombre que pronto le hablaría con esa voz tan familiar. Eran más de las ocho. Los pasos se detuvieron, fatigados, para descansar unos momentos en un rellano de la escalera. En ese instante, en la posada había un silencio tal —incluso en el comedor y en la taberna, donde se habían paralizado los preparativos para la cena— que se alcanzaba a oír cómo caía la nieve, como si toda la ciudad de Bolzano, incluso las montañas y los caminos nevados, el río y las estrellas estuvieran conteniendo el aliento. «Siempre se escucha este silencio cuando uno se encuentra con su destino», pensó, sonriendo satisfecho, porque era un escritor.

151

Por delante iba el posadero, con la espalda encorvada, volviéndose una y otra vez, dando explicaciones y haciendo promesas, con una antorcha humeante en la mano y una gorra roja, en forma de saco, encima de la calva, parecida a las que antaño solían llevar los pastores frigios, y que por entonces usaban los taberneros de las bodegas parisinas y de provincias, y también los librepensadores. Un delantal de cuero le cubría la panza, similar a un tonel —seguramente había estado en la bodega, ocupado con sus vinos, como siempre, echándoles más azúcar y probándolos continuamente, según una maldita costumbre que era incapaz de abandonar—, y vestía su sayo azul marino, símbolo de su gremio y su profesión, preparado invariablemente para el mismo ritual, como si fuera un sacerdote pagano de una orden menor ataviado para una fiesta ancestral y perpetua en la que los celebrantes llevasen coronas de flores en la cabeza. Él, el posadero, subía en primer lugar. Giraba la cabeza, miraba hacia atrás y repetía sin parar sus promesas, con la humildad forzada y el pánico fingido que caracterizan a quienes reciben y sirven a los grandes señores, a quienes al día siguiente, tras la salida de los huéspedes, ven la habitación desordenada, la cama deshecha de la cual acaba de salir ese cuerpo tan lleno de dignidad, el cubo con el agua sucia, la palangana con los restos de las secreciones humanas, todo lo que hasta el más caballero de los caballeros deja tras de sí en su aposento. Se inclinaba haciendo reverencias, pero su voz humilde expresaba desprecio, un desprecio alimentado durante cincuenta años de experiencias vividas en su profesión de posadero. Andaba tres pasos por delante de la comitiva, como los avisadores que caminan de noche por delante del rey, del príncipe de Condé o, sí, delante del conde de Parma... Detrás del posadero iba una comitiva entera: cuatro hombres rodeaban a otro, dos iban por delante y dos por detrás, cada uno con un candelabro de plata de cinco brazos en la mano en alto; cuatro lacayos vestidos con casacas de seda negra y bombachos, con peluca blanca en la cabeza, tocados con sombrero, cadena de oro al cuello y abrigos de piel de oveja echados por los hombros, cuyos amplios faldones ondeaban al ritmo de sus pasos; avanzaban rígidos, sin mirar adelante ni atrás, con pasos iguales, como hemipléjicos, como sólo las marionetas movidas por hilos de los teatros de feria saben moverse. En medio de las luces ascendía con pasos lentos el huésped importante, estudiando cada peldaño con sumo cuidado antes de pisarlo. Iba completamente envuelto en una capa de viaje morada, larga hasta los tobillos y sin más ornamentos que un cuello ancho de piel de castor que le cubría la nuca y los hombros; subía la escalera con mucha lentitud, apoyando la punta del bastón en cada peldaño antes de dar el siguiente paso, como si necesitara meditar cada uno de ellos, no solamente con la cabeza sino también con el corazón, sobre todo con este último, un corazón que se resentía por la subida. La comitiva avanzaba lentamente, cumpliendo con un ritual tan minucioso como complicado, con el aire que caracteriza a las personas que casi han perdido su libertad de movimientos y que se han convertido en prisioneras de su rango, de los ornamentos externos de su persona y de las obligaciones derivadas de su posición. «¡Naturalmente! —pensó él, boquiabierto, con cierto desdén pero también con una admiración involuntaria, en la puerta medio abierta de su estancia—. ¡Se nota que es pariente de Luis el Gordo!» Dio unos pasos para situarse tras el umbral, en la penumbra de la habitación, se agarró con las dos manos al marco de la puerta, y aguardó así, escondido con cautela, a que el conde de Parma llegara al primer piso.

La comitiva se acercaba ya, se encontraba en el recodo del pasillo. Los lacayos se dispusieron en fila contra la pared y alzaron los candelabros, a la espera de que su señor recobrara el aliento. Naturalmente, él había reconocido al conde de Parma, lo había reconocido antes de que llegara a su piso, antes incluso de haber oído su voz, porque el conde de Parma pertenecía a los «familiares», y ellos dos tenían algo que ver, poseían algo en común. Lo había reconocido antes de que llegara, sin haberlo visto, cuando la mujer de la Toscana había abandonado su habitación para volver al servicio tenebroso y sombrío de su marido, el triste amante de los viajes; lo había reconocido cuando su trineo se detuvo delante de la posada, cuando oyó que el posadero gemía y hacía promesas. Había poca gente que supiera llegar a un lugar con tanta elegancia, así que en ese momento él observaba la llegada del conde con la admiración de un experto, con los ojos del posadero, el portero o los camareros, y al mismo tiempo como un eterno huésped, puesto que también él sabía llegar con mucha elegancia; observaba la llegada con la admiración ligeramente despectiva pero forzosamente educada de un experto, la llegada ordenada y minuciosa característica de una persona que obedece los rituales de su condición y su papel y se somete a ellos, incluso en el pasillo de una sospechosa posada de tercera categoría, entre murciélagos; como si estuviera llegando a Bolonia, a su palacio, en un trineo cubierto de nieve de cuyos flancos colgasen los zorros, los lobos y los jabalíes cazados por el camino, o como si entrara en un restaurante de París, en el del señor Voisin o en el de la Torre de Plata, o bien como si su carroza se hubiese detenido delante de la puerta de un ala lateral del palacio de Versalles, frente a la entrada del palacio de Trianon, donde el Pariente Divino estuviera celebrando el *cercle* o jugando al escondite... Así se había presentado el conde de Parma en la Posada del Ciervo: no es que hubiera ido, sino que había acudido, no había subido la escalera, sino las gradas, no había llegado a su piso, sino que se había dignado aparecer, y efectivamente había en su presencia algo propio de las apariciones, algo que recordaba una quimera del destino.

El conde se irguió y escudriñó con ojos atentos el pasillo en penumbra; las velas que los lacayos mantenían en alto iluminaban a medias los recovecos, y las rojizas llamas proyectaban sombras oscilantes.

El conde de Parma, el pariente del rey de Francia, acababa de cumplir setenta y dos años. «¡Ni más ni menos!», pensó él, constatándolo con calma y frialdad al verlo. No se movió de su sitio; se mantuvo en la misma postura un tanto descarada, aferrado al marco de la puerta de su habitación, alerta pero con actitud despreocupada, como un huésped cualquiera que, en una posada oscura y no muy refinada del camino, se convierte en testigo ocular y casual de la pomposa llegada de un noble huésped, como si estuviera allí sin ningún interés en particular, como un simple personaje secundario. «¡No podría haber llegado de otra forma! —se dijo, encogiéndose de hombros—. ¡Pretende atemorizarme! —pensó también, y esa idea, inspirada por la inusitada fuerza de la escena, lo halagó—. ¡Nadie llega con tanta ceremonia para alquilar una habitación en la Posada del Ciervo!» Todo lo cual era verdad, tanto la imputación como la suposición, aunque al mismo tiempo tampoco constituían la verdad por entero; y él lo sintió así en todo el cuerpo, en el estómago y hasta en los dedos de los pies, durante los largos minutos en que el conde de Parma observó el pasillo con la cabeza echada hacia atrás y los ojos parpadeantes, hasta distinguir, en el umbral de la puerta, a la persona que estaba buscando. Él, con un rápido vistazo, con su instinto infalible, comprobó con tranquilidad que el conde de Parma había acudido sin guardias armados y —según todos los indicios— sin portar armas. Lo

155

cierto es que su aspecto, su llegada y su desfile inspiraban más respeto que miedo. A esa hora de la tarde o de la noche —él no conocía exactamente la distribución del tiempo en esa pequeña ciudad provinciana—, cuando ya se estaba preparando el baile en el palacio, un baile particularmente burbujeante y fastuoso que había mantenido ocupados a los habitantes de toda la ciudad y de sus alrededores durante varios días, a esa hora, el dueño y amo de la fiesta no había partido sin razón con un acompañamiento tan suntuoso, y seguramente no andaba buscando alojamiento para sus invitados, a dos pasos de su casa, en una posada de mala fama. «¡Claro, viene a verme a mí!», pensó, y encontró halagador el hecho de que el otro hubiese ido a verlo por fin, y de manera tan solemne además. Pero también sabía que el desfile, la comitiva y la ceremonia sólo en parte lo honraban a él, al viajero de paso que el conde de Parma había despedido en su día con unas pocas frases a las puertas de Florencia, una mañana llena de bruma, cuyos colores recordaban el mar; sabía que la ceremoniosidad era un marco natural y constante en la vida del conde, una parte intrínseca y connatural de su ser, como lo es la lujosa cola para el pavo real, el cual la arrastra por todas partes y, al sentirse observado, la despliega en forma de abanico. Así desfilaba desde hacía años el conde de Parma allí por donde pasara. Les indicó con una señal a sus lacayos que se apartaran. Reconoció a la persona de la puerta y, con un movimiento diestro y despreocupado, levantó los anteojos que colgaban de su cuello de una cadena de oro para echar un cómodo vistazo con los ojos entornados, como si no estuviera seguro del todo de haber hallado a quien estaba buscando.

—Es él —declaró de inmediato con aire satisfecho, parco en palabras.

—Sí, *eccellenza* —respondió con presteza el posadero.

Hablaban de él, en su presencia, como de un objeto. Tal ecuanimidad lo divertía. Ni se movió, ni se apresuró a saludar al conde, ni se arrodilló. ¿Por qué habría tenido que hacerlo? Los peligros mundanos le inspiraban una profunda indiferencia, mezclada con desprecio. «¿De qué sirve todo esto? —se preguntó, encogiéndose de hombros—. El viejo ha venido para expulsarme de la ciudad; quizá me amenace, me chantajee y me diga que, si no me voy, me devolverán a Venecia. ¿Y todo por qué? ¿Por Francesca? No entiendo por qué no me he ido ya de esta maldita ciudad a la que nada me ata, puesto que a Mensch ya le he sacado todo lo que he podido, el abuelo de Bragadin no me va a mandar más dinero mientras permanezca aquí, nadie es capaz de mantener una conversación literaria, ya conozco de sobra el agradable sabor a almendras de los besos de la pequeña Teresa, a Balbi lo persiguen por las noches los carniceros celosos con sus palos y sus hachas, y la gente juega a las cartas con el escaso discernimiento de los jabalíes. ¿Por qué llevo aquí seis..., no, más..., ocho días? ¡Ya podría estar en Múnich! El príncipe elector de Sajonia habrá llegado ya, y por las noches se jugará a las cartas a lo grande. ¿Por qué me habré quedado?» Así reflexionaba, furioso, mudo, inmóvil, mientras el conde, el posadero y los lacayos lo observaban con atención, como si estuvieran contemplando un objeto, un objeto perdido y finalmente encontrado tras una búsqueda bastante superficial y ligera, un objeto insignificante y no muy limpio; como si estuvieran preguntándose cómo cogerlo, si con la punta de los dedos, si con toda la mano o si agarrándolo con un trapo para tirarlo por la ventana inmediatamente después... Contempló todas esas posibilidades. Luego, sin la menor transición, pensó otra vez: «Claro, Francesca.» Y comprendió de pronto que todo había ocurrido de manera ordenada y consecuente, que las cosas no habían empezado el día anterior, y que quizá tampoco acabarían del todo aquella noche; que un día, muchos años atrás, Francesca, el conde de Parma y él habían iniciado algo, y que en ese momento iban a continuar el diálogo iniciado; por eso no había partido él de la ciudad, por eso estaba allí, delante del conde que lo miraba entre resoplidos, agotado, de pie ante los lacayos, que parecían formar un pequeño ejército, como si el noble fuera el comandante y se estuviera preparando para el ataque. Ese aspecto tenía el conde de Parma, ese aspecto tenían sus lacayos, con los candelabros de cinco brazos en las manos.

—¡Oiga! —dijo Giacomo en voz muy alta, dando un paso hacia delante, en dirección a la fastuosa comitiva—. ¿Hay alguien ahí?

La pregunta sonó muy cortante, como si se tratase del tajo de una espada, puesto que era evidente que había «alguien», evidente e innegable, al igual que no se puede negar la presencia de una montaña, un río o una fortaleza. Ese «alguien» estaba allí, de pie, apoyado en su bastón de plata, con la blanca cabeza echada a un lado, y su cráneo lucía bien proporcionado y perfectamente ajustado a los anchos hombros de su cuerpo enjuto, como si se tratase de una bola de marfil colocada sobre un elegante bastón de ébano. Había algo estatuario en su cabeza esmeradamente tallada, redonda y lisa, casi calva, rodeada tan sólo por unos mechones sedosos y plateados, brillantes como el metal, que colgaba de la nuca y las sienes. La pregunta era ofensiva y descarada, porque hasta un ciego podía sentir, si no ver, que «alguien» había llegado a la posada, alguien de quien no podía hacerse caso omiso junto con toda su comitiva, a quien no era posible mirar con displicencia, ni tampoco gritarle: «¡Oiga! ¿Hay alguien ahí?» Así que los lacayos se estremecieron por el susto, y el posadero se cubrió la boca con una mano por el pánico y hasta se santiguó. Tan sólo el conde permaneció impasible. Dio un paso hacia delante, hacia donde surgía la voz, y a la cruda luz de las velas se distinguió que una sonrisa agradable se dibujaba en sus labios exangües, finos y crueles, tras escuchar la pregunta y oír el grito. Era obvio que la pregunta le había hecho gracia.

—Sí, soy yo —respondió con tono seco pero flexible, propio de un anciano. Hablaba en un tono muy bajo, como quien sabe que cada una de sus palabras, incluso pronunciada así, tiene su peso y su fuerza—. Debo charlar contigo, Giacomo.

Pasó por delante de los lacayos y del posadero, su séquito transitorio, y con un ademán les indicó que se retirasen.

—Que el trineo espere —dijo, fijando la vista en el aire, sin mirar a los destinatarios de sus órdenes—. Vosotros aguardaréis en la escalera. Sin moveros. Tú —no demostró de ninguna manera a quién se refería, ni con un gesto, ni con una mirada, aunque todos sabían que se estaba dirigiendo al posadero— te encargarás de que nadie me moleste. Ya te haré saber cuándo hemos terminado.

Los lacayos se retiraron sin rechistar, desaparecieron con los candelabros por la escalera, y entonces dio la impresión de que la noche había caído definitivamente. El posadero siguió a los lacayos con pasos indecisos y nerviosos. Cuando ellos dos se quedaron solos, el conde habló con mucha cortesía e inclinándose ligeramente, como si hablara con un conocido íntimo, con un miembro de su propia familia.

—¿Puedo pedirte, por favor, que me dejes pasar a tu habitación durante breve tiempo? No voy a entretenerte demasiado.

Su tono era casi de súplica, entre mundano y elegante, aunque sus palabras parecían, sin embargo, una orden inapelable. Al escuchar una petición así, él sintió cierta vergüenza por su «¡oiga!» y su «alguien» previos. Como si hubiese aceptado definitivamente que el conde era en verdad alguien, como si supiera que de ninguna manera iba a poder evitar el diálogo con él; se inclinó en silencio, lo invitó a entrar con un gesto y cerró la puerta tras él.

—Muchas gracias —dijo el conde tomando asiento en el sillón colocado delante de la chimenea, que él le había ofrecido con un ademán. Tendió hacia el fuego las manos, blancas, exangües y alargadas, sus nobles manos, robustas aunque de anciano, y se las calentó al calor de las llamas, que proyectaban sobre él una luz tenue—. Ya sabes, la escalera —dijo confidencialmente—; ya no me sientan bien las escaleras. Setenta y dos es un número maldito: uno aprende a llevar la cuenta con precisión. Me alegro de no haber subido la escalera en vano y de haberte encontrado en casa —añadió, uniendo las manos con un movimiento sosegado y suave.

—Ha sido pura casualidad —observó él.

—No ha sido pura casualidad —replicó el otro con cortesía pero con decisión—. Hace ocho días que mis hombres te tienen bajo vigilancia y me informan de todos tus pasos. Sabía que estabas en casa, que esta tarde habías recibido a gente, a esos locos que vienen a pedirte consejo. Yo no he venido a pedirte consejo, hijo.

Lo dijo con tanta ternura como si fuera un viejo amigo que comprende las debilidades humanas y que carece de más afán que el de ayudar. Ese «hijo» sonó terrible en la sombría habitación, como una amenaza refinada e indirecta. Él se sintió en peligro con esa palabra, se enderezó y miró instintivamente el puñal y la ventana.

—¿Con qué derecho —preguntó, cruzando los brazos y apoyándose en la chimenea— me tiene bajo vigilancia el conde de Parma?

—Con el derecho de legítima defensa —respondió el aristócrata con naturalidad, casi afable—. Ya sabes, Giacomo..., porque si alguien lo sabe, eres tú..., que no solamente existe el poder mundano y oficial, sino que hay otros. La época en que vivimos, la época que ha llenado mi cabeza de cabellos blancos y ha hecho disminuir mis fuerzas, me da todo el derecho del mundo a la defensa propia. Nuestra época es la época de los viajeros. Las ciudades se llenan de viajeros, los policías apenas pueden con tanto trabajo, París advierte a Múnich que un viajero interesante partió a probar suerte en la ciudad; Venecia, por su parte, advierte a Bolzano que uno de sus más lúcidos hijos se alojará aquí. Yo no puedo confiar sin más en que la autoridad me proteja. Mi situación, mi edad y mi rango me obligan a ser precavido con cualquier tipo de peligro. Mis hombres son astutos y yo confío en ellos: los mejores perros rastreadores de toda la provincia me sirven a mí, y no al jefe de policía. Por ellos supe yo, antes que la propia policía, que habías llegado a la ciudad. Podría haberme enterado por otros medios, porque tu fama te precedía, intranquilizando a las pobres almas. ¿Sabes que, desde que has puesto los pies en la ciudad, la vida se ha vuelto más agitada bajo estos techos nevados?... Parece que en tu equipaje llevas emociones humanas, como los viajantes llevan muestras de seda y de lino en su maletín. Durante los últimos días se ha quemado una casa, un viñador ha matado a su mujer por celos y una mujer ha huido de su marido. Tú no eres directamente responsable, pero está claro que llevas dentro la agitación, como las nubes llevan dentro la tormenta. Allí por donde pasas, despiertas emociones y pasiones. Ya te digo, tu fama te precede. Te has convertido en un hombre famoso, hijo —añadió con sincera admiración.

—Su *eccellenza* está exagerando —respondió él, sin inmutarse.

—¡Ni un ápice! —repuso el conde, animado—. No eches mano de la falsa modestia, que no la necesitas. Eres un hombre famoso, y la noticia de tu llegada ha tocado los corazones. A mí también me han informado de ella, más o menos con el mismo entusiasmo con que habrían anunciado que la compañía de la Ópera de París actúa en Bolzano. Habías llegado, y la noticia tenía para los vecinos un componente alegre y otro irónico. Llegaste hace ocho días sin nada de dinero. La noticia de tu fuga encantó y encandiló las almas humanas. Yo también caí preso de la curiosidad, del deseo de verte, y el primer día pensé en enviarte una señal o una misiva. Pero decidí esperar. «¿Por qué habrá venido precisamente aquí?», me preguntaba. Nuestro acuerdo es válido y sigue en pie, el acuerdo al que llegamos a las puertas de Florencia, antes de que yo entregara tu cuerpo sangrante a los cirujanos, y tu destino al mundo. «Él sabe muy bien cómo soy», me decía. «Sabe que nunca cambio de palabra. Por lo general, suelo desconfiar de los juramentos y las promesas que hace la gente, porque las palabras humanas vuelan más rápido que las golondrinas en primavera. Sin embargo, creo en los actos, y él sabe muy bien que mis palabras son como actos; le prometí que lo mataría si se atrevía a levantar siquiera los ojos hacia Francesca. Y ahora está aquí.» Así conversaba solo, conmigo mismo, porque cuanto más corta es nuestra vida, tanto más tiempo tenemos para recordar y reflexionar. «Sabe que se está jugando la vida simplemente con haber venido: ¿por qué ha venido entonces? ¿Cuál es su propósito? ¿Está todavía enamorado de la condesa? ¿La amó alguna vez? Son preguntas difíciles. Y él es incapaz de responder a esas preguntas porque no conoce el amor; conoce muchas cosas que se parecen al amor, se tambalea entre las sospechosas y dolorosas trampas de la pasión y la aventura. Francesca, lo sabemos los dos, nunca ha sido suya.» A veces, durante estos años, cuando me sentía muy solo, pensaba en eso con lástima. ¿Te sorprendes? No tendrías por qué. Hay una época en la vida, y yo, por una sabia decisión de mi destino y de mi edad, la estoy viviendo ahora, en la que nos desprendemos de todo, de la vanidad, la egolatría, las falsas ambiciones, los falsos temores, y en la que ya no queremos otra cosa que la pura realidad, sólo queremos conseguir eso, y a cualquier precio. Por ese motivo he llegado a veces a pensar: «Es una lástima. Porque si Francesca hubiese sido suya, entonces mi vanidad y mi egolatría habrían sufrido, quizá habría sufrido incluso Francesca, pero él estaría lejos, no habría vuelto a Bolzano, adonde ha venido nada más fugarse de la prisión, y yo podría estar seguro de que algo que empezó un día había acabado y terminado definitivamente según las leyes humanas.» Porque con la vejez uno aprende, y es todo lo que llega a comprender y a aprender, que no se puede poner fin a los asuntos humanos antes de su debido tiempo, pero que tampoco pueden dejarse inacabados; entre los hombres existe un orden del que no es posible escapar. Sí, hijo, es más difícil escapar de un sentimiento que no ha llegado a su término que de los Plomos durante la noche, sirviéndose de una escala de cuerda. Tú todavía no lo puedes saber porque tu alma, tu sensibilidad y tu espíritu son diferentes de los míos. Tampoco me importa si me crees o no. Yo sólo te prometí que te mataría si volvías y te atrevías a levantar la mirada hacia la condesa. ¿Crees y comprendes ahora, sabio doctor que repartes tus consejos por unos cequíes entre los tontos y los necesitados, crees que después de lo que ocurrió entre nosotros, más exactamente después de lo que no ocurrió, que con la noticia que te precedía, con los informes de mis perros rastreadores, con la noticia de la realidad (que me hacía saber que una atracción fatal te había acercado a Bolzano, a nuestras vidas y a nuestra casa, quizá sin que tú lo hubieses pretendido, sin que lo hubieses planeado o previsto, quizá simplemente por culpa de unas leyes igual de poderosas que las que logran que la luna gire alrededor de la tierra, y que se habían encargado de que tu primer viaje te condujese hasta nosotros), crees que yo me sentía feliz con la noticia de tu llegada?... Pues sí, Giacomo, me sentía feliz y aliviado. ¿Lo comprendes?

—No, no lo comprendo —respondió él, aguijoneado por la curiosidad.

—Haré todo lo posible para que lo entiendas —dijo el conde con una afabilidad y una cortesía de mal agüero, en absoluto reconfortantes—. «Feliz» no es la palabra más adecuada. Nuestra maravillosa lengua, devuelta a la vida literaria por el beso de su gran enamorado, Dante, designa a veces los conceptos de una manera demasiado directa. «Feliz» es una palabra de significado muy general, y, sin embargo, tiene un componente demasiado directo, cotidiano, de alegría inmediata, como cuando uno se frota las manos entre amplias sonrisas. Claro, con la noticia de tu llegada yo no me frotaba las manos entre amplias sonrisas, pero sí sentía palpitar mi corazón y fluir mi sangre en plena efervescencia, algo que recuerda la felicidad, de lejos aunque con intensidad; se trataba de un sentimiento parecido a la felicidad, puesto que todas las emociones humanas se alimentan de las mismas aguas profundas, por más que se diferencie la superficie de éstas, que en unos casos se agita con olas furiosas y en otros se cubre de ondas suaves que apenas se notan. «*J'étais touché*», podría decir quizá con más exactitud, con una expresión propia de la esgrima, refiriéndome tanto a los duelos físicos como a los anímicos, en una lengua pariente de la nuestra que tú conoces tan bien como yo; algo me ha tocado, esta expresión ya es más exacta, y tú que eres escritor, según me dicen y según lo afirma también tu ayudante y secretario por toda la ciudad, sabrás comprenderla y apreciarla. La noticia de que te has convertido en escritor (porque Bolzano, hijo, es una ciudad pequeña donde las debilidades humanas no permanecen ocultas durante mucho tiempo) constituye una agradable sorpresa para mí. Nunca he dudado de que tenías una vocación, siempre he creído que tenías una misión especial que cumplir entre los hombres; pero, hasta el momento de enterarme de que eras escritor, tu personalidad no me invitaba a suponer que ésos serían tu papel y tu tarea; más bien te imaginaba como alguien eternamente ligado por su destino y su carácter a la materia prima de la vida, como alguien que escribe con su sangre y no con tinta. Porque la sangre es más apropiada que la tinta para expresarse en ese género que es el tuyo, Giacomo, y espero que lo sepas...

—Su excelencia formula sus juicios con demasiada rapidez —repuso él con vanidad—. Sin embargo, sólo con el tiempo y las dificultades llega a conocer el artista la materia que prefiere trabajar.

—Es verdad —reconoció el conde, con una facilidad y una disponibilidad para el acuerdo un tanto sospechosas y demasiado fervientes—. ¿Podrás perdonarme? ¿Dónde tengo la cabeza? ¡Ya ves, me estoy haciendo viejo! Me he olvidado de que el genio creador, de quien el artista es tan sólo un representante terrenal, no asigna, sino que pone de una manera completamente aleatoria la pluma, el cincel, el pincel o incluso la espada en las manos de su luchador elegido. Está claro que el gran Buonarroti y el genial Leonardo, ambos hijos destacados de nuestras ciudades, como también tú, usaban por igual la pluma, el cincel y el pincel; sí, Leonardo, con su curiosidad fantástica y terrible, incluso tomó el cuchillo, por las noches y a escondidas, para penetrar en los secretos del cuerpo humano, y también construyó burdeles y baluartes para fortalezas, de la misma manera que Buonarroti, ese semidiós iracundo y monstruoso, escribió sonetos, pintó cúpulas, pero ¡qué pintura, Giacomo, qué cúpula!, dibujó planos para arcos y esculpió monumentos funerarios, y de paso, sin darle importancia, pintó *El Juicio Final*. ¡Así son los artistas! El alma humana se ensancha, el corazón humano se regocija al contemplar tal infinitud de posibilidades, el hombre común se marea ante esos horizontes. ¿En este sentido afirmas tú también ser escritor?... Claro, ya lo entiendo. Se trata de algo profundo, hijo, algo que me explica muchas cosas; entiendo mejor mi patria y mi raza con esa palabra que tú, a tu manera, también representas, como ya te has encargado de explicárselo a tu secretario, que, claro está, lleva el eco de cada palabra tuya por toda la ciudad con la máxima celeridad; eres un escritor que empapa su pluma unas veces en tinta y otras en sangre, y por el momento, a juzgar por los resultados, el profano diría que tus obras han sido escritas con la espada y la sangre. ¡No protestes! ¿Quién podría entender mejor que yo tu género, puesto que mis antepasados también crearon obras de arte con la espada y la sangre, y nosotros dos, cuando nos vimos por última vez, llevábamos sendas espadas en las manos, con las cuales creamos un diálogo no escrito pero de estructura perfecta, al que allí, bajo el resplandor de la luna, pensamos poner punto final? Ya lo entiendo... —dijo con una satisfacción dudosa—. ¡Un escritor, pues! ¡Un escritor que viaja por el mundo recogiendo material para su obra! —añadió casi entusiasmado, casi halagador, con una alegría infantil de anciano, como si comprendiera por fin las relaciones ocultas que hay entre las cosas, como si creyera de verdad que el hombre a quien había ido a ver era escritor, y ese peculiar descubrimiento lo colmara de una admiración y una alegría extraordinarias—. Ahora estás acabando tus años de peregrinaje. Son unos años grandiosos, sí... Hace muchos años yo también... Claro, no tengo ningún derecho a establecer paralelismos, puesto que no he creado ninguna obra, ni siquiera a mi manera; mi obra ha sido tan sólo mi vida, vivida, eso sí, según ciertas normas, prescripciones y leyes, algo que ahora, desgraciadamente, casi he cumplido ya. «Casi», he dicho, y por favor, hijo, no me desprecies por este puntillismo minucioso; yo también he aprendido que es necesario utilizar las palabras con la mayor precisión posible para que adquieran valor. «Casi», he dicho. Como verás, estoy luchando con las palabras, yo que no soy escritor; y, como me encuentro delante de ti que sí lo eres, noto mi impotencia y mis dificultades, las dificultades de cualquier intento de expresión; porque nada es más difícil que expresarnos de manera inequívoca, sobre todo si sabemos que nuestras palabras son definitivas y que detrás de nuestras frases se esconde la muerte cercana. Me refiero a la muerte concreta, la tuya o la mía —añadió en voz baja y sosegada.

Como no recibió respuesta alguna, miró el fuego rojo y negro con la cabeza echada a un lado, moviéndola de izquierda a derecha, como si estuviera recordando algo con sorpresa.

—No lo tomes como una amenaza, Giacomo —continuó con un tono más grave, pero haciendo gala de la misma amabilidad—. Entre nosotros ya no hay lugar para las amenazas. Sólo quiero que me comprendas. Por eso he dicho «casi». He hablado de la muerte en su sentido más concreto y literal, y al mencionarla no quiero evocar la belleza general y filosófica de su significado oscuro. He hablado de la muerte concreta y personal, de algo que nos puede acontecer a ambos en cualquier momento si no somos capaces, tú y yo, de llegar a un acuerdo humano, con la ayuda de algún método o argucia. Ya ves, yo ya no tengo ganas de atacar; no tengo ganas de atacar simplemente porque la agresión no arregla nada entre los seres humanos. Uno siempre se da cuenta de las cosas cuando ya es demasiado tarde. Con los ataques no se resuelve nada, y la defensa tan sólo puede ser una solución si se trata de una defensa justificada y razonable, no una mera defensa con sable, florete o espada; si no es un contraataque lleno de pasión, sino un acto de la razón, un acto sabio cuyo propósito es alcanzar un equilibrio. ¿Cuántos años tienes tú ahora? Estás cerca de los cuarenta, ¿verdad? Es buena edad para un escritor. Sí, una edad muy buena, Giacomo, y te lo digo sin envidia, a manera de recuerdo, porque no es cierto que con los años que pasan nos entre nostalgia de tiempos pasados, de tiempos perdidos..., si es que se puede hablar de tiempos perdidos. Por favor, corrige mis palabras si están equivocadas, tú que eres escritor. ¿Se ha perdido de veras lo que tuvimos? ¿Es una verdadera pérdida, como afirma la gente, con una palabra ligera, falsamente sentimental, en absoluto exacta, al referirse a la juventud que desaparece, tan veloz como la liebre que corre por los campos, o a la edad madura de un hombre que un día empieza a declinar, en una palabra, al tiempo que ha sido nuestro, que hemos tenido como una propiedad, un objeto o una pertenencia? No, el tiempo pasado es una realidad y no hay nada que lamentar al constatar que ha volado; y solamente es el futuro lo que puedo mirar con cierta duda y cierta emoción, una emoción que quizá sea parecida a un lamento; solamente el futuro, aunque eso suene extraño y ridículo a mi edad. Sin embargo, no siento nostalgia alguna por el tiempo pasado, que ha sido rico y pleno. No siento nostalgia por una juventud llena de conceptos falsos y palabras inexactas, con sus errores típicos, emocionantes, tiernos, sublimes y confusos, dignos de un adolescente en el corazón y la mente; contemplo con satisfacción los paisajes desaparecidos bajo la luz dorada de la edad madura, y no tengo nostalgia de nada, de nada de lo que he poseído. No hay nada tan peligroso como la autocompasión, involuntaria y falsa, fuente de toda enfermedad y toda miseria humana, la autocompasión que equivale a la idiotez, ese pozo común de todos los males. Lo que existió, existió y sigue existiendo, porque la vida lo ha conservado con sus magníficos métodos, más complejos que los que utilizaban los sacerdotes orientales para embalsamar los cuerpos de los muertos, envolviéndolos con vendajes; y más complejos que los que utilizan los taxidermistas de hoy para conservar los cuerpos de los animales; así ha conservado para mí la vida mi pasado, un pasado lleno de riqueza y del hastío de la posesión. Pero a mí sólo me interesa el futuro, hijo —añadió alzando la voz, casi gritando—. Tienes que comprenderlo, tú que eres escritor.

Se veía que no esperaba respuesta alguna. En su entonación, al pronunciar la palabra «escritor» una y otra vez, con terquedad, no había ningún matiz irónico. Cuando decía que el escritor en cuestión estaba llegando al final de sus años de peregrinaje, recogiendo el material para su futura obra, por ejemplo en Bolzano, donde vivían el conde y la condesa de Parma, expresaba una aprobación natural, generosa, de esa explicación y ese comportamiento, como alguien que, con un guiño de cortesía, le dice a una persona que encuentra a su lado en un baile de máscaras: «Te he reconocido, pero no se lo revelaré a nadie, sigue hablando.» Mas en ese momento el otro callaba, y tan sólo hablaba él. Tras una breve pausa continuó.

—Sólo me interesa el futuro porque la vida no ha acabado del todo para mí. A mí también me gustan las historias acabadas y redondas; no creas que es privativo de vosotros, los escritores y poetas: así es el mundo y así es la naturaleza humana. Los escritores y los poetas, y también los lectores, exigen que las historias tengan un final como es debido, acorde con unas reglas externas y unas leyes internas; exigen que la frase acabe con un punto final, y también que se coloque el punto sobre la «i». Así tiene que ser. Por eso vuelvo a pronunciar la misma palabra, como si eso pudiera ayudar en algo en la historia común de los dos: «casi». Hay algo que hemos de decir y resolver antes de que esta historia se acabe, una historia que es sólo una más entre miles y miles de historias humanas, una historia tan trivial que quizá ni siquiera figure en tu obra cuando la escribas, al terminar de recoger tu material, pero que a nosotros dos, o tal vez a nosotros tres, nos interesa más que cualquier otra cosa que se haya escrito hasta ahora, con la pluma o con la espada, incluso más que la visita al infierno del poeta divino. Nosotros estamos en la tierra porque es un lugar que nos interesa. Y todo lo que puede ocurrir aquí, para que la frase sea redonda, para que se coloque el punto sobre la «i», el final de nuestra historia común, de la historia de nosotros dos o quizá de nosotros tres, de esta historia que puede resultar lúgubre y funesta sin ninguna razón, pero también humana, alegre y razonable, todo este final, como todos los demás posibles, depende única y exclusivamente de ti, del escritor. Ya ves, he venido a verte bajo un tiempo inmisericorde, en pleno ataque de gota, aunque ya no me gusta salir de mi casa después del atardecer, de mi casa y de mi habitación, donde me consuelan mi entorno y mi estufa. No habría venido si no hubiese llegado el momento de hacerlo, porque puedes creer que en la vejez, cuando nuestros huesos crujen debido a la edad avanzada, a las palabras malintencionadas y a las experiencias acumuladas, tenemos plena capacidad para medir el tiempo, una capacidad inteligente, basada en la economía de nuestros recursos, una especie de tacto y de comprensión profunda que nos avisa, diciéndonos hasta cuándo podemos esperar y cuándo debemos actuar, aun sin tener ganas para ello... He venido porque ha llegado el momento. He venido a una hora en la que en mi casa se está preparando la fiesta: los lacayos están poniendo las mesas, los músicos están afinando sus instrumentos, la gente se está disfrazando embelesada, según las reglas del juego, según las reglas de la alegría de vivir, y yo no niego que me gustan semejantes preparativos, porque ya no hay nada que me guste más que contemplar la fiesta irracional y caótica del mundo desde detrás de una máscara, en un rincón apartado. Debo volver a casa pronto, porque tengo que disfrazarme yo también. ¿Te interesa saber qué disfraz he elegido, Giacomo?... Si vienes a casa esta noche, porque espero que vengas, y quiero que entiendas mis palabras como una invitación tardía, me reconocerás por mi disfraz, que será excepcionalmente personal, aunque tengo que reconocer que no es muy original; lo he tomado prestado de un libro, de un drama poético que no fue escrito en nuestra dulce lengua materna ni en ninguna de sus parientes cercanas, sino en la de nuestros parientes más lejanos, más occidentales, más rudos y más fornidos, en la lengua de los británicos. Encontré el libro en la biblioteca de mi primo regio, en Marly, y no puedo negar que la historia me emocionó aunque haya olvidado a su autor; sólo sé que fue actor y escritor de comedias en Londres, en la época de nuestra pariente más lejana, esa bruja repugnante, masculina y provinciana que se llamaba Isabel. Me disfrazaré de asno esta noche, y tú podrás reconocerme si vienes y estás atento. Llevaré una cabeza de asno como disfraz... ¿Te gusta la idea? ¿Sabes?, en esa obra es el héroe quien se disfraza de asno, y la heroína, la reina de la juventud, de la juventud y de la belleza, una tal Titania, lo abraza y lo colma de besos apasionados, de pasión, que es el único sentido del amor. Por eso me disfrazaré de asno, lleno de esperanza, y también por otro motivo, porque me apetece que todos se rían de mí sin saber quién soy, que se rían de mi disfraz; es la primera vez en mi vida que me apetece eso, oír a través de mis orejas de asno las risas de la multitud disfrazada. Es una máscara excelente, ¿no crees? Me apetece que la gente se ría de mí, en mi propio palacio, en la cima y en la cúspide de mi vida, antes de que la frase termine y se ponga el punto sobre la «i».

Hablaba con tono elevado y cortés, pero su voz sonaba como suenan las espadas cuando —después del entrenamiento previo— empieza el duelo de verdad.

—Quiero oír cómo la gente se ríe de mí en mi propia casa, cómo se ríen todos de mi disfraz de asno enamorado. ¿Por qué? Porque ha llegado el tiempo y el momento para ello, Giacomo; sin prisas, sin un segundo de adelanto, según sus propias reglas, ha llegado el tiempo de llamar a una puerta y de colocarme debidamente el disfraz de asno, apropiado para un enamorado como yo. Y me disfrazaré de asno porque en mi situación, teniendo que elegir entre las cabezas de distintos animales, es la más simpática y menos ridícula para mí, porque quizá por la mañana pueda colocarme otro disfraz distinto, el de un ciervo, por ejemplo, o el de cualquier otro animal con cuernos, corroborando así una expresión popular, irónica y maliciosa que yo, por otra parte, nunca he llegado a comprender del todo. ¿Por qué razón se le llamará cornudo a un marido repudiado y engañado?... Quizá me lo puedas explicar tú, que eres escritor y lingüista.

Esperó pacientemente, con las manos juntas, parpadeando, ligeramente echado hacia delante en su sillón, como si ese problema lingüístico, la explicación de una expresión popular arbitraria y maliciosa, le interesara de veras. El otro se encogió de hombros.

—No lo sé —replicó con frialdad y calma—. Así lo designa el lenguaje popular. Ya se lo preguntaré al señor

Voltaire si paso por su casa de Ferney, y te informaré de su respuesta en una carta, si así me lo permites.

—¡Voltaire! —exclamó el conde con admiración—. ¡Buena idea! Sí, pregúntale por qué el lenguaje popular le pone cuernos a los maridos engañados, y mándame por escrito su respuesta. ¿Crees que Voltaire, que conoce perfectamente los secretos de la lengua, sabrá de ese concepto también en la práctica, en su casa de Ferney? Él es un espíritu frío, su fuego es como el del rubí, una quimera que deslumbra pero que no calienta. He de decirte que confiaba más en ti: albergaba la esperanza de que conocieras ese concepto más a fondo...

—Su *eccellenza* está bromeando —observó el otro—. La broma me halaga y me encanta. Al mismo tiempo, tengo la sensación de que es mi obligación responder a una pregunta que todavía no se ha formulado.

—¿De verdad que no he formulado todavía la pregunta, Giacomo? —inquirió el conde, incrédulo—. ¿Estaré tan equivocado? ¿Serás incapaz de comprender por qué estoy aquí y qué quiero preguntarte, después de todo lo que ha ocurrido y no ha ocurrido entre nosotros? Porque, ya ves, los actos no lo son todo, y la prueba de ello es que yo no estaría aquí, a esta hora tardía, tan inapropiada para mí, además de insana, si en su día tú no hubieses hablado sino actuado. He tenido que venir, y con esto ya casi he formulado la pregunta a la cual tú ya no puedes responder con palabras. Te repito, Giacomo, que no he venido a verte ni un solo segundo antes de lo debido, sino cuando de veras he tenido que venir, porque he sentido que debía resolver contigo de inmediato un asunto ineludible. Un asunto ineludible y definitivo. Te he traído una carta, aunque la persona que la escribió no me haya designado a mí como mensajero, y te confieso que esta misiva es para mí ingrata e indigna de mi persona; una sola vez había llevado una carta de amor a una persona, escrita por una reina a un rey. No soy un *postillon d'amour* profesional, no me gustan las viles artes de los alcahuetes; créeme, no me gustan su habilidad y su celo ardientes y sucios, esa labor que realizan en los bajos fondos al servicio de los sentimientos humanos. Sin embargo, yo te he traído la carta, una carta de la condesa, naturalmente; la ha escrito esta mañana, después del *lever*, cuando la dejé sola para dedicarme a mi diálogo con los libros. No es una carta larga, porque los grandes escritores y las mujeres enamoradas escriben con brevedad, utilizando sólo las palabras más necesarias, y tú, como escritor y enamorado profesional, lo debes saber. No, la condesa no podía adivinar que yo sería su cartero, y quizá se esté imaginando ahora mismo que su carta se ha perdido, una carta de la que espera una respuesta con impaciencia, como todos los enamorados que pretenden cambiar las leyes del tiempo y del espacio con su voluntad terrible y ciega, y que a veces se imaginan que son capaces de regir las cosas eternas, como la vida y la muerte. Tal vez no lo crean sin motivo. Porque ahora yo ya no miro al pasado, que ha sido como ha sido; ahora sólo miro al futuro, que aún me pertenece y que es más breve que el pasado según indica el reloj de arena, aunque su contenido puede ser mayor que el contenido entero del pasado. El tiempo es un elemento extraño, un elemento de la vida, y no se puede medir según su propia medida; ya tus compañeros, los escritores clásicos de la antigüedad, constataron que un momento, un momento pleno, puede ser más duradero que los años o las décadas precedentes que no han sido plenos. Ahora que voy a formularte mi pregunta, que es al mismo tiempo una petición, no puedo dejar de pensar con desaprobación en la fe ciega de los enamorados, la fe ciega de que sus sentimientos irracionales pueden mover montañas, detener el tiempo y cosas así. Todos los enamorados son un poco como

Josué, que hace que se detenga el sol encima de las batallas de la vida, que interviene en el universo y espera así la victoria, que también es invariablemente una derrota. Ahora que debo mirar hacia delante (ya no tengo que mirar muy lejos: hasta con mis cegatos ojos puedo ver la corta distancia, que sólo es corta según la medida terrenal, pero que es intemporal e inabarcable en el universo de la pasión y del amor) comprendo la terrible voluntad de los enamorados, y hasta yo mismo creo que con esta breve carta perfumada, cuya ortografía no es perfecta, ¡te ruego que la leas con indulgencia, tú, el escritor!, con el sentimiento que expresa, con su deseo infantil, poco definido, se puede cambiar el orden del mundo, y durante un tiempo, siempre relativo en el contexto de la eternidad, se puede efectivamente regir la vida y la muerte. Ahora que tengo que responder a una cuestión vital (porque ambos estamos preguntando y respondiendo, Giacomo; se trata de un examen peculiar donde los dos somos a la vez el maestro y el discípulo), ahora que tengo que cargar la vida, como si fuera una escopeta herrumbrosa, con el cartucho de mi voluntad, y a continuación apuntar por última vez con precisión, con mano segura y mirada certera, para no fallar el blanco, empiezo a creer que existe una fuerza, una sola y única fuerza capaz de prevalecer sobre cualquier ley, incluso de regir las leyes del tiempo y de la gravedad. Esa fuerza es el amor. No la pasión, Giacomo, y perdóname si pretendo corregir la ley principal de tu vida y tu experiencia fundamental. No se trata de la pasión, ¿me oyes, cazador infeliz, triste pescador, escritor e indagador? Por más que tú te empeñes en llevarte a la cama, todas las noches, una presa caliente y humeante por el fluir de su sangre y de sus emociones, aquí o en otro lugar, en cualquier parte del mundo; por más que estés constantemente aguardando a tu presa, castañeteando los dientes, acechando hambriento en todas partes donde las ensoñaciones y los deseos, las expectativas y las soledades anhelan al libertador entre ilusiones; por más que te empeñes en echar mano de tus habilidades y artimañas de jugador de cartas o de cualquier sofisticada técnica militar para acercarte a las ventanas de la virtud durmiente, con escalas de cuerda y con el arma de las palabras atrevidas, no se trata de la curiosidad motivada por la tristeza o por la terrible soledad que incita a actuar, ni yo te estoy hablando de nada de esto. Te estoy hablando del amor, Giacomo, del amor que una vez en la vida nos tienta a todos, incluso a un depredador triste y hambriento como tú. No fue casualidad que llegaras a Pistoia hace años, ni tampoco que te marches de allí; no eres del todo inocente y tampoco eres del todo culpable. Lo único que ocurrió fue que el amor también te tentó a ti una vez. Entonces yo te eché con mi espada... ¡Qué cosa más inútil! Habrías podido gritar con razón: «¡Viejo loco! ¡Viejo loco enamorado! ¿Acaso crees que se ha forjado alguna vez un puñal en Venecia o una espada en Damasco que puedan acabar con el amor?» Tu pregunta habría sido correcta y adecuada, un tanto sentimental, retórica y poética, pero correcta y adecuada según los usos de la vida cotidiana. Por eso mismo no he venido ahora ni con un puñal puntiagudo ni con una espada afilada. He venido provisto de otro tipo de arma, Giacomo.

—¿Con cuál?

—Con el arma de la razón.

—Es un arma sin fuerza ni posibilidad de victoria en el duelo de los sentimientos, excelencia.

—No siempre. Me sorprende que seas tú quien afirme eso. Es la única arma que vale, Giacomo. Me refiero a la razón auténtica, la que no pretende discutir, la que no pretende negociar, la que no pretende ni siquiera convencer. Te lo repito: no he venido a suplicarte ni a amenazar te. He venido para comprobar algunas cosas y preguntar otras; en mi situación, a la vez deplorable y peligrosa, tengo mis razones para creer que esa arma fría y brillante, el arma de la razón, es más fuerte que las altisonantes y fanfarronas armas de los sentimientos. La condesa y tú, hijo, fuisteis tocados por el amor. Yo constato este hecho y no intento explicarlo. Sabes muy bien que no amamos a nadie por sus virtudes; yo he llegado incluso a pensar que amamos más a los parias, a los viciados, a los pendencieros que a los virtuosos. Pero me he hecho más viejo y más sabio, y ahora sé que no amamos a alguien por sus errores y por sus pecados, como tampoco por su belleza, su bondad o sus virtudes. Esto sólo se comprende cuando uno llega al final de la vida, cuando ya no valen ni la sabiduría ni la experiencia. Es una moraleja difícil de aceptar, sí, porque no tiene consuelo ni admite coqueteos. Hay que reconciliarse con la idea de que no amamos a nadie por sus cualidades o sus defectos, por su belleza, por ejemplo, y, por más extraño que parezca, ni siquiera por su fealdad, su joroba o su pobreza; simplemente lo amamos porque en el mundo rige una voluntad en tal sentido, una voluntad cuyo contenido exacto somos incapaces de descubrir, una voluntad que quiere hacerse valer de manera espontánea, para que el mundo pueda renovarse en su espiral eterna; una voluntad que toca las almas y los corazones con una fuerza terrible y según un criterio incomprensible, que hace funcionar las glándulas y que nubla hasta las mentes más brillantes. La condesa y tú estáis enamorados, y en este sentido formáis una pareja magnífica pero incomprensible, aunque sólo para los necios, puesto que entre los seres humanos no existe nada imposible. Entre los animales se respetan más las reglas del juego; yo, por lo menos, nunca he oído hablar de los amores de un puma con una jirafa ni nada parecido: los animales respetan los límites establecidos por su condición y su género... ¡Perdóname, no es mi intención herir tus sentimientos! Aunque este tipo de comparaciones me pueden herir a mí con más razón que a ti. Los animales son más consecuentes, pero nosotros, los humanos, somos magníficos incluso en nuestra miseria, porque somos capaces de comprender las fuerzas ocultas, aunque no podamos analizar su intención, y porque podemos aceptar hechos inexplicables incluso. La condesa te ama, y eso es tan maravilloso como si la luz del alba amara el temporal de la noche, para utilizar otra imagen y no recurrir más a los animales, aunque me sienta tentado y atraído por tal tipo de comparaciones ahora que me preparo para la fiesta de esta noche, en la que llevaré mi disfraz de asno. Y tú amas a la condesa, y eso quizá sea más fantástico todavía, porque significa negar las inequívocas leyes de tu carácter, de tu personalidad. Sabes muy bien que ese sentimiento es una rebelión contra la ley de tu vida. Huyes de ese sentimiento con más temor que de cualquier otra cosa. En la cárcel pasabas hambre y sed, golpeabas la puerta de hierro con los puños, sacudías los barrotes de hierro de la ventana, te echabas en tu camastro, un jergón de paja podrida, preso de tu amarga impotencia, maldecías el mundo que te estaba robando las distintas variantes de la vida, y al mismo tiempo, en tu soledad, en aquel lecho mugriento, detrás de la puerta y de los barrotes de hierro, a solas con tus recuerdos, en ese otro cautiverio que es más cruel que la prisión de la Santa Inquisición, sabías que la cárcel era también un refugio, porque allí sólo el deseo te hacía arder, y no tenías que someterte a la monstruosa y temible hoguera del amor; sabías que la cárcel era, en cierto sentido, un refugio de ti mismo y del único sentimiento capaz de aniquilarte y derrumbarte, un sentimiento que es para ti como la muerte, como lo son todos los sentimientos que llenan de responsabilidades a los espíritus volátiles y libres... El amor te había tocado al encontrarte con la condesa, que en aquel entonces sólo era Francesca, y es el amor lo que te ha traído de vuelta a ella, no el recuerdo de la aventura malograda. ¿Cómo es vuestro amor? He reflexionado mucho sobre este punto. He tenido tiempo para ello... Tú creíste, estando en Pistoia y también más tarde, en Venecia y en la cárcel, siendo ya Francesca condesa de Parma, en el momento en que los dos nos batimos en duelo por ella de manera tan ridícula, tú creíste durante muchos años que ella también había sido otra de tus aventuras, una aventura más que no había culminado con el triunfo deseado, una aventura en la que te habías mostrado más piadoso que de costumbre. Ya ves, sin embargo, que la piedad es siempre sospechosa. Tú no eres de los piadosos, Giacomo: tú duermes con tranquilidad mientras la mujer abandonada hace una soga con la sábana de vuestro lecho de amor para ahorcarse delante de tu puerta, y, al verla, gritas «¡vaya!», meneando la cabeza. Tú eres así. Tu manera de amar, de correr detrás de las mujeres, de seguirlas con la mirada, contemplando sus manos, sus hombros, sus senos, son poco humanas. Una noche, en Bolonia, en el teatro, te vi cuando todavía no nos conocíamos. Tú tampoco conocías a Francesca. Ella tenía doce años entonces, y nadie la conocía; sólo yo sabía de ella, como se sabe de la existencia de una planta exótica de invernadero que crece en un ambiente artificial, en secreto, y que un día florecerá y dejará maravillado al mundo... No sabías nada de Francesca, ni tampoco de mí. Entraste en el teatro de Bolonia mientras se susurraba tu nombre; entraste de una manera perfecta, con más elegancia que los propios actores. Te detuviste en la primera fila, de espaldas al escenario, levantaste tus anteojos y miraste a tu alrededor. Yo me fijé bien en ti. La fama de tu nombre hacía arder los labios en los palcos. No eres un hombre especialmente guapo: recibe mis felicitaciones por ello; no eres el asqueroso *beau* que luce sus rasgos agraciados como si fuera una ramera. Tu rostro es rudo y extraño, masculino, por decirlo así, pero no en el sentido humano de la palabra. No quiero herirte, pero tu rostro es poco humano. O a lo mejor es ése el rostro verdadero, a lo mejor lo imaginó así el Creador, y el tiempo, las distintas épocas, modas e ideales llegaron a moldear y transformar la idea original. Tienes nariz grande, labios marcados, estatura baja y maciza, manos pequeñas y cortas, barbilla angulosa, y ninguno de esos rasgos es típico del clásico *beau*. Te lo digo con toda cortesía. Hay algo de inhumano en tu rostro, Giacomo, y yo tuve que comprender primero tu rostro para comprender después a Francesca y vuestro amor. No me malinterpretes. Es como si fueras un ser inhumano, poco humano, aunque tampoco animal; un ser intermedio, entre hombre y bestia salvaje, una criatura fuera de la norma. En el taller donde se mezclan los componentes del ser humano seguirían un plan concreto relativo a ti. Fuiste creado como un ser mitad hombre, mitad salvaje, y espero que notes en mi voz que te lo estoy diciendo con admiración. Estabas allí, en el teatro, apoyado en el foso de la orquesta, y en un momento dado lanzaste un bostezo. Mirabas a las mujeres con los anteojos, y las mujeres te miraban a ti con una curiosidad mal disimulada, mientras que los hombres observaban tus movimientos y escudriñaban las miradas curiosas de las mujeres; y en medio de aquella tensión y aquella excitación silenciosa tú lanzaste un bostezo, mostrándoles tus treinta y dos dientes, tus colmillos amarillos. El bostezo fue perfecto, terriblemente perfecto. En una época anterior yo había tenido en los jardines llenos de naranjos de mi palacio de Florencia unos leones jóvenes y un leopardo ya viejo, y, al verte, me acordé del bostezo de aquella vieja bestia salvaje que acabaría por devorar a su domador árabe; aquella bestia noble bostezaba así, de repente, con un aburrimiento terrible y una indiferencia sorprendente, así bostezaba al mundo que lo mantenía en cautividad. En aquel momento pensé que te echaría una red al cuello y te lanzaría un arpón al pecho si te encontrara cerca de alguna mujer que me gustara a mí también. Por eso no me extrañó en absoluto, tres años más tarde, al llegar a Pistoia, encontrarte en el jardín junto a aquel muro medio derrumbado donde, con la ayuda de una varilla de punta dorada, lanzabas unos aros de colores que Francesca recibía con habilidad. ¿Cuáles fueron mis pensamientos en aquellos instantes? Sólo pensé: «Claro, es natural, no podía ser de otra manera.» Y ahora te traigo la carta de Francesca.

Con un movimiento lento y sosegado, sacó del bolsillo interior de su abrigo de cuello de piel la pequeña carta doblada, la levantó y añadió:

—Ya te digo: sé indulgente con su ortografía. Hace muy poco que ha aprendido a escribir, en Parma, gracias a un poeta peregrino, castrado por los árabes, a quien yo compré y liberé de la esclavitud porque su padre había sido uno de mis jardineros y porque, por otra parte, tengo debilidad por los poetas. Parece que Francesca escribió la carta en estado de nerviosismo, y eso es en cierta manera emocionante: la pobre no conoce bien las mayúsculas, y me la imagino garabateando encima del pergamino, con la cabeza febril y las manos frías y temblorosas; un pergamino que, sólo Dios sabe cómo, le había procurado junto con la pluma su dama de compañía y cómplice, la vieja Veronica, a quien nos trajimos desde Pistoia y a quien, hoy lo he pensado por primera vez, quizá habría sido mejor abandonar a su destino en ese lugar. Pero estaba aquí, a su disposición, y cuando llegó el momento consiguió el papel para la carta, la pluma, la tinta y los polvos de secar, como debía hacer, puesto que cada persona, también Veronica, tiene un papel primordial que cumplir, un papel del cual no es posible escapar, y las nodrizas suelen ser un poco alcahuetas, y no solamente en el escenario de los teatros. Es una carta breve; permíteme que te la lea yo por primera vez. Puedes permitírmelo porque no es la primera vez que la leo; ya la leí a las cuatro de la tarde, cuando se la entregaron al mensajero, el joven mozo de cuadra, para que te la trajera, y también la he leído más tarde, justo antes de venir como cartero y mensajero, porque no quería confiársela a ningún desconocido. ¿Frunces el entrecejo? ¿Acaso crees que no se deben leer las cartas de una dama? ¿Callas y desapruebas mi curiosidad? Tienes razón —dijo con calma—. Yo también la desapruebo. He vivido toda una larga vida, hijo, teniendo en cuenta y respetando las reglas del juego, comportándome como un caballero educado porque así nací y así me educaron. Durante toda una vida he sido incapaz de imaginar que podía llegar una mujer y producirse una situación que me hiciera cambiar mi manera de actuar, determinada por mi educación, mi rango y mi carácter. Nunca se me había ocurrido abrir la carta de ninguna mujer, entre otras cosas porque nunca hubo ninguna carta que me interesase tanto como para infringir las reglas de la cortesía caballeresca. Ésta, sin embargo, me interesaba —dijo con objetividad—. Francesca nunca ha escrito una carta para mí; claro, tampoco habría podido, porque hasta hace un año desconocía los secretos de la escritura. Hace un año, poco después de que el poeta castrado volviese libre al país, empezó a interesarse por la escritura... Casi al mismo tiempo que se difundía la noticia, llegada desde Venecia, de que la Santa Inquisición te había encarcelado. Ella aprendió a escribir para poder escribirte a ti. Eso es lo más maravilloso de las mujeres: son capaces de llevar a cabo verdaderas hazañas cuando aman a alguien. Ella aprendió los signos ocultos y terribles de tu oficio, aprendió a dibujar la «e» humilde que parece agachar la cabeza, la «s» barriguda, la «t» que es como una lanza, la «f» que parece llevar sombrero, las aprendió para poder consolarte y escribirte las palabras que ardían en su corazón. Quería consolarte cuando estabas en la cárcel, y yo creí durante un tiempo que os escribíais. Lo creía y me informaba; tenía docenas de oídos y de ojos, oídos y ojos agudos, excelentes, los mejores de la Lombardía y la Toscana, donde la gente mejor sabe de estas cosas... Ella aprendió a conocer las letras porque quería mandarte mensajes, pero no lo hizo, lo sé con seguridad; sé que no te escribió porque para un corazón puro y pudoroso la escritura es la mayor de las impudicias, y para mí es más fácil imaginar a Francesca bailando sobre una cuerda o haciendo el amor en un burdel con indiferencia, con unos jóvenes extraños y flacos, que imaginarla cogiendo la pluma para describir sus sentimientos a su amado (porque Francesca es una mujer pudorosa, a su manera, como tú eres escritor a la tuya, y como yo soy un anciano celoso a la mía); así vivíamos, cada uno a su manera, tú en los Plomos de Venecia, y nosotros en Pistoia y en Marly, y los tres nos preparábamos para algo y esperábamos algo. Sí, sí —insistió, y levantó una mano con un ademán de rechazo, como si el otro intentara interrumpir sus palabras—. Reconozco que nosotros dos vivíamos más cómodamente, en Pistoia, en Bolzano y en Marly, y también en otros sitios, cerca de Nápoles, en las montañas, en nuestros castillos y palacios, más cómodamente que tú, en aquel jergón de paja lleno de piojos, bajo el tejado de placas de plomo. Sin embargo, esa comodidad era también un cautiverio, de manera torcida y casi indecente, y te pido que no nos juzgues con demasiada severidad... Francesca aprendió a escribir con el castrado, y yo la observaba y pensaba: «Ajá.» No se trataba de un pensamiento pueril. A veces el propio Voltaire piensa así, y no

183

obstante sigue siendo Voltaire, al igual que cuando reflexiona sobre la moral o el poder. Todos nos volvemos sabios en los momentos inesperados y verdaderos de la vida, cuando reconocemos las sorpresas y los cambios. Pensé: «Ajá», y empecé a observar, con todos los oídos y los ojos de la Lombardía y la Toscana. Pero no noté nada sospechoso. A Francesca le daba vergüenza escribirte a ti, al escritor; le daban vergüenza sus sentimientos traducidos en palabras. Y es verdad que vosotros, los escritores, sois unas personas sumamente desvergonzadas por atreveros a poner las palabras en el papel sin titubear y a veces sin reflexionar, unas palabras que reflejan lo más vergonzoso de los sentimientos humanos. Un beso es siempre casto: la palabra que describe el beso es siempre impúdica. Francesa quizá haya sentido eso, de la manera refinada que la caracteriza, de la manera que caracteriza a las mujeres enamoradas en general. O quizá tan sólo haya sentido vergüenza de las letras y de las cartas, porque su corazón es puro aunque esté perturbado por el amor. Así que ahora que finalmente se ha decidido a escribirte, me imagino su nerviosismo, el trastorno y la conmoción que habrá sentido en todo el cuerpo al sentarse, con las manos temblorosas, delante del papel, la tinta y los polvos de secar, para entregarse al primer acto impúdico de su vida. Además, ha escrito una carta de amor, algo peligroso, abriéndose totalmente, entregándose al papel y la tinta, es decir, al mundo y la eternidad. Y no existe cosa más impúdica que el hecho de que una persona se abra al mundo y muestre sus verdaderos sentimientos. Es como si hiciera el amor en la plaza del mercado de una ciudad, eternamente, ante los ojos de los curiosos y los mirones de tiempos futuros, como si recubriera todo lo secreto y noble de sus sentimientos con la cobertura de las palabras, como si un carnicero envolviera en papel los órganos más nobles de un hombre... Sí, la escritura es terrible. Ella ha sentido eso con todo su corazón, la pobre, al escribir, ya que había aprendido con amoroso suplicio las letras, los signos de las palabras. Le temblaban las manos, eso se nota claramente en su letra. Ha escrito pocas palabras pero muy acertadas, las palabras más necesarias, como Ovidio y Dante. Espera, te voy a leer la carta de Francesca —dijo, y desdobló con seguridad el pergamino, lo levantó con una mano, con la otra se colocó los anteojos, y empezó a descifrar la carta, ligeramente inclinado hacia delante—. No veo muy bien —confesó entre suspiros—. Por favor, hijo, acércame la luz —pidió, y cuando el otro le acercó la vela desde la repisa de la chimenea, mudo, rígido y servicial, se lo agradeció—: Gracias, así está bien. Ahora ya veo perfectamente. Escucha, pues. Esto es lo que ha escrito Francesca, mi esposa, la condesa de Parma, para Giacomo, ocho días después de que su amado haya salido de la prisión donde estuvo sufriendo debido a su naturaleza y a su carácter, ocho días después de que haya llegado aquí, a Bolzano: «Te debo ver.» Y también ha puesto la inicial de su nombre, una «F» mayúscula, un tanto pomposa y solemne, tal como aprendió del castrado.

Alejó la carta de sus ojos, quizá para poder ver mejor las letras minúsculas.

—Ésta es la carta —dijo satisfecho. Luego dejó caer el pergamino y los anteojos en su regazo y se reclinó en el sillón—. ¿Qué me dices de su planteamiento? A mí me ha encantado. Francesca hace todo perfectamente bien; así es su ser, no lo puede remediar. Me ha encantado la carta, y espero que a ti también te haya conmovido, que te haya emocionado en todo tu ser, como tan sólo los escritos verdaderos son capaces de emocionar a las personas íntegras. Al cabo de muchos años, y después de haber leído muchos libros, esta tarde, al leer la carta de Francesca por primera vez, he sentido en toda su verdad el poder fatal de la palabra: el único poder, no solamente para la gente común, sino también para los emperadores y los papas, el único poder verdadero, más afilado y cruel incluso que una espada o una lanza. Ante todo, me interesaría tu opinión sobre su planteamiento, la opinión de un escritor sobre la manera de expresarse de una principiante. Ahora que la he leído por tercera vez, tengo la misma impresión que al leerla la primera y la segunda: me parece que su planteamiento es perfecto; mi opinión en ese sentido no ha cambiado. Perdona mi debilidad por ella; no critiques con tu superioridad profesional el entusiasmo del pariente (reconoce que un principiante no sería capaz de escribir algo parecido: tres palabras y la inicial de su nombre) y no olvides las condiciones en que esas tres palabras han sido escritas, no olvides que hace un año su autor no conocía las letras, observa con qué exactitud se encadenan esas tres palabras, una tras otra, como si estuvieran forjadas en hierro, como si constituyeran los eslabones de la cadena de un preso. Parece que el talento se recrea a sí mismo. Francesca no ha leído las obras de Dante o de Virgilio, no sabe lo que es el sujeto y el predicado y, sin embargo, ha recreado por sí misma, tan sólo con su disposición, las normas de un estilo correcto y elevado. Porque no se puede decir más, ni de una manera más exacta, de lo que dice esta carta. ¿Quieres que la analicemos? «Te debo ver.» Ante todo, me deja maravillado la fuerza y la concisión de la frase. La sentencia, que debería ser grabada en una lápida de mármol, no contiene ni una sola palabra innecesaria. Empieza por la palabra «te»; ésta es la primera palabra, y ambos sabemos la importancia que tiene la primera palabra de cualquier texto, lo sabemos por el ejemplo de los dramas griegos escritos en verso que presentan su mensaje empezando por lo más importante. Es una palabra grandilocuente, suena como si tocaran las campanas: «te». Una palabra inmensa, Giacomo. No sé si se le puede decir algo más grandioso, algo más importante a una persona... Es una palabra plena, grandilocuente, que colma el universo personal, una palabra dolorosa que crea ambiente, que denomina a una persona y la colma de vida; la designa con una variante gramatical del «tú», la primera palabra que Dios dirigió al primer hombre al crearlo, al ver que no bastaba simplemente con haberlo creado, así que lo denominó, lo nombró, dirigiéndose a él en forma de «tú». ¿Comprendes la palabra? ¿La captas en su totalidad? Existen en el mundo millones y millones de hombres, pero ella quiere verte a ti, y te lo dice desde el principio. Existen otros hombres más nobles, más guapos, más jóvenes, más honrados, más sabios, más valientes, sí; no quiero herir tus sentimientos, pero tienes que reconocerlo, por más desagradable y molesto que eso resulte para tu orgullo; claro, también existen otros hombres más mezquinos, más astutos, más desalmados o más decididos, pero ella quiere verte a ti. Esa palabra, la primera de la carta, te eleva a una categoría superior entre todos los hombres, te enaltece en todos los terrenos en que eres parecido a los demás, te exalta y te ennoblece, como la espada regia enaltece a los caballeros al tocarlos en los hombros. Es una palabra terriblemente fuerte. «Te», dice Francesca, mi esposa, la condesa de Parma, y cuando pone esa palabra en el papel te eleva a la categoría de noble caballero aunque en realidad seas un simple aventurero, aunque utilices la partícula de nobleza en tu nombre sin tener ningún derecho a ello. «Te», escribe, dibujando las dos letras con una mano segura y firme, con una mano decidida y lanzada, con el digno movimiento de un brazo lleno de sangre que fluye y de músculos que se ensanchan para actuar de inmediato. Al escribir esa palabra, la primera de su carta, se muestra decidida y consciente de lo que quiere decir, no duda, pone inmediatamente en el papel la palabra que determina toda la frase y crea así su estructura completa, nombrando y designando el único sentido de la obra. «Te»: ¡qué palabra más misteriosa! Calcula cuántos hombres viven en el mundo, cuántos hombres interesantes incluso para Francesca, cuántos hombres dignos de ver, pero que ella no debe ver, cuántos hombres que pueden y saben darle más que tú, algo más verdadero y sustancial, aunque tú seas escritor y hayas recorrido una parte importante del mundo; mas también hay muchos otros que han recorrido las Indias y el Nuevo Mundo, científicos que han descifrado los misterios de la vida y que han establecido leyes válidas para toda la humanidad; hay muchos hombres así, pero ella sólo quiere verte a ti... Con la primera palabra de su carta te denomina, te designa, te recrea. Podría ocurrir que deseara verme a mí; no habría nada extraño en ello, ya que al fin y al cabo soy su esposo, pero ella debe verte a ti, sólo a ti... Espero no aburrirte con mis explicaciones... Debo confesarte que a mí me apasionan, y estoy empezando a comprender a los sabios solitarios que consagran su vida entera, su paciencia infinita, su atención completa y minuciosa a examinar unos legajos polvorientos, unos textos borrosos y antiguos, discutiendo y dilucidando durante décadas los verbos de alguna lengua muerta para hacerlos revivir con su mirada y su aliento. Creo que soy capaz de explicar según sus métodos las palabras de este texto, del texto de la carta de Francesca. La siguiente palabra es «debo». No dice «quiero», «deseo» o «quisiera». Con la segunda palabra de su carta expresa lo inalterable, lo eterno, como los textos sagrados. ¿No crees, Giacomo, que Francesca, esta joven escritora, al escribir su carta, al poner en el papel las primeras palabras amorosas de su vida, ha escrito un texto sagrado? ¿No crees que las palabras amorosas puestas en el papel se parecen a los signos sagrados de las tumbas paganas? ¿No crees que simbolizan directamente al Ser Eterno, incluso cuando se refieren al momento de la cita amorosa o a la escala de cuerda necesaria para su fuga? Claro, Francesca no dice nada insustancial; es una poetisa nata, y eso se ve claramente en cada palabra que pone en el papel. Digo que es una poetisa, y no creo que lo esté afirmando guiado por mis emociones, no creo que esté exagerando influido por mi entusiasmo y mi admiración, y soy plenamente consciente de que la palabra «poetisa», la palabra «poeta», designa un rango, el rango más elevado entre los seres humanos; en la China, pero también en Versalles, los poetas van directamente detrás del rey en los desfiles; y Racine, Bossuet e incluso Corneille, que era un tanto simple de mente y además algo desaseado, al igual que La Fontaine, tenían derecho a entrar en los aposentos reales antes que Colbert, la señora Montespan o el señor Vendôme. El poeta tiene su rango especial entre los seres humanos, un halo glorioso y secreto cubre su cabeza, lleva una condecoración invisible, lo sé. Quizá por eso siento que Francesca es una poetisa. Lo siento con una devoción que colma y hechiza mi interior y mi alma, con un sentimiento extraordinario y desbordado que me hace evocar pensamientos elevados sobre el carácter solemne de la vida. Ella escribe: «debo». ¡Qué fuerza y al mismo tiempo qué delicadeza sugiere esa palabra, hijo! Expresa una orden imperiosa y al mismo tiempo una necesidad interior; es una palabra majestuosa, es más que una orden porque expresa también una necesidad, fruto de una reflexión: ella podría haber dicho «quiero», y esta palabra también sería majestuosa, digna de una reina, pero sonaría un tanto vanidosa. Pero ha escogido la palabra justa, la palabra exacta, una palabra que expresa una orden y al mismo tiempo una necesidad interior, con lo que se convierte en un término humilde; ella confiesa que a la par de expresar una orden también obedece, obedece a una necesidad interna, «debo» significa también «necesito»; solicita el encuentro porque no puede hacer otra cosa, no puede esperar más, se muestra necesitada, vulnerable, en el mismo instante en que expresa una orden severa, en que comunica un imperativo. Hay algo conmovedoramente impotente y humano en esa palabra. Es como si en el fondo ella no deseara el encuentro; sí, es así, Giacomo. No sé si lo interpreto bien o me fallan los ojos cegatos y el oído medio sordo; no sé si me equivoco al afirmar que en la frase entera, que podría ser el primer verso de un poema, hay algo de impotencia y de vulnerabilidad, como cuando una persona se enfrenta a su destino, bajo las estrellas, y pronuncia una verdad ineludible, triste y magnífica. ¿Cuál es esa verdad? Es más y a la vez menos que si Francesca «quisiera» verte. Su voz suena angustiada, como si gritara «socorro»; ordena, pero confiesa que ella misma, la autora que formula la orden, es también víctima de sus propias palabras. Sus palabras tienen un componente peligroso, constituyen una orden que da testimonio de que la persona que ordena está igualmente en peligro; sí, quizá preferiría renunciar a todo, olvidarlo todo, mas no puede, no puede hacer otra cosa que obedecer y ordenar. Son palabras perfectas. Veamos ahora la última, la que es quizá más importante, la que corona toda la frase. «Ver», dice, con una palabra sensorial, casi sensual. Una palabra ancestral, una palabra que nació junto con el hombre, fuente de toda experiencia humana, puesto que con la vista comienza el conocimiento, el deseo, pues el hombre empieza a existir cuando empieza a ver, al comienzo de su vida. Cuando todavía no es capaz de ver, es tan sólo un pedazo de carne viva que no sabe más que gimotear y lloriquear. El mundo comienza con la capacidad de ver, y así comienza, naturalmente, el amor. Es un verbo mágico que lo contiene todo: expresa el deseo, el secreto ardiente, el sentido oculto de la vida, porque el mundo tan sólo existe en la medida en que seamos capaces de verlo; tú, según el espíritu de la carta, sólo existes en la medida en que Francesca sea capaz de verte. Para ella tú te incorporarás de nuevo al mundo en el momento en que ella pueda verte resurgiendo desde el infierno donde fuiste confinado, desde una existencia parecida a la de las sombras, la de los recuerdos o la de los muertos. Así que ella desea verte, por encima de todo. Porque los demás sentidos, el tacto y el olfato, el oído y el gusto, son todos ciegos sin la antorcha divina de la vista. Y Amor no es un dios ciego, Giacomo: Amor es curioso; anhela la luz, anhela la verdad, sí, por encima de todo anhela ver. Por eso corona ella su frase con la palabra «ver». ¿Qué más habría podido decir? Habría podido decir «hablar», o bien «oír», pero esas cosas sólo serían una consecuencia de «ver». Este verbo es una prueba de la fuerza de su deseo, del deseo que ha puesto la pluma en su mano; es casi un grito, porque el corazón enamorado siente que ya no puede aguantar la ceguera y la oscuridad. Debe ver el rostro del ser amado, encender una luz en este mundo sin sentido, en este mundo ciego; porque, si no ocurre así, todo carece de sentido. Por eso ha escogido ella, para coronar su frase, la palabra más expresiva y exacta, la palabra «ver». Éste es el sentido de la frase. Ahora, tras haber examinado sus componentes por separado, admiremos de nuevo la unidad expresiva en su contundente y conciso conjunto, lo consecuente de su estructura, el noble impulso de su planteamiento, la perfección escueta pero plena de la expresión. Al final está también la firma, muy humilde, sólo la letra inicial de su nombre; porque las cartas y las obras verdaderas no se firman con el nombre completo, puesto que la obra designa al autor, es igual a su autor. Nadie se imaginaría que el autor de *La Divina Comedia* necesitase poner su nombre debajo del título..., sin que me atreva a establecer comparaciones, claro. Aun así, el nombre es innecesario cuando todo el texto, todas las palabras, la estructura completa, todas las letras, absolutamente todo irradia el mismo espíritu, la misma personalidad, y recuerda a la persona que lo creó, llevada por el encantamiento, cuando reconoció su destino: el simple hecho de que debe verte. Y con esto —dijo con displicencia, levantando la misiva entre dos dedos y tendiéndosela a su destinatario— hemos terminado. Aquí tienes la carta.

Como el otro no se movió, la dejó en la repisa de la chimenea, al lado del candelabro.

—¿La leerás más tarde? —le preguntó—. Te comprendo. Creo que releerás esta carta muchas veces, cuando te hagas más viejo. Quizá la comprendas entonces.

Se calló y respiró con dificultad, como quien se ha enardecido demasiado en la ejecución de una tarea y ha agotado su viejo corazón y sus fatigados pulmones con su largo discurso.

—Con esto hemos terminado —repitió después, apoyándose en su bastón con las dos manos, viejo y cansado. Siguió hablando así, sentado, apoyado en su bastón, sin mirar al otro; observaba el fuego, contemplaba las ascuas parpadeando con rapidez y nerviosismo—. He cumplido el primer objetivo de mi visita: te he entregado la carta de la condesa. Espero que la guardes bien. No me gustaría que la carta de amor de la condesa de Parma llegara a reposar en las sucias mesas manchadas de vino de las tabernas, ni que la leyeras en la cama de las rameras, jactándote con gallardía como se jactan los hombres en su delirio barato de vino y de pasión. Claro, tampoco puedo hacer nada para impedirlo, pero me dolería, y espero que no se produzca el caso. Porque, naturalmente, este tipo de cartas no suelen quedar en secreto, y no me sorprendería en absoluto que en épocas futuras, más gratas y refinadas, enseñaran esta pequeña obra maestra en las escuelas, como ejemplo y muestra de redacción perfecta. Tampoco dudo de que la carta encontrará imitadores, como todas las obras maestras, de que se filtrará a través de los vasos capilares secretos de la memoria en la conciencia de los hombres, de que los enamorados la copiarán y la reproducirán sin piedad, ignorando quién es la autora y cuales sus orígenes, de que la escribirán en repetidas ocasiones, como si fuera una misiva original y propia, de que pondrán sobre papel sus palabras y las harán públicas, diciendo: «Te debo ver», escribiendo debajo sus nombres o sus iniciales, haciendo suya la carta, porque los textos verdaderos se propagan por el mundo entero de manera misteriosa y se mezclan con la vida, tal es su característica. Sin embargo, a mí me gustaría que ese proceso se produjera al ritmo natural de la literatura y la memoria, y no porque tú recitaras la carta, jactándote con gallardía, en las tabernas o en las camas de las rameras. Lamentaría que fuera así. Pero ahora, tras haberte entregado la carta, tras haber estudiado y comprendido su contenido, por lo menos así lo espero, debemos cuidar de que la pasión por el análisis de la obra, la pasión torcida y obstinada del conocimiento de la escritura, no nos aleje de las tareas concretas y prácticas; ya has visto que la letra también puede ser tan terrible y apasionada como el beso o el asesinato, que tiene también algo de placentero y de ardiente, y por eso nosotros dos, conocedores de las bellas letras, tú el escritor y yo el lector y aficionado, casi llegamos a olvidarnos de la persona que ha redactado esta frase tan perfecta. Y, no obstante, se trata de ella, de Francesca, quien cree que debe verte. Ésta es la realidad que debemos retomar, ahora que ya nos hemos deleitado con la belleza del texto. Debemos resolver ciertas cosas, porque el tiempo pasa, la noche avanza. ¡Nunca vuela el tiempo tan rápido como cuando nos entretenemos con la admiración de un texto perfecto! Y nosotros hemos de cumplir con la tarea de encontrar el sentido práctico de la carta, independientemente de su perenne sentido literario, y tal sentido práctico no es otro, no es más, ni lamentablemente menos, que el hecho real de que la condesa de Parma está enamorada de ti y debe verte. No puedes eludir su orden aunque no tengas ganas de cumplirla. Ya te he dicho, Giacomo, que no he venido para amenazarte; simplemente he venido para traerte la carta, y quisiera comprender, expresar y resolver algo. No te estoy amenazando, no te preocupes; ya no volveremos a batirnos en duelo por Francesca, con un valor masculino, ridículo pero emocionante, como en su día hicimos en la Toscana, con el pecho desnudo bajo el resplandor de la luna. El tiempo ya no es propicio para ello, ni el tiempo atmosférico, especialmente inclemente ahora, que me causa dolor en todo el cuerpo aunque no vaya con el pecho desnudo sino bien envuelto en mi abrigo, ni tampoco el tiempo cronológico, porque los años han pasado por mí. Me he visto obligado a deshacerme de mi espada. Claro, podría haber comprado otras armas, espadas o sables más seguros, más rápidos y más hábiles que la espada que tú ya conoces, aunque te acordarás seguramente de que yo no era tan malo en el arte de la esgrima. Podría haber comprado otras armas que relucirían en mis manos, puñales, hierros fríos como el hielo, para clavarlos entre tus costillas con habilidad asesina, porque tu vida está en mis manos. No te lo digo como una amenaza, Giacomo: es simplemente la constatación de los hechos. No protestes. No te inquietes, no te pongas a la defensiva. Tu vida está en mis manos, por más que hayas escapado más allá de las fronteras de la República, por más que el mundo entero se haya regocijado a causa de tu fuga, por más que te protejan las leyes de aquí, las leyes de asilo que protegen tu persona por tradición. Según la ley y la costumbre, tú aquí eres inviolable e intocable. Pero sabes también mejor que nadie que existen otras leyes más sutiles que no están escritas, otras costumbres y otras prácticas que están más allá de las leyes fijadas en los códigos. Y tales leyes son más eficaces que las escritas. Son unas leyes que me pertenecen, unas leyes que yo ejerzo, yo y unas pocas personas más en el mundo, los inteligentes y los poderosos que sabemos aplicar tales leyes no escritas sin abusar de ellas. Porque, créeme, Giacomo, por más que te hayas fugado de los Plomos por los tejados del palacio del dux, con la habilidad de un mono; por más que, nadando como una rata de agua por los canales sucios y malolientes, hayas conseguido llegar a las orillas de Mestre y después a Valdepiadene; por más que ahora estés aquí, a este lado de las fronteras peligrosas, en una habitación de la Posada del Ciervo de Bolzano, y con la seguridad absoluta de quien se cree a salvo de todos los peligros, si yo quisiera, mañana a esta hora de la noche estarías otra vez al otro lado de la frontera y entre las garras del Messer Grande, puedes estar absolutamente seguro. ¿Por qué? Porque la correlación de fuerzas es distinta de lo que creen los necios, y tú que eres sabio, que eres un espíritu veloz y astuto, lo puedes comprender. Sabes también que no existe ningún rincón del mundo adonde no puedan llegar mis manos, aunque estén demasiado cansadas y achacosas por la gota para manejar un arma; sabes que, si yo quiero, te puedo alcanzar en cualquier lugar del mundo. Por eso no te amenazo. Y no te dejo escapar ni por generosidad ni por una piedad falsa o noble. Porque tienes que escapar, Giacomo, tienes que escapar en una carroza cubierta, tirada por caballos veloces, o en un trineo, antes de que acabe la noche, cuando hayamos puesto el punto final a la última frase, cuando hayas acabado tu tarea en Bolzano, cuando la condesa te haya visto, según nos ha ordenado a ti y a mí. Y no te amenazo al revelarte las posibilidades ocultas detrás de las cosas visibles, la real y verdadera correlación de fuerzas. Te explico las cosas como son, y te advierto de ellas.

En mi corazón no existe ya la amargura, ni el agravio, ni la vanidad de hombre. Porque tú también eres un simple medio, un personaje en las manos de alguien que está jugando con nosotros, a veces de manera incomprensible y con las manos no del todo limpias, como para su propia diversión, y tú que conoces el significado fatal de las cartas escritas con palabras y también el de las cartas pintadas con figuras, comprendes y sabes todo esto perfectamente bien. Por eso he venido a verte. Quiero que te quedes aquí hasta mañana por la mañana, que obedezcas los deseos de la condesa, que son más que deseos: son órdenes, unas órdenes que no podemos eludir, que ninguno de los tres puede eludir porque constituyen un deber, el deber que la condesa de Parma ha expresado tan perfectamente en su carta. Así que te quedarás hasta mañana por la mañana. ¿Debo desafiarte? ¿Debo argumentarte? ¿Debo suplicarte? ¿Debo explicarte? ¿Qué puedo hacer contigo? Podría matarte, y entonces te quedarías ahí, de forma más terrible que ahora, con tu aspecto definitivo, con tu carne ensangrentada; te convertirías en una sombra, en un recuerdo, en un adversario que la espada ya no podría volver a herir, en una sombra enamorada, en una ramera masculina muerta; te quedarías escondido entre los cortinajes que protegen la cama de mi esposa, ocuparías mi lugar entre sus almohadas a medianoche, tu voz resonaría en la voz de otros hombres y tu mirada brillaría en unos ojos desconocidos. Por eso no te mato. ¿Debería acaso ordenarte que te fueras ahora mismo, en este mismo momento, que subieras al trineo que espera delante de la posada, que te cubrieras el rostro con la capa y que escaparas bajo la hábil vigilancia de mis hombres, a través de las cañadas y los bosques nevados, amenazado por las sombras de los lobos bajo el resplandor de la luna, hasta llegar a un país extranjero y desaparecer del círculo vital de la condesa?... Podría exigírtelo y tú deberías obedecerme, pues al fin y al cabo tratas de proteger tu pellejo, y por eso yo soy más poderoso, porque tú tratas de proteger tu estimada persona, tu carne y tus huesos, tu pellejo, que no estás dispuesto a arriesgar a cualquier precio, mientras que yo ya no temo por mi vida, sólo temo por un sentimiento más preciado y más valioso para mí. Por eso tienes que obedecer. Por eso mismo soy yo el más poderoso de los dos, por eso y por otras cosas más mundanas que tú conoces bien. Y ahora estoy dispuesto a poner ese poder y esas fuerzas a tu servicio, a tu voluntad y tus intereses, si es que somos capaces de llegar a un acuerdo en forma de contrato, según ciertas reglas y para un fin determinado, como es de rigor entre caballeros. Por eso he venido, para ofrecerte un contrato. He estado pensando mucho en ti. Vi tu rostro en el teatro de Bolonia, cuando bostezabas, y comprendí la esencia de tu persona; conozco tu vida y tu destino, y creo saber quién eres, en la medida en que un alma humana puede penetrar en el alma de otro ser humano... ¿Acaso debería matarte? Sería un error. Un hombre amado es un rival muy peligroso si está muerto: estarías sentado a nuestra mesa, acostado junto a la condesa; andarías con los pasos ligeros de los muertos por nuestras habitaciones, por los senderos de nuestros jardines; estarías en todos sitios por toda la eternidad. Te rodearía el negro velo del luto, una pompa majestuosa, el velo negro y plateado de los sentimientos y los recuerdos. El velo púrpura de la venganza flotaría alrededor de tu recuerdo; las antorchas rojas, ardientes y humeantes de la muda venganza iluminarían el camino de tu memoria. Yo me convertiría en alguien cobarde y egoísta, mezquino y necio, en tu asesino, en el que había matado al único y maravilloso hombre que Francesca debía ver. No, hijo, no te mataré. ¿Debería ordenarte que te marcharas para siempre? Estás en mis manos, podría entregarte de nuevo al Messer Grande..., pero no cometeré otra vez la misma equivocación. Ya ves, el poder es una fuerza oculta capaz de echar sus redes invisibles bien lejos, capaz de atrapar a quien sea con sus garras; en aquella mañana de hace año y medio, cuando los esbirros venecianos penetraron en tu habitación y tú exigiste, ultrajado, que te explicaran en qué consistían tus pecados, antes de que te pudrieses en el infierno, en un jergón de paja, sin poder rechistar, y ellos siguiesen sin explicarte nada, yo pude haber influido en tu destino con palabras confidenciales y mensajes de autoridad. Pude haberlo hecho, te digo, no te digo que lo haya hecho. Sólo te menciono la posibilidad; es una entre muchas, y puedes reflexionar sobre ello cuando haya pasado la noche. Porque yo también soy fuerte, a mi manera, aunque no sea escritor, aunque no me prepare ya para ningún oficio, aunque el tiempo haya pasado por encima de mi cabeza, aunque mi cabello se haya caído y la gota me mortifique las extremidades. Sin embargo, puedo llegar bien lejos si quiero, puedo llegar hasta una persona que vive en Venecia y que se cree segura bajo el manto protector del señor de Bragadin. ¿Palideces? ¿Retrocedes?... ¿Buscas el puñal con la mirada? ¿Deseas venganza?... Modera tus emociones, hijo. He venido sin armas, como has podido ver, y me puedes matar fácilmente por venganza, de manera gratuita, y a continuación huir de los perros rastreadores del mundo entero, hasta que te desplomes y te lleven a la horca. ¡Sería una acción absurda! Lo perderías todo, e incluso tu venganza se convertiría en algo más que dudoso. Estate quieto. No te estoy diciendo que todo esto haya ocurrido: con mis palabras sólo te he aclarado una posibilidad entre muchas, una posibilidad imprecisa hasta ahora. No albergo ningún sentimiento de compasión por ti, porque conozco la vida y he vivido muchas batallas. Mi compasión no es un sentimiento barato: sólo los débiles y los cobardes lloriquean y abrazan a sus enemigos con falsas emociones. Yo no te abrazo, Giacomo, tampoco te mato, y no te obligo a partir antes de tiempo. ¿Qué puedo hacer entonces?... Creo haber encontrado la única solución posible: establecer un contrato contigo. Estoy hablando a la razón y al corazón; te ofrezco un contrato que no será ni más mezquino ni más noble que la mayoría de los acuerdos que se establecen entre dos personas. Te compraré, hijo. Tú fijarás el precio, y si algún sentimiento ficticio, alguna idea equivocada como el falso pudor o la ambición engañosa te lo impiden, yo mismo señalaré el precio, el precio que estoy dispuesto a pagar para que la realidad no se convierta en una sombra, en un rival fantasmagórico, para que desaparezcas por fin de nuestra vida, para que cumplas con tu deber y desempeñes tu papel, para que la condesa te pueda ver, como debe y como desea... Te compraré, y esta palabra mía, aunque no sea la de ningún escritor ni la de la condesa, es una palabra precisa y exacta. He calibrado bien el valor de la palabra, la he escogido con mucho cuidado. Ya sé que no eres una mercancía barata. Soy rico y poderoso, y te pagaré bien, con oro y con piedad, con consejos y recomendaciones, con cartas y pagarés, te compraré por más que protestes como un asno que no quiere cargar el agua en el mercado de Tolón, te compraré como quien compra un esclavo en el mercado de Esmirna o un objeto valioso en una joyería de Florencia. ¿Protestas? ¿Miras al suelo, te muerdes los labios?... ¿Piensas en la venganza, en remediar la ofensa, el ataque a tu honor, la traición real e imaginaria, la infamia de tu cautiverio en Venecia y de tu delación?... Tranquilízate, por favor. Está claro que tendré que pagar por la ofensa con dinero contante y sonante y con amenidades mundanas, porque es preciso comprar a un hombre en su totalidad, con todas sus emociones; sólo así es válida la compra, sólo así tiene sentido el contrato. Te compraré porque eres un hombre. Eso es casi un halago, piénsalo bien; al principio de nuestra conversación pronunciaba la palabra «casi», y ahora la repito porque las palabras tienen una fuerza evocadora, son capaces de iluminar el pasado y el futuro en un mismo instante. Es casi un halago, créeme, porque ¿qué es un hombre en el mercado diario?... Una mezcla de su carácter y su destino, nada más. Yo conozco tu carácter y he examinado tu destino, y sé con absoluta certeza, con la misma certeza con que ahora te veo palidecer, jadear y girar los ojos, que ni me matarás ni te suicidarás; no por cobardía, sino porque tu carácter es diferente, porque ahora mismo ya estás pensando en secreto en el precio que me puedes exigir, porque la idea del acuerdo y del contrato te gusta en el fondo, porque al fin y al cabo tú no eres responsable de nada de lo que está ocurriendo y va a ocurrir, por supuesto que no... Tú eres así. Y quizá eso sea lo único humano que hay en ti, el hecho de que contigo se puede regatear. No te rompas la cabeza para buscar un precio elevado ni para formular unas exigencias atrevidas, Giacomo: te daré todo lo que quieras. Te daré incluso más, y quizá no sea por mi parte señal de astucia comercial exhibir mis ganas de comprarte, pero, bueno, ya he cometido el fallo, y te confieso que no me interesa el precio que puedas exigirme. Te daré, vamos a decir, mil ducados de oro esta misma noche... ¿Te parece poco? Bueno, te daré dos mil. Y otros dos mil en letras de cambio canjeables en Múnich y en París. ¿Te parece poco? Bien, hijo, está bien, te comprendo. Te daré diez mil ducados y una letra de cambio canjeable en París. ¿Te parece poco? Bien, bien, hijo, te comprendo. Te daré una carta de acompañamiento para tu viaje, una carta que será igual de válida que si estuviera viajando el mismo monsieur Condé en persona a la corte del príncipe elector, que por otra parte estará muy satisfecho de oír personalmente la historia de tu fuga. Te daré... ¿Todavía te parece poco? Bueno, que sea como Dios quiera, no me mostraré quisquilloso. Está bien, te daré una carta de recomendación para mi regio primo Luis.

Extendió hacia el fuego sus manos, finas y arrugadas, con un movimiento titubeante, con las palmas vueltas hacia arriba, como si estuviera ofreciéndole al otro el mundo entero.

—Esto —dijo, casi conmovido por su propia generosidad— es algo que nunca he ofrecido a nadie hasta ahora. Bien es verdad que la situación es totalmente especial; sólo he actuado unas pocas veces como cartero, como intermediario entre una mujer y un hombre, para convencerlos de tomar parte en una empresa común, de establecer un contrato... La noche de hoy es muy especial, puesto que por primera vez en mi vida llevaré en público la máscara eterna de todos los enamorados ancianos, una cabeza de asno. Así que tendrás tu carta de recomendación. ¿Sabrás valorarla? Tendrás también tu dinero, tendrás tu oro y tu letra de cambio, canjeable en los mejores sitios; tú mismo podrás elegir la ciudad y el agente de cambio, y tendrás la suma que te acabo de mencionar. Pagaré una buena suma por ti, Giacomo, como es de rigor al comprar un regalo al final de mi vida, un regalo de despedida para mi esposa, la única mujer a quien amo. Por eso quiero establecer un contrato contigo. Te compraré en toda regla, y la carta que escribiré a mi regio primo y que en la madrugada te entregará un hombre de mi confianza, si todo ocurre como quiero y tiene que ocurrir, será la primera y la última carta de recomendación que yo escriba al rey más católico, que no podrá negarse a mi petición. Luis te recibirá en Versalles; ése es el valor de la carta. No te la debo ni a ti ni a mí, sino a la mujer de quien he sido cartero y a quien amo. Ése es, pues, tu precio. Ya lo he fijado, y creo que no me puedes exigir nada más. Esa carta te abrirá fronteras, y dormirás en las posadas de las ciudades extranjeras como si durmieras en el regazo de tu madre, la bella diva. La policía no podrá molestarte nunca más. Y si las nubes tormentosas de una desavenencia o de una aventura se juntan sobre tu cabeza y empiezan a perseguirte, bastará con que muestres la carta, y tus perseguidores se convertirán de inmediato en tus más fieles aliados. Eso es lo que te daré para tu viaje en estos tiempos difíciles. Ése es el precio del contrato. ¿Qué puedo exigir a cambio? Puedo exigir mucho, naturalmente. Te exijo que obedezcas el deseo de la condesa de Parma. Te exijo que pases esta noche con la condesa de Parma.

Levantó su bastón de plata con un movimiento ligero, y al final de la frase dio dos golpes secos en el suelo de mármol, como si con ellos quisiera poner punto final a sus palabras.

—¿Lo desea en serio su excelencia? —le preguntó el otro.

—¿Que si lo deseo? No, hijo —respondió el conde con calma—. Lo ordeno, y punto. Ya te he dicho —continuó con voz más baja, casi confidencial— que deseaba establecer un contrato con tu razón y con tu corazón. Escúchame bien, acércate más. ¿Estamos solos? Creo que sí. Te contrato por una noche, Giacomo. Lo he decidido sin falsos sentimentalismos, sin propósitos altisonantes, sin temores ni ilusiones caóticas. Lo he decidido porque la vida está casi terminando para mí, y lo que queda lo quiero llenar con el único contenido posible. Ese contenido es mi esposa Francesca. Quiero conservar a esa mujer para el resto de mis días, que no serán ni muchos ni pocos, que serán exactamente los que me correspondan. Quiero conservarla, no solamente en su físico y su presencia, sino también en sus emociones y sus sentimientos, perturbados por el amor, por el ataque artero y salvaje del amor, del amor que ella siente por ti. Ese amor es una rebelión. Quizá sea una rebelión justificada, pero atenta contra mis intereses. Y yo aplastaré la rebelión, como he aplastado todas las rebeliones a las que he tenido que enfrentarme en la vida. No soy ningún sentimental: respeto el orden y la tradición, un orden que es más conciso y racional de lo que creen los necios, un orden que no siempre es virtuoso según la interpretación del catecismo. Yo ordené colgar a los panaderos de Parma delante de la puerta de sus tiendas cuando empezaron a subir el precio del pan, aunque no tuviera ningún derecho a ello, y eso era el orden, en un sentido diferente de la palabra, distinto del que profesan los juristas y los hombres de leyes. Yo ordené someter al suplicio de la rueda delante de las puertas de Verona a uno de mis primeros tenientes porque se había portado con altivez y crueldad con un simple soldado, y muchos pusieron en duda la legitimidad de mis actos; pero la gente de bien, los soldados y los oficiales de verdad lo comprendieron, porque sólo es un buen soldado y un buen oficial aquel que sabe que dar órdenes implica ser responsable, y que mantener el orden implica ser absolutamente consecuente, cruelmente consecuente pero al mismo tiempo discreto y cortés. Yo siempre aplasto las rebeliones porque creo en el orden. No existe el júbilo sin orden, no existen los verdaderos sentimientos sin orden, y yo, durante mi larga vida, siempre he aplastado las rebeliones ofensivas y sentimentales con el fuego y la espada, justamente porque pretendían alterar el orden interno de las cosas, el orden auténtico sin el cual no hay armonía ni evolución; sí, yo creo que sin orden no puede haber ni verdadera revolución. Vuestro amor es una rebelión, Giacomo. Y, como no puedo someterlo al suplicio de la rueda ni colgarlo por los pies en las puertas de la ciudad, como no puedo echarlo desnudo y descalzo a la noche nevada, pues lo compraré. Te he fijado el precio. Y es bueno. Pocos han pagado un precio tan elevado por ti. Te compraré como si fueras un cantante famoso, un prestidigitador, un malabarista, un artista de paso en una ciudad extranjera que actúa poniendo lo mejor de su talento al servicio del señor del lugar y que divierte a sus invitados en una noche de fiesta. Actúa, pues, haz una representación teatral en Bolzano esta noche, Giacomo, te contrato para eso. Actúa con lo mejor de tu talento, y que al final de tu representación coseches aplausos o silbidos únicamente dependerá de ti... ¿Sigues sin responder? ¿Te parece poco el precio? ¿Te parece mucho? ¿Acaso luchas contigo mismo? ¡Vamos a reírnos, hijo! Vamos a reírnos porque estamos solos, fuera del mundo, y tenemos la verdad delante de nosotros; vamos a reírnos porque sabemos todo lo que debemos saber. ¿Se rebela contra ello tu amor propio? ¡Giacomo, Giacomo! Ya veo que debo subir el precio. No, debo ofrecerte otra cosa, debo ofrecerte algo más, porque tú eres un caballero y un jugador, y quieres todo o nada... ¿Niegas con la cabeza? ¿Así que has madurado, has dejado atrás la adolescencia? Seguramente sabes ya que no existe el «todo o nada», que tan sólo existe el algo, el algo mediocre, un «algo» situado entre el «todo» y la «nada» que a veces puede llegar a ser mucho. ¿Por qué no te decides? Dime el precio, nadie nos oye. Dime el precio: para mí el dinero no tiene ninguna importancia; dímelo sin rodeos, supera con la suma lo que te dicta tu conciencia, dime al oído por cuánto dinero estás dispuesto a pasar la noche con la condesa de Parma. ¿Qué precio le pones a tus artes? ¿Un precio alto o un precio bajo?... Habla, hijo —añadió, carraspeando con rudeza—. Habla, porque mi tiempo se está acabando.

El otro se mantenía de pie delante de él, con los brazos cruzados. Ninguno podía ver el rostro del otro en la penumbra.

—Ni alto ni bajo, *eccellenza* —repuso con cortesía y decisión—. Esta noche no tiene precio. Esta noche sólo se puede comprar por un precio único.

—Dímelo.

—Es gratis —respondió.

El conde se puso otra vez a mirar el fuego. No se inmutó al oír la palabra, no levantó la cabeza; habló de mala gana, pronunciando lentamente, entre los labios delgados y exangües:

—Es un precio demasiado elevado. Me temo, Giacomo, que me has interpretado mal. Me temo que no puedo pagarte tanto. Quiero decir —agregó, al comprobar que el otro no reaccionaba y seguía callando con terquedad— que el contrato no tiene así ningún sentido, puesto que estás fijando un precio demasiado elevado e inaccesible y estás sobrevalorando tus servicios y tus artes. Estás sacando voz de tenor, Giacomo; lo siento, pero estás sacando una voz demasiado alta para ti, te niegas a cantar con la voz tenue y suave de la razón. Yo he venido a ver al hombre, no al cantante payaso.

—Y yo he contestado al hombre —dijo el otro, muy tranquilo—, no al mecenas.

—Está bien —replicó el conde, encogiéndose de hombros—. Me gusta tu respuesta. Es una buena respuesta. Es una respuesta hermosa, acertada y noble, pero no se corresponde con la verdad. Es cierto que para regatear también hace falta utilizar buenas respuestas y protestas indignadas; parece que no se puede negociar un contrato de otra manera. Pero ya basta de palabras bonitas. Regresemos al asunto que tenemos entre manos. Me temo que no acabas de comprenderme. Tú crees que mi propuesta es inmoral. Es posible que lo sea según los gustos cobardes y la moral asustada del mundo. Pero mi tiempo está llegando a su fin y no puedo andar con miramientos hacia la moral y los juicios de los demás. A ti te ama una mujer a quien yo amo; y tú no eres capaz de amar a una mujer con verdaderos sentimientos, porque eres el tipo de hombre que va arrastrando una eterna insaciabilidad vaya por donde vaya, un hombre que trata de satisfacer su sed bebiendo en abrevaderos y en copas de cristal, sin que se le pueda ayudar. Es un tipo de impotencia amorosa, por si acaso no lo sabías... Yo he tardado mucho tiempo en desvelar tu secreto desde el momento en que te vi bostezar en el teatro de Bolonia, hasta el momento en que te he entregado, aquí, en Bolzano, la carta de amor de la condesa. Sin embargo, ahora ya sé quién eres, y por eso no puedo decirle a Francesca: «Vete con el que amas...» Quizá podría pronunciar esas palabras, Giacomo, si no supiera quién eres, si no temiera por Francesca y por lo que pudiera ocurrirle si se quemara en el triste fuego que arde dentro de ti. Y si me das lástima, es por esa especie de sordera con la que te castigan tu destino y tu carácter; me das lástima porque nunca has conocido el amor, nunca has oído los sonidos del amor porque eres sordo para ellos. Quizá renuncies alguna vez a una mujer, por aburrimiento o por dejar que siga su destino, por permitir que se entregue a su pasión enardecida, o porque te deleitas con el gesto, porque juegas, porque quieres actuar como un caballero, porque crees ser generoso. Pero no puedes saber que es posible ser inmoral por puro amor, no puedes comprender que el que ama es capaz de renunciar al ser amado, durante una noche o durante toda una vida; no por egolatría, sino por obedecer las órdenes del servicio y el sacrificio. Porque amar es simplemente eso: servir. Y es la primera vez en mi vida que sirvo. Así juega el destino con nosotros, incluso con los poderosos y los excepcionales. Si no supiera quién eres, quizá dejaría que Francesca, esa mujer joven e inconsciente, se fuera contigo. Sin embargo, no puedo hacerlo porque tú ni sabes ni puedes darle otra cosa que unos días y unas noches en los que ella sería tuya; sólo le darías una ternura indiferente, un fuego que arde pero no calienta. ¿Qué sabes y puedes darle tú?... La aventura. Ése es tu género artístico. Es un género grandioso, basado en una larga tradición, y tú lo manejas bien, como un verdadero maestro. Mas las aventuras, por naturaleza, terminan pronto; así son, responden a esa regla y a esa medida. ¡Representa, pues, tu papel maravillosamente, Giacomo! —añadió con voz ronca; se giró hacia un lado y abrió mucho los ojos; a continuación se miraron cara a cara—. ¡Convierte esta aventura en una maravilla! Hace unos momentos te has ofendido, cuando, a cambio de tu arte, te he ofrecido dinero, libertad y posibilidades mundanas para pagar tu actuación; te has ofendido y has pronunciado unas palabras grandilocuentes: «gratis» y «mecenas». Son sólo palabras. Lo que tú sabes hacer bien de verdad, como el joyero sabe hacer anillos y collares, como un verdadero maestro, como un verdadero artista, es la aventura: ése es tu género artístico. Convierte en una maravilla esta aventura, comprende que sé a quién tengo delante y que confío en que el resultado no sea un fracaso. ¿Qué se necesita para una aventura?... Tienes todos los accesorios: la noche y el secreto, la máscara y las promesas, palabras bonitas, suspiros, la carta, el mensaje y la huida por la nieve, el asalto con ternura, el momento grandioso en que la presa se encuentra entre tus brazos, entregada a ti, gritando de placer, el lento declinar y el final, el juramento de «sólo tú» y de «para siempre» mientras observas la llegada del alba por la ventana para escapar, según las reglas propias del género, como quien ha cumplido su misión y se queda solo, preparado para nuevas actuaciones en nuevos escenarios. Me has dicho que no se puede comprar al hombre. La frase me ha gustado. No la creo porque sé que en este mundo todo se puede comprar, incluso el calor del amor. Ahora yo intento comprar lo que me queda del amor de Francesca, intento comprar lo que queda de su ternura para mis últimos días porque soy débil, porque pronto tendré que morir, y quiero que mis últimos días o meses estén iluminados por la noble luz que irradian su cuerpo y su alma. Sé que es una debilidad. Quiero que ella se cure de ti como de una enfermedad. No he venido aquí movido por una idea perversa y malvada, ahora que los músicos ya están afinando sus instrumentos en mi palacio y a mí me está esperando mi disfraz de asno; no te estoy rogando como un enamorado demasiado viejo que ya no es capaz de satisfacer a su amada, no, Giacomo; te ruego porque sé que tú eres como una enfermedad, la peste y la lepra en uno solo, una extraña fiebre que hace falta superar. Pues vamos a superar esta enfermedad ya que la vida nos ha brindado la oportunidad. Por eso he venido, por eso te suplico que pases la noche con mi esposa. A primera vista puede parecer una solicitud un tanto extraña, y al mismo tiempo resulta que es una solicitud de lo más natural, sobre todo si examinamos el verdadero contenido de las emociones con la ayuda de la razón. Peste, lepra, fiebre amarilla, pues vamos a superarlas todas a la vez... ¡Haz una maravilla! Ni sabes ni puedes brindarle a la pobre enferma otra cosa que la aventura. Vamos, pues, a crear la aventura como es debido, con dignidad y sabiduría, con el consentimiento de dos expertos, unidos en la triste e inevitable complicidad de dos hombres que sirven a la misma mujer. Regresa a tu género, convierte en una maravilla esta aventura, porque yo quiero que por la mañana, cuando Francesca se despierte y regrese a casa, haya superado su enfermedad. Quiero que vuelva sana y salva, con la cabeza bien alta; no a escondidas, no ocultándose en la sombra de las callejuelas, sino con la cabeza bien alta, porque yo la quiero ver así, porque ella también tiene su rango, y yo no consentiré que pierda ni lo más mínimo de su rango en esta aventura. Quiero conservarla así durante el breve tiempo que me queda, ahora que ya comprendo muchas cosas que antes no comprendía, ahora que mi vida se está acabando. Se lo digo no tanto al hombre enfadado como al artista y al experto: ¡sé fiel a tu género y crea una obra maestra! ¿Me estás mirando? ¿Empezamos a entendernos?... ¿Me estás mirando a los ojos? Está bien, hijo. Vamos a mirarnos a los ojos con la fría y digna complicidad de la razón. Yo he herido al hombre, pero he conseguido despertar el interés del artista; quizá el papa se sintiera así tras convencer al gran Buonarroti de construir y terminar su cúpula. Vamos a construir una entre los dos, vamos a terminarla a nuestra manera —dijo con una sonrisa triste y extraña—. Tú no vendes barato tu arte, y yo estoy dispuesto a pagar un buen precio; porque, por más que me hayas dado una buena respuesta, mañana por la mañana necesitarás los diez mil ducados de oro, la carta excelente y única. Sobran las palabras, no hay nada más natural. Te lo digo sólo de paso. Es más importante para mí distinguir en tus ojos la luz de la comprensión. Sólo han pasado unos minutos, pero siento que he sido capaz de llegar al artista que hay en ti, veo que la idea te tiene fascinado y ocupado; miras hacia delante con ojos distraídos, estás pensando ya en los detalles, en las dificultades de la puesta en escena, en los primeros momentos de la representación... ¿O acaso estoy equivocado? No lo creo. Ya ves, Giacomo, he calculado bien: el artista no puede eludir un desafío tan emocionante. Ahora sí que confío en ti, sé que actuarás de maravilla, que crearás una verdadera obra de arte; no puedes actuar de otra manera, no puedes fracasar. Me gustaría que tu estilo fuera conciso: que concentraras en una hora o en un minuto lo que normalmente puede durar un mes o un año. Quiero que el inicio y el final se correspondan de manera maravillosa. ¿Quién podría hacerlo mejor que tú? ¿Quién podría hacerlo mejor que tú en toda Europa? Justo tú y justo ahora que acabas de salir de la prisión donde el tiempo, la reflexión y el sufrimiento han hecho madurar tu talento y tu arte... Sé, Giacomo, que actuarás de maravilla. Quiero (y por eso te compro a un precio elevado, negociando la suma con razones, con argumentos, con palabras, con oro, con cartas y letras, con amenazas mortales; a un precio digno de ti y también de mí, por no hablar de la persona por quien hago todo esto), quiero que tu obra sea corta y concisa, aunque eso sea difícil; quiero que cambies por unas horas las leyes del tiempo, que hagas posible la magia, como los prestidigitadores hindúes, capaces de hacer brotar una semilla en un momento y de transformarla en una flor perfectamente desarrollada, con todos sus colores y perfumes, y también, en otros breves instantes, capaces de hacer lo contrario ante los ojos del público, de conseguir el milagro opuesto, más triste pero igual de atractivo e incomprensible, el milagro de la declinación, de la consunción, del agostamiento, de la destrucción y la muerte. Porque ambos procesos son milagrosos por igual, terriblemente atractivos y complementarios: planteamiento, nudo y desenlace. Quiero que todo sea verosímil y ajustado; que no sea un espectáculo circense, realizado con pan de oro y con palabras huecas, sino una verdadera aventura, una verdadera conspiración, con la noche, la niebla y la huida, con palabras verdaderas y verdadera pasión. Si no es así, la cosa no vale nada. Todo debe ocurrir con rapidez, Giacomo, porque yo no tengo tiempo que perder, no puedo concederte semanas, días o noches: sólo tienes esta noche. Por eso te contrato a ti, justamente a ti, al único entre los artistas de moda capaz de hacerlo así. De eso estoy convencido y casi..., he aquí la palabra que aparece otra vez..., casi admiro tu arte, porque sé que necesitarás sangre y razón, pasión y lágrimas, palpitar del corazón, éxtasis ardiente, fría astucia, locura desatada y languidez suicida para llevar a buen puerto tu representación; sé que tienes que concentrar en una sola noche lo que la gente normal desarrolla en mucho tiempo, durante toda una vida. Por eso eres un artista, como los que son capaces de esculpir en una piedra minúscula la escena completa de una batalla, o los que saben pintar en una tabla de marfil del tamaño de la palma de una mano una ciudad entera, con toda su gente, incluyendo al perrero y los perros, y también la torre de la iglesia. ¡Porque el artista, sólo él, es capaz de hacer estallar las leyes del tiempo y del espacio! ¡Haz que estallen! Esta noche vendrás a mi casa porque Francesca siente que debe verte. Te disfrazarás y te pondrás una máscara, como todos los demás. Cuando la veas, la invitarás a venir aquí y realizarás tu obra de arte. Quiero que..., sí, Giacomo, ahora que veo en tus ojos el consentimiento, ahora que sabes que pagaré el debido precio, puedo utilizar incluso una palabra más fuerte..., exijo que, cuando llegue el alba, la condesa regrese a casa. Te prometo que nunca más se hablará de esta noche, sea como sea y suceda lo que suceda. Esta noche la condesa podrá verte, como ha deseado víctima de su enfermedad; podrá conocerte en el sentido bíblico de la palabra, usando el término exacto, porque el amor, esa fiebre enfermiza, no es más que conocimiento mutuo. Y tu tarea, tu tarea de artista, consiste en que ella supere su pasión cuando llegue el alba. Los secretos de tu arte no me interesan. Quiero que ella supere su atracción por ti y que pueda regresar al alba con la cabeza bien alta, sin necesidad de esconderse ni de ocultarse tras una máscara, de una manera digna en una mujer de su rango, y digna de una mujer a quien yo he dado su rango y a quien amo. No quiero que regrese protegida por la complicidad de unas criadas o de unas alcahuetas pagadas, sino con la cabeza bien alta. La vida es un accidente. Y no quiero que la condesa de Parma se rompa el cuello en ese accidente. La necesito. Quiero que regrese al alba conmigo, a su casa, sin tener que esconderse ni ocultarse, sino con la cabeza bien alta, bajo la luz de la mañana, y si hace falta delante de las miradas de toda la ciudad, ¿me comprendes? Quiero que regrese sana y salva. Haz que te conozca, Giacomo, para que sea consciente de que no tiene otra vida sino la que el destino ha elegido para ella; quiero que sepa que tú eres la aventura, que no puede haber para ella una vida a tu lado, quiero que sepa que tú eres la peste, la noche y la tormenta que pasa por encima de los paisajes de la vida; y quiero que sepa que, sin embargo, el sol sale por la mañana y en las casas la gente empieza a ahumar, a encalar las paredes y a restregar. Por eso te pido que hagas una obra de arte. Regálale a la condesa, en el espacio de unas horas, el secreto que tú eres, y haz que por la mañana ese secreto se convierta en un recuerdo que ya no duele y que no desea ponerse en primer término. Sé bueno con ella, sé también vil y cruel, sé como eres de verdad, consuélala y hiérela, actuando igual que actuarías si dispusieras de mucho tiempo; haz madurar en una sola noche todo aquello que puede madurar entre dos personas, y acaba con todo aquello que un día tendría que acabar entre dos personas. Y después mándamela de vuelta, ya que yo la amo y tú ya no tendrás nada que ver con ella.

Al pronunciar esas palabras, se levantó.

—¿Hemos llegado a un acuerdo, Giacomo? —le preguntó, apoyándose en su bastón.

El otro atravesó la habitación con las manos juntas por la espalda. Se detuvo al lado de la puerta, miró el umbral con la cabeza agachada e inquirió en un tono de reflexión profunda:

—¿Y qué pasará, excelencia, si la exhibición no tiene el efecto deseado? Quiero decir, si no puedo concentrar y acelerar las cosas de la manera que su excelencia imagina. ¿Qué pasará si, por la mañana, la condesa de Parma siente que esta noche sólo ha sido el comienzo de algo...?

No pudo terminar la frase. El conde, con unos pasos sorprendentemente rápidos y juveniles, cruzó la estancia, llegó a la puerta y se detuvo en el umbral, delante del otro, para decirle con una voz fuerte:

—Entonces es que eres un tramposo, Giacomo...

Se contemplaron durante un largo momento, inmóviles.

—El deseo de su *eccellenza* es una orden para mí —dijo el otro, encogiéndose de hombros—. Serviré a su excelencia con mi mejor arte, tal como desea y como yo sé hacerlo. —Y se inclinó profundamente.

El conde se volvió desde la puerta y añadió:

—Te he dicho que la consueles y que la hieras. Algo más antes de despedirme: no le hagas demasiado daño. Te lo pido por favor.

Salió por la puerta, que no cerró detrás de sí, y, apoyándose en su bastón, con la espalda encorvada, descendió por la escalera con pasos lentos, peldaño a peldaño, en medio de sus lacayos, que habían salido a su encuentro a la luz oscilante de las velas.

El disfraz

¿A qué esperas? ¡Empieza a disfrazarte ya, artista y curandero veterano! La habitación está llena de sombras: son las sombras de tu juventud. Porque la juventud ha volado, ¿lo sabías?... Aún puedes oír sus sonidos, como el tintineo de las campanillas del trineo de ese viejo loco. Ahora mismo está pasando por debajo de tu ventana con sus lacayos, sus caballos adornados y su trineo tintineante. Va envuelto en su abrigo y en mantas de pieles, así como en su rango; no se le ve ni la punta de la nariz: se ha convertido en una figura deforme y enjuta en el fondo del trineo, viejo y herido de muerte, preparado para la muerte, diga lo que diga, por más sermones y discursos hábiles que haya pronunciado. Ahora es él quien ha caído herido, y su herida es definitiva y mortal; es él y no yo quien casi se desangra en los jardines de Pistoia y a las puertas de Florencia. ¡Escucha el tintineo de las campanillas del trineo que se aleja, y disfruta de tu victoria! ¿Estás contento? ¿Cruzas los brazos sobre el pecho? ¿Te gustaría inclinarte unas cuantas veces y lanzar besos al público para agradecer la admiración de la multitud invisible que está aplaudiéndote? ¿Por qué callas?... ¿Tienes un sabor avinagrado en la boca, como si hubieses comido y bebido demasiado y deseases el ayuno, el pescado hervido y la penitencia?... ¡Déjalo ya, necio! ¡Mata todo dentro de ti, mata todos los recuerdos, ahoga todo sentimiento y toda debilidad, todo lazo humano y toda compasión, como si fueran gatitos recién nacidos! ¿Ya ha volado la juventud?... No del todo. Te faltan dos dientes de delante, es verdad. No toleras el frío como antes, en invierno te gusta arrebujarte en pieles y sentarte delante de la chimenea, vigilas tus comidas y, cuando te dispones a besar, te enjuagas antes la boca con mucho cuidado porque ni tu digestión ni tus dientes picados son los más perfectos. Pero no son daños irreparables. El estómago, el corazón, los riñones te sirven todavía con fidelidad; tu largo cabello sólo empieza a caerse por la coronilla, así que basta con que tengas cuidado para que las mujeres enamoradas no detengan ahí la mano cuando te acarician la melena. Eso aún no es la vejez, aunque es preciso cuidarse... La maldición del diablo chisporrotea en el mundo, y justamente se trata de eso, de que es preciso cuidarse. Esa abundancia desmedida, ese fluir salvaje, ese todo o nada del que hablaba el viejo loco con experimentado desprecio habrán sido quizá lo mejor... Tal vez todo lo demás —la cautela, la sabiduría, la cordura, la inteligencia— no valga ni un comino porque no está enardecido por la loca pasión de la juventud, ese extraño deseo que pretende saquear el mundo y al mismo tiempo consumirse a sí mismo, que quiere agarrar con las dos manos todo lo que el mundo le ofrece y que a la vez arroja a puñados todo lo que la vida le regala... Así que es mejor que empieces a hablar de manera más sosegada. El de hoy es un carnaval diferente, un contrato diferente, una cita amorosa diferente. Es el final de la juventud. Ahora empieza la edad madura del hombre, uno de sus momentos más sabios, como si fueran las cuatro de la tarde de un día de mediados de octubre. Es una época hermosa. El sol brilla todavía... Mira a tu alrededor, respira los dulces y embriagadores perfumes de la vida, báñate en su luz, actúa con paciencia y con cuidado: no puedes hacer otra cosa. La juventud ha volado, sí... Todavía se oyen sus risas y el entrechocar de copas que brindan, una mujer está cantando, cae la lluvia olorosa, tú estás en medio de un jardín con la cara empapada por la lluvia y las lágrimas, en medio de un jardín que ya ha perdido sus flores, con el corazón invadido por una alegría y una felicidad salvajes, con el deseo volcado hacia la plenitud y la aniquilación, con los pétalos caídos de las flores aplastadas a tu alrededor... Fue algo así, algo parecido. Ya tendrás tiempo de acordarte, viejo. Ahora empieza a disfrazarte porque el tiempo pasa, en el salón de baile ya están las parejas preparadas para la fiesta, unos ojos indescriptiblemente dulces te están buscando con atención porque deben verte... ¿Dónde está la carta? Aquí, sí, aquí está. Vamos a ver. Letra grande, una escritura cuidada pero inquieta... No es la primera ni la última carta escrita por mujeres que has recibido. El marido ultrajado, el viejo enamorado, la ha examinado con manos temblorosas y ojos chispeantes. ¡Qué divertido! ¡Por momentos así vale la pena vivir! «Te debo ver», sí... ¿Qué más podría haber escrito la pobre si acaba de aprender las letras? Él dice que nadie puede escribir nada más, ni más hermoso, y quizá tenga razón: es una carta bien proporcionada; la marquesa, pariente del cardenal, y M. M., maestra de los besos y de la pluma, escribían cartas más largas y más hábilmente redactadas, adornadas con poemas y citas de los clásicos, con obscenidades sublimes y ornamentos apasionados; pero ninguna ha escrito nunca nada más verdadero, así que el embeleso sospechoso del viejo loco es justificado y aceptable... ¡Me verás, pues, paloma mía, si así lo deseas! Me verás, a mí que ya no soy ni muy joven ni muy guapo, aunque tampoco el más vil de los hombres, como ha dicho su *eccellenza*... ¡Me verás, si así lo deseáis los dos, la lánguida paloma y el viejo gavilán desplumado y enamorado! ¡Cuánta palabrería! ¡Qué estratagema más astuta! ¡Amenazas y asesinatos! ¿Sería él quien me delató hace dieciséis meses, cuando me detuvieron los esbirros de Venecia? El Consejo suele hacer pequeños favores a personas importantes de poderes extranjeros; el Messer Grande es un hombre cortés, y no le negaría un pequeño favor al primo del rey de Francia. ¡Tendrás lo que me has pedido, conde de Parma! Me lo has pedido con astucia, como si estuvieras regalándome algo a mí, me lo has pedido con altivez y con sabiduría. Te gustaría dirigir la obra que has encargado y ser el mecenas y el patrón de esta extraña empresa... ¡Pues tendrás lo que me has pedido! ¿Es posible que hayan sido efectivamente tus manos, achacosas por la gota, las que me arrojaron a aquel jergón de paja en Venecia? No me lo ha dicho con claridad, sólo me ha lanzado la posibilidad como si me hubiese lanzado un puñal, el viejo verdugo; luego ha vuelto a guardar el secreto en el bolsillo de su capa y se lo ha llevado... Piensa en ello, me ha dicho. ¡Y tiembla por si repito la jugada! Tiene razón: no se trata de una jugada muy apetecible... Tiene razón al hablar de esa ley y ese orden distintos; yo también podría decir ciertas cosas al respecto, contar alguna que otra breve historia con moraleja. El viejo de Bragadin tampoco es precisamente un ángel cuando se trata del bien común, y cuando se puede hacer un favor a alguien a costa de una vida humana. Así es el mundo. Poco a poco acabarás aprendiendo la lección. Así es el mundo, y poco a poco te adaptarás, aprenderás sus trucos y te darás cuenta de que los juegos de cartas no son el negocio mundano más atrevido, ni tampoco el más mezquino. Existen otros, escondidos detrás de velos pomposos, detrás de la honra y la dignidad, que no por eso son menos mezquinos. ¡Ten cuidado, Giacomo! ¡Ten cuidado esta noche! ¡Ten cuidado mañana por la mañana, cuando cante

218

el gallo y tú te escapes bajo la tormenta de nieve! Está todo demasiado bien planeado para que no suponga ningún peligro y sea completamente inocente; el conde anciano, el amante sabio que no quiere ahogar a su rival sino que, con las manos de éste, desea ahogar el amor y el recuerdo del amor... ¡Ten cuidado! Todavía hay luz en el establo, todavía te quedan unas cuantas monedas en el bolsillo, ganadas anoche; ¿qué pasaría si recogieras rápidamente tus pertenencias, si recogieras también a Teresa, ese pajarito dulce y tierno de dieciséis años cuyos besos te han ayudado a dormirte durante los últimos ocho días, y si en vez de fiesta, baile, contrato y exhibición te marcharas esta noche bien lejos, fiel a tu ley y tu inteligencia, que nunca te han defraudado? Claro, todo eso sería mucho más razonable que esperar el alba. Deja que bailen con alegría, deja que el conde de Parma lleve su disfraz de asno, que guarde su tesoro para el futuro que le queda y que se rompa la cabeza para saber cómo ahogar el recuerdo y qué hacer con Francesca, que ha aprendido a escribir. Sé sabio, mi hermano del alma, Giacomo... ¿Estás dudando? ¿Te quedarás? ¿Has aceptado desempeñar tu papel, y tu papel te obliga a quedarte? ¿No puedes huir de la exhibición, infame y triste, peligrosa y elaborada, una exhibición sobre cuyo escenario correrán lágrimas auténticas y sangre de verdad, y del que quizá los lacayos tendrán que retirar, al final, un cadáver de verdad?... ¿No sientes el temblor en todo el cuerpo, no sientes que el mundo desaparece delante de tus ojos, no sientes que dentro de ti hierven las emociones que ya no obedecen las órdenes de la razón, no sientes que no puedes hacer otra cosa sino desempeñar tu papel? Ya sabes que el galán celoso calculó bien al despertar en ti al artista y al escoger el género, ya sientes que no puedes resistir el reto, aun si el conde de Parma no sólo quiere enterrar los recuerdos sino también a los protagonistas... No te rebeles, no intentes protegerte, tienes que quedarte aquí. No puedes resistir la llamada del papel, la llamada de tu género artístico; toda tu vida ha sido el peligro mismo y lo será para siempre. No puedes vivir de otra forma, acéptalo pues. Necesitas el peligro, necesitas saber que en cualquier instante puede aparecer una mano extendida por detrás de las cortinas que rodean tu cama, para clavarte un puñal entre las costillas; necesitas la posibilidad de la aniquilación, necesitas el reto de lo imposible, todo aquello que el ciudadano común anhela y sueña impotente y enfermo, cuando duerme con su gorro en la cabeza al lado de su esposa, mientras tú te congelas en el sótano o te escapas por los tejados, mientras te defiendes de unos asesinos a sueldo, realizando todo lo que los demás, los virtuosos y los dormilones, sólo saben soñar, poniendo en práctica todas las variantes de la vida, todas sus posibilidades, y materializando lo que ellos llaman aventura y género artístico. ¿Qué otra cosa podrías hacer? ¡Obedece a tu carácter y tu talento! ¡Te quedarás aquí! ¡Manos a la obra, viejo! Llama a las criadas con tres palmadas para que te traigan agua fría en jarras de plata, para que Balbi vaya corriendo a toda prisa a buscarte un disfraz y una capa, para que venga Giuseppe a arreglarte el cabello y la cara, y habla también con la pequeña Teresa para que prepare en secreto su equipaje y te espere al alba a las puertas de la ciudad, para llevártela a Múnich y casarla con el primer secretario del príncipe elector. Todo se arreglará. No te desanimes, no puede ser de otra manera. El conde de Parma ha realizado bien sus cálculos. Ha calibrado bien mi persona, ha medido bien todas las posibilidades; sabía que me quedaría esta noche para actuar en la representación teatral, que me encargaría de la exhibición, por peligrosa que sea, que me encargaría de ella aunque me rompa el cuello y las bellas damas de Bolzano tengan que entonar los cantos fúnebres sobre mi cadáver en un coro a tres voces. Has calculado bien, viejo listo, pasmado y codicioso, tú que crees que con tu oro y tu poder, con tu sabiduría y tu previsión podrás reinar en el mundo hasta el fin de tus días. Sin embargo, yo te advierto ahora —antes de ponerme el disfraz y maquillarme, antes de empezar a prepararme para la exhibición según las reglas de mi oficio—, te advierto que tengas cuidado, que tú también tengas cuidado. ¿Qué te has imaginado? Prestidigitador hindú, aceleración y concisión, género artístico y obra maestra: ¡qué palabras! Ten cuidado en tu desesperación, porque tratas con seres de carne y hueso y no ensayas la obra maestra de un género artístico. ¿Acaso he sido yo consciente, aunque fuera una sola noche de mi vida, de lo que me esperaba al alba? ¿Acaso me he arrepentido de algo? He llegado a la mitad de mi vida y no me he arrepentido de nada, no me he aburrido ni durante un segundo; me han clavado armas en las costillas, me han hecho beber veneno, he dormido varias veces al raso, bajo el cielo estrellado, sin nombre, sin amigos, sin amantes, sin una sola moneda en el bolsillo... ¿y acaso me he arrepentido de algo? Han pasado la mitad de mis días, no poseo casa ni habitación, no poseo ni siquiera un solo mueble, ni reloj, ni anillos, y tampoco ropa propia, compro y encargo prendas nuevas en cada ciudad, no hay ningún sentimiento que me ate a ningún lugar... ¿No te da envidia, conde de Parma? Tú que vives entre ataduras y obstáculos, entre castillos y palacios, entre nombres, apellidos y títulos, entre haciendas y fortunas, entre sentimientos y celos, ahora que tu vida casi termina, como has repetido con tanta insistencia, con la esperanza y la coquetería de poder influir en tu destino con la fuerza de la palabra, al llamar «casi» a una realidad ya terminada y acabada; tú que te deshaces en lamentos por las ataduras de los sentimientos y de la realidad, ¿no sientes una envidia secreta y profunda de mí, que puedo viajar bajo el resplandor de la luna, envuelto en las nubes, volando por encima de las fronteras con el viento; a quien nadie aguarda en ningún sitio y nadie despide en ningún lugar; que no poseo ni una habitación, ni un solo mueble, ni un solo objeto en este vasto mundo, que no poseo nada ni a nadie?... Bien, hermano, ¡despierta y prepárate! ¡Da un grito como en tus mejores tiempos! Está soplando un viento helado que levanta las faldas de las damas de Bolzano: ¡ríete con él! La vida para ti aún no termina, no existe el «casi», no te hace falta ninguna labor de curanderismo malvado, coqueto y loco: ¡todavía eres el mismo de siempre! ¡Ten cuidado, conde de Parma, porque ya no temo la mañana! ¡Dejaré que me lleve la tormenta desatada en mi corazón y mi alma, dejaré que caigan lágrimas y promesas, besos y muerte, dejaré que todo se concentre o que todo se diluya, según quiera la vida, amanezca como amanezca! ¡Te serviré bien esta noche, conde de Parma! Tendrás algo verdadero, una auténtica obra de arte, una exhibición veraz, como las de antaño, cuando el gladiador del circo sabía que al final tendría que pagar con su propia vida; no habrá ningún texto previamente escrito y estudiado que vaya a recitar: improvisaré, y así serán verdaderamente verosímiles las frases que diga. ¿No tienes miedo, viejo sabio, de que la exhibición salga demasiado bien? Porque la carta posee una enorme fuerza evocadora, y el encanto que emana de sus palabras es quizá más poderoso que el plan tan bien trazado con el cual quieres salvar, para el resto de tus días, a la dulce amada a quien uniste tu destino. ¿No temes que las emociones humanas no sean del todo calculables ni previsibles, que incluso el mejor artista se pueda equivocar en su trabajo, que el juego se pueda convertir en realidad, los besos en una verdadera atadura y la sangre en una fuente vivificadora que arrastre todo lo que encuentre en su camino?... Existe un contrato que nos une, eso es cierto. Pues pongamos ambos manos a la obra, tú con tu disfraz de asno en tu palacio, con tu sabiduría taimada y atormentada, y yo con mi disfraz, que será perfecto y que nadie podrá reconocer, tan sólo la persona para la cual me lo pondré. ¿Están Balbi y Teresa listos para el viaje? ¡Balbi!... ¿Me oyes, Balbi?... ¡Escúchame bien! ¿Qué hora es?... ¿Casi medianoche? Es buena hora, el momento en que finaliza el reino del día y en que las brujas montan en sus escobas. ¿Estás borracho? Tu boca huele a ajo, tus labios brillan por la grasa, tus ojos bizquean con tanto vino de Verona... ¡No te tambalees, atiende un momento! ¡Se trata de una presa de importancia, Balbi! ¡Un giro magnífico en nuestro destino! Puedes frotarte las manos de alegría, no has rezado en vano: nuestro tiempo en Bolzano ha tocado a su fin, partiremos al alba. ¡Dile al posadero que prepare la cuenta y los caballos! Tú recogerás tus cosas y te despedirás de las criadas y de tus despojados amigos, viejo mujeriego y embustero... ¡No, mejor no lo hagas, es mejor que no digas nada a nadie esta noche! Mañana, desde Múnich, podrás escribir tus cartas de despedida llenas de palabras de amor. Recogerás tus pertenencias si es que tienes alguna, te quedarás en tu habitación y esperarás allí la llegada del alba. Cuidarás de que preparen los mejores caballos, le comunicarás al encargado de los carruajes que deseo un coche cubierto, con mantas de piel y botellas de agua caliente. ¡Que cada cual ocupe su sitio! Diles que por la mañana caerá una lluvia de oro o de bofetadas, y que sólo depende de ellos que sea una o la otra. ¡No me preguntes nada! Mantén la boca bien cerrada, tápatela con ambas manos si es necesario, escucha bien todos los ruidos, y, cuando te llame, coge tus cosas y sube al pescante, al lado del cochero. No te lo estoy pidiendo, Balbi, te lo estoy ordenando. Todavía no hemos dejado Venecia del todo: ¡ten cuidado porque las manos del Messer Grande no andan aún muy lejos de tu cuello! ¡No te pongas a gimotear!

223

¿Que si he recibido malas noticias? Ya te enterarás cuando estemos por lo menos a ciento sesenta kilómetros de aquí, cuando llegue el momento. Ahora vete a la ciudad y consígueme un disfraz. ¿Qué tipo de disfraz? Un disfraz para el baile, idiota, un disfraz perfecto y original, digno de un gran señor, un disfraz que llame la atención de todos cuando entre en la sala, un disfraz con el que nadie pueda reconocerme o identificarme... ¿Qué dices? ¿Que no queda ni un solo disfraz para esta noche? Eres un idiota, el disfraz que yo busco no es un disfraz cualquiera, de pierrot o de dominó, de príncipe persa o de astrónomo, de pinche de cocina o de cocinero, de caballero oriental, de bajá con faca y turbante, de payaso loco con gorro de campanillas, nada de falsos trapos ni de cetros de papel. Todo eso se ha visto ya, todo eso resulta vulgar y aburrido. No, Balbi, vamos a encontrar algo novedoso y verdadero para esta noche. ¿Qué te parece si me visto de caballero, simplemente, como exigen mi apellido y mi rango de caballero francés recién llegado de la corte regia? ¡No me convence la idea! Aguarda, no me molestes. ¿Qué te parece si me visto de escritor, de médico o de alquimista, con unos anteojos de montura negra, un sombrero alto y una capa oscura con el cuello blanco? De escritor, no es mala idea: los escritores se reconocen entre sí. ¿Qué dices? ¿Que no hay ningún escritor más que yo en Bolzano? No formules tus opiniones con tanta rapidez, Balbi. La orden de los escritores es una orden secreta; todos llevan una condecoración invisible, y tú que eres un inculto crees que el señor Vendôme o la señora Montespan pueden entrar antes que los escritores en los aposentos del rey, pero la realidad es muy diferente. El señor La Fontaine, Corneille y hasta Bossuet tienen preferencia, aunque Corneille sea un poco desaseado..., pero tú no comprendes nada de esto, ni lo puedes comprender. No, el disfraz de escritor no sirve. Hay que buscar y encontrar algo distinto... ¿Qué pasaría si me disfrazara de cazador, con el cuerno, el arco y las flechas? Nemrod persiguiendo a su presa, Nemrod y Diana en la selva humana... No, el símbolo es demasiado obvio. ¿No se te ocurre nada más interesante? ¿Es que las criadas no te piden que las diviertas con tus reflexiones de olor a ajo?... ¡Espera, Balbi, ya lo sé! ¡Las criadas! ¡Qué idea más divina! ¡Llama a la pequeña Teresa enseguida! Que me traigan faldas y blusas, unas medias blancas, que me traigan algodones de Viena para el maquillaje y un falso lunar, que me traigan pañuelos para la cabeza y una máscara de seda blanca... ¿Por qué me miras así? ¡Claro, esta noche me vestiré de mujer! ¿Por qué te ríes como un idiota? Es un disfraz perfecto; necesitaré también un abanico, rellenaré un sostén con las plumas de la almohada, según la costumbre de las napolitanas. ¡Deprisa! ¡Despierta a quien sea necesario! Quiero también que arreglen la habitación, que abran las ventanas, que aviven el fuego, que pongan en la mesa una jarra con vino dulce, pollo frío, ensalada aliñada con aceite de oliva, jamón y queso, pan blanco, lo mejor, y que preparen la mesa con los cubiertos de plata y los platos de porcelana. ¡Posadero!... ¿Dónde te has metido, viejo alcahuete, asesino de peregrinos y de viajantes? ¡Posadero, ven aquí y atiende mis órdenes! Que reanimen el fuego en la chimenea, que hagan la cama, que cambien las sábanas y que pongan las mejores que tengas, las telas de encaje más finas, los más blandos edredones; que echen ámbar al fuego, que coloquen los dos sillones delante de la chimenea, con la mesita de ébano en el medio para la cena. Consigue unas flores como si tu vida dependiera de ello; flores, ¿me oyes?, flores, rosas rojas. ¡Sí, ahora mismo, en pleno mes de noviembre, en plena tormenta de nieve! ¿De dónde?... ¡Ése es tu problema! De los invernaderos del conde, si hace falta, ¡sí, ahora, en mitad de la noche! Que el pollo lleve huevos con

225

vinagre como guarnición, que el jamón y el queso estén enteros y sobre platos de cristal... ¡Espera! Que el pan esté cortado muy fino y bien tostado, y la mantequilla en un plato encima de un montón de nieve recién caída. ¡Manos a la obra! Que el cochero empiece a caldear el coche con botellas de agua caliente, que los caballos coman, que los aparejos estén relucientes, que todos estén en su sitio en la madrugada, que se caldee la cocina, que preparen comidas frías y calientes para el camino, también un barril con vino, todo de lo mejor. Y que esta noche reine el silencio, un silencio completo, como en la tumba donde tú descansarás mañana si no cumples mis órdenes con el debido cuidado y la debida rapidez. ¡No me conoces, amigo, no me conoces todavía, no sabes que soy terrible cuando me domina la ira! Debes saber que mis influencias y relaciones son casi sobrehumanas... No tengo que darte explicación alguna: ya has visto quiénes hacen cola delante de mi puerta, hasta entre semana, como esta misma noche. Recibirás cien cequíes, asesino de comerciantes, si todo está como te ordeno; diles a tus cocineros y tus criadas que de madrugada caerá una lluvia de oro desde el cielo gris de Bolzano si todos se quedan en su sitio esta noche, en servicio permanente, aunque invisibles. ¡Y que todo ocurra sin el más mínimo ruido, de manera inaudible e invisible! ¿Estás aquí todavía? Cerrad las ventanas, ya basta de ventilar; echad unas gotas de aceite de rosas en la cama, cerrad los cortinajes. ¿Ya están las flores? ¿Dónde las has conseguido? ¿Las has encontrado en la habitación de la dama de Bérgamo? Mañana le enviaremos otras, más bonitas, un ramo más grande y más perfumado, cien rosas, no, noventa y nueve, que es más delicado, ¡no se te olvide! ¡Sí, ya puedes poner la mesa y subir la comida! El vino..., ¡deja que lo huela! No lo probaré, pero quiero que sepas que te juegas la cabeza si sabe a tonel. No lo probaré, acabo de enjuagarme la boca...

226

Llegas en buen momento, Giuseppe; ponme el peinador, maquíllame la cara, aplícame colorete en el lado derecho y también en el izquierdo, píntame los labios, colócame un falso lunar debajo del pómulo derecho, échame polvos de arroz en el cabello y átame bien el pañuelo que le acabamos de pedir prestado a Teresa. Ahora ya os podéis ir. ¿Es medianoche pasada? ¡Idos todos ya! No quiero ver a nadie hasta que llegue el alba. Tú, Teresa, quédate un momento, pequeña. Átame la falda por detrás, arréglame las ligas, préstame el pañuelo de seda que llevas puesto, el que te regalé anoche, y pónmelo sobre los hombros... Así, gracias. ¿Estoy bien así, sentado con las piernas cruzadas? ¿Es así como se sienta una mujer, con el abanico en la mano, para escuchar las palabras de amor de su galán? Ahora caigo en que no sé casi nada de cómo se mueven las mujeres, desconozco la forma de sus movimientos. ¿Así se coge el abanico?... Gracias, ángel mío. ¿Te gusto así?... ¿Que tengo la nariz muy grande? Ya me la cubriré con la máscara, Teresa. Acércate ahora, pequeña, siéntate sobre mis rodillas, no te preocupes por arrugarme la falda. Ya te compraré otra en Múnich, muchas más; faldas de seda y de terciopelo, todas las que tú quieras... ¿Te sorprende? Yo pensé eso desde el primer momento. ¿O quieres marchitarte aquí, florecita de las nieves, en esta taberna, en brazos de los huéspedes borrachos?... Vendrás conmigo, mañana a primera hora; nos llevaremos también a Balbi, y ya nos preocuparemos de perderlo por el camino, que se lo merece. Iremos a Múnich, sí, al alba, cuando amanezca... ¿Por qué lloras? Bésame como me sueles besar, con los ojos cerrados y los labios abiertos, despacio. ¿Por qué tiemblas? Calla, hija, prepárate para el viaje y para tu destino, que será maravilloso; tendrás todo el oro que quieras, tendrás tu casa y tu propia carroza, en Múnich, y tendrás tus doncellas, que te ayudarán a quitarte los zapatos y las medias por las noches y te pondrán tu camisón de seda. ¿No quieres?... ¿Meneas la cabeza y no dices nada? ¿Quieres quedarte aquí? ¿Quieres que te deje aquí?... ¿No dices nada?... Yo partiré por la mañana, hija. Esta noche iré al baile, disfrazado como es debido, pero al alba partiremos; tú serás mi acompañante y mi doncella, pero también serás la señora, por lo menos durante un tiempo... ¿Ya sonríes? Vete a tu habitación, ponte a rezar, duerme y prepárate para el viaje. Espérame a última hora de la madrugada, en las afueras de la ciudad, donde se bifurca el camino hacia el norte y el poniente, al lado de la cruz de piedra. Puedes confiar en mí..., sabes muy bien que puedes confiar en mí. Hay algo en tu sonrisa que sólo he visto una vez, en Verona, algo inconsciente y viciado, algo tierno y peligroso... Ya te lo explicaré algún día. También haremos algo para arreglar tus estropeadas manos. Lávate el cabello esta noche, lávatelo con manzanilla, y la cara, y luego date crema... Aguarda, te regalaré una rosa como recuerdo de esta noche. Ahora vete y piensa en lo que te acabo de decir. Pero tampoco demasiado... Vete porque yo también me tengo que ir. Dulces sueños, hija. Por la mañana despertarás a una nueva vida y empezarás tus andanzas por el mundo allí, al lado de la cruz de piedra, en el coche, entre mis brazos, bajo mi capa protectora... *Addio, cara fanciulla! Addio, mia diletta! Arrivederci a domani! Iniziamo una vita nuova!... Una vita felice!...* ¡Uf! ¡Por fin! ¿Se han ido todos ya?... ¡En camino! Falta la máscara, ¡rápido! Es una bella máscara, una máscara familiar, veneciana, de seda blanca, que me cubrirá el rostro, como tantas otras veces en los momentos peligrosos y turbios de mi vida. Un último vistazo en el espejo... El falso lunar se ha movido un poco, necesito un toque más de carmín en los labios, debo arreglarme algo las cejas y añadir un poco de hollín de vela, sólo un poquito, debajo de los ojos... ¡Sí, mi disfraz es perfecto! La capa me cubrirá

228

por la calle... ¡Qué nevada! Cuidado con la voz, Giacomo, será mejor que hables sólo con el abanico y con la mirada. Aquí todo queda en orden: el pollo frío, la mantequilla encima de la nieve, el vino en la jarra de cristal, las rosas en el jarrón de mármol, el perfume de rosas en las almohadas de la cama, los cortinajes echados... Bien, está todo bien, sí. Vamos a echar otro tronco a la chimenea... Falta algo. No sé qué es, no me acuerdo. ¿Qué será? Es algo importante. No puedo olvidarme... Algo más importante que las rosas, que el vino, que el perfume de ámbar, que el pollo... Ya sé, ¡el puñal! Aquí, entre mis senos, ¡fiel compañero! Entre mis pechos de plumas, aquí, en mi blusa, qué cómodo. Sólo las mujeres pueden llevar así el puñal, entre sus senos; qué sentimiento tan reconfortante, qué seguridad, partir para una cita amorosa con un puñal sobre el corazón... Creo que no me olvido de nada. ¡Partamos, pues! Cuidado..., ¿qué ocurre? ¿Por qué no te vas ya? Estás solo, mírate en el espejo; tu disfraz es perfecto, todo y todos están en su sitio, en unos momentos empezará la exhibición según las reglas consabidas y el contrato previo, según el acuerdo que has establecido con el conde de Parma. ¿Por qué te entretienes? ¿Qué significa este palpitar de tu corazón? ¿Qué sentimientos lo invaden y lo oprimen? ¿Por qué no te decides ya? Llevas el puñal sobre el corazón, llevas la máscara, llevas el abanico en la mano... ¿Qué te sucede, Giacomo? El malabarista suele marearse así cuando mira a la multitud desde las alturas, encaramado sobre los hombros del último hombre de la torre humana, buscando unos ojos familiares en el desconocido mundo del público... ¿Qué te preocupa? ¿Qué recuerdos te invaden? Cálmate, corazón, deja de palpitar de forma tan salvaje. Te da miedo el amor, sí... Te da miedo ese sentimiento que ata. El conde de Parma te conoce bien, te ha conocido en su sufrimiento y en su necesidad imperiosa, y sabe que temes ese sentimiento que proyecta su sombra en tu camino, ese sentimiento que rehúyes desde la infancia. No temas nada, pobre loco. Tú eres más fuerte. No temas, porque no existe sentimiento alguno que pueda dominarte. Quizá tengas algunos días malos, algunas semanas agitadas; ya habrá tiempo de jugar a las cartas o de divertir a la gente como lo desee, siguiendo las reglas eternas de la comedia humana, riendo y haciendo reír, engañando y dejándote engañar..., y los recuerdos volarán. No te preocupes, no morirás. Por la mañana partirás con la criada, como tantas otras veces has hecho ya, como tantas veces harás; pasado mañana te despertarás solo, en una habitación desconocida, en un lugar desconocido, como de costumbre, ya que no puedes hacer otra cosa. No tengas miedo, no te vuelvas sentimental. La lágrima que corre por tu rostro te estropeará el maquillaje, logrará que se mueva aún más el falso lunar... No temas, que ya no vas a llorar más. «Te debo ver»... ¡Qué carta más bonita! No he recibido nunca nada igual. Sí, algo tengo que ver con esa mujer, y de manera distinta a las otras; me une a ella una fuerza diferente, un deseo distinto. Aunque ella tampoco podrá redimirme. ¡Ponte en camino, pues, comediante! Ponte firme, con la capa sobre los hombros y la máscara en el rostro... ¡Qué silencio! Sólo se oye el viento. Vete al baile, a cumplir con tu trabajo, a ese mundo que es el tuyo, a tu destino, con dureza y sin sentimientos. ¿Quién llama a la puerta?...

La representación

La puerta se abrió y las llamas de las velas empezaron a bailar, oscilando en la corriente. En el umbral había un hombre joven enmascarado; iba vestido de frac, con pantalones de seda y zapatos con hebillas, y tenía un florete con empuñadura de oro y un sombrero de tres picos que llevaba en la mano. Se inclinó levemente y, con una voz límpida y aguda —como si introdujera en la habitación algo del frío y la alegría del nevado mundo exterior—, dijo con un tono casi infantil:

—Soy yo, Giacomo.

Cerró la puerta con cuidado y atravesó la habitación con unos pasos delicados y un tanto torpes, como quien no está del todo acostumbrado a andar con pantalones. Se inclinó como un hombre y dijo con naturalidad:

—Te estuve esperando en vano. Así que he venido.

—¿Por qué has venido? —preguntó él con voz ronca, algo ahogada por la máscara, y dio un paso torpe, tropezando con los volantes de su falda.

—¿Que por qué? ¡Si te lo he dicho en mi carta! Porque debo verte.

Lo dijo con amabilidad, sin concederle importancia, como si ésa hubiese sido la única explicación razonable, la

231

respuesta más natural que una mujer hubiera podido ofrecerle a un hombre. Como él callaba, ella volvió a hablar.

—¿No has recibido mi carta? —le preguntó con preocupación.

—Sí —contestó el hombre—. Me la trajo esta noche tu marido, el conde de Parma.

—¡Oh! —dijo la mujer, y calló.

Pronunció la palabra en voz baja y con soltura, con voz de pajarito. Apoyó en la repisa de la chimenea el cuerpo delgado, que recordaba el de un joven muchacho, agarró su florete con las dos manos y comenzó a juguetear con él. La máscara que le cubría el rostro se dirigía hacia el suelo, con una mirada seria y vacía. Luego añadió en voz muy baja:

—Me imaginaba algo así. Aguardaba la respuesta y tuve la impresión de que algo malo había ocurrido con ella. La verdad es que no suelo escribir cartas. Precisamente, ésta es la primera que escribo.

Inclinó la cabeza hacia un lado con un leve movimiento, un tanto avergonzada, como si hubiese revelado el mayor secreto de su vida. Se echó a reír detrás de su máscara con una risa nerviosa.

—¡Oh!... —dijo otra vez—. Siento muchísimo que mi carta haya llegado a las manos de mi esposo. Debería haberlo sospechado. ¿Crees que el mozo de cuadra que aceptó traértela aún sigue vivo?... Me daría mucha pena enterarme de que le ha pasado algo, porque es un muchacho muy joven que siempre me miraba con tristeza y entre suspiros cuando me acompañaba en algún paseo a caballo, y que además tiene una familia numerosa a la que mantener. ¿Así que él mismo ha traído la carta, el conde de Parma?... Pobre hombre. Habrá sido una decisión difícil para él. Es tan orgulloso y solitario... Me imagino lo que habrá sentido al partir para traerte la carta en la que te digo que debo verte. ¿Te ha amenazado? ¿O te ha ofrecido dinero?... Respóndeme, amor mío.

Pronunció las dos últimas palabras en voz alta aunque confidencial, pero al mismo tiempo con objetividad, como si hubiese designado con ellas un serio concepto o un objeto. La máscara miraba el fuego fijamente, reflejando la blancura de un rostro muerto.

—Me ha amenazado y también me ha ofrecido dinero. Pero no ha venido por eso —replicó el hombre—. Sólo ha venido para entregarme la carta, cuyo contenido me ha comentado con todo detalle. A continuación hemos establecido un contrato.

—Sí —dijo ella como si lanzara un breve suspiro—. ¿A qué acuerdo has llegado con él, amor mío?

—Me ha dicho que esta noche te regalara con mi género artístico: la aventura. Me ha dicho que lo hiciera a mi estilo, transformando esta noche en una obra maestra. Me ha ofrecido dinero, libertad y una carta de recomendación que me protegerá y me acompañará a través de todas las fronteras. Me ha dicho que estás enferma, Francesca, que estás enamorada, y me ha pedido que te cure. Me ha dicho que nos obsequiaba la noche de hoy, tan corta y tan larga como una vida entera, y me ha pedido que haga lo imposible para que podamos experimentar todos los embelesos y todos los desengaños del amor en una sola noche, y para que nos separemos por la mañana, tras lo cual yo me iré al lugar del mundo adonde me llame mi destino, y tú regresarás a tu palacio con la cabeza bien alta y llenarás de luz y calidez lo que le quede de vida al conde de Parma. Eso ha dicho. Y además me ha explicado el sentido de tu carta. Creo que él también la ha comprendido, Francesca; creo que ha comprendido perfectamente cada una de sus palabras. No ha hablado muy alto, más bien ha hablado en voz baja, con paciencia. También me ha pedido que te consue-

233

le y que te haga daño para que entre nosotros dos todo termine al amanecer y podamos acabar la frase con un punto... Todo eso ha dicho.

—¿Te ha pedido que me hagas daño?

—Sí. Pero al despedirse me ha suplicado que no sea demasiado.

—Sí, él me ama —afirmó Francesca.

—Yo también lo creo así —repuso él—. Te ama, pero para él es fácil, Francesca. Es fácil amar como él ama, cuando la vida ya se acaba... Casi se acaba, como ha dicho él, repitiendo varias veces la palabra «casi», porque por alguna razón esta palabra le parecía importante, si es que lo he entendido bien. Es muy fácil amar cuando la vida casi se acaba.

—Querido —dijo ella con mucha ternura e indulgencia, como si un adulto estuviera hablando con un niño; y, cuando pronunció esa palabra con sus labios invisibles, la máscara pareció sonreír—, nunca es fácil amar.

—No —repitió él con terquedad—, pero para él es más fácil.

—Entonces —observó la otra máscara— has llegado a un acuerdo con él...

—Sí.

—¿Y en qué términos has establecido el contrato, Giacomo?

—El contrato se establece según lo que ha querido él y lo que has escrito tú. Tú y yo hemos de vernos esta noche. Hemos de amarnos porque entre nosotros dos existe un secreto y un lazo, y eso es cierto, Francesca, porque el amor nos ha tocado. Es un gran regalo y una gran tristeza al mismo tiempo. Es un gran regalo porque es verdad que yo te amo, a mi manera, siempre en el marco de las posibilidades de mi género artístico, de la aventura; y es una gran tristeza porque este amor nunca será alegre ni fácil, ni ten-

234

drá alas como las palomas... Nuestro amor es diferente. Hemos establecido un contrato para que tú y yo nos conozcamos como se dice en la Biblia, para que tú termines de estar conmigo, para que te desengañes y para que nos separemos definitivamente por la mañana. Así yo no seré una sombra en vuestra cama, no seré un fantasma cuando el conde de Parma se incline sobre ti en tus almohadas; seré un recuerdo durante un tiempo, y finalmente ni siquiera eso, finalmente no seré ni nada ni nadie para ti. Sobre todo eso he establecido el contrato con él. Eso es lo que tengo que hacer esta noche, con palabras y besos, con lágrimas y juramentos, con todos los secretos de mi oficio, según las reglas de mi género.

Guardó silencio y esperó la respuesta con atención y curiosidad.

—Pues hazlo entonces, Giacomo —dijo ella en voz baja y sosegada. Inclinó la cabeza a un lado; la máscara miraba el aire con indiferencia—. Hazlo —repitió ella—. ¿A qué esperas, amigo?... Empieza ya, ha llegado el momento. He venido hasta aquí, no tienes ni que salir bajo la tormenta, porque, por si no lo sabías, a medianoche se ha desatado una tormenta, una tormenta heladora azotada por el viento del norte, que levanta la nieve por los caminos formando enormes torres blancas. Pero aquí dentro hay silencio y un calor perfumado. La cama está hecha, ya lo veo. Siento el aroma a rosas y ámbar. La mesa está puesta para dos, con delicadeza y elegancia, según los usos más nobles. Es medianoche pasada, la hora del *souper*. Empieza, pues, Giacomo.

Se sentó al lado de la mesa, repleta de comida y de bebida, con cortesía y educación; se quitó los guantes, se calentó las manos con el aliento y también frotándoselas, y se mantuvo expectante, como si estuviera aguardando al camarero.

—¿Cómo vas a empezar? —preguntó después, al ver que el hombre no se movía, y continuó confidencial y curiosa—: ¿Qué hay que hacer para seducir a una mujer y luego desengañarla, a una mujer que ha venido por sí sola porque está enamorada?... ¡Tengo curiosidad, Giacomo! ¿Qué vas a hacer?... ¿Te mostrarás agresivo o bien astuto y cortés? Según contrato, tienes que realizar una verdadera obra maestra, y no debe de resultar fácil ponerla en escena. Porque ahora ya no estamos solos del todo, nos encontramos aquí con su consentimiento, de alguna manera en esta habitación somos y seremos tres. Él sabía, naturalmente, que tú me contarías todo o casi todo desde el primer momento; no imaginó ni por un instante que tú harías un trabajo burdo, ni que mentirías o me ocultarías el secreto de su visita y del contrato que habéis establecido. No imaginó ni por un segundo que pudiera ocurrir de otra manera; sabía muy bien que empezarías por confesármelo todo, y quizá supiera también cómo podríamos terminar tú y yo, o tú, yo y él... Yo no lo sé todavía. Y siento curiosidad por saberlo después de lo que me acabas de decir. Así que empieza ya.

Las dos máscaras se mantuvieron calladas durante un rato. Al cabo, con una voz de niña que se iba calentando poco a poco por lo que decía, y que acabó convirtiéndose en una voz de mujer enardecida, como si al hablar se desvaneciera en ella toda rudeza y todo distanciamiento, la máscara de hombre joven dijo:

—Claro, también puedo empezar yo... puesto que estoy aquí, si no del todo por su voluntad, ni tampoco por la tuya, al menos por la mía, aunque vaya vestida de hombre y lleve una máscara, y por lo tanto ofrezca un aspecto frívolo y divertido..., lo cual no está mal. Empieza, pues, y realiza tu obra maestra. Será muy interesante. ¿Así que eso es lo que habéis acordado vosotros dos, el hombre al que amo y el hombre que me ama?... ¿Así que al hallarme aquí estoy simplemente cumpliendo su voluntad? ¿Pase lo que pase esta noche, todo ocurrirá según su voluntad, y nosotros dos, tú y yo, nos conoceremos y nos haremos daño según él lo ha ordenado?... ¡Qué maravilla! —exclamó la voz con indiferencia, con una indiferencia sosegada y triste—. ¿Eso es todo lo que él ha inventado? ¿Eso es todo lo que tú has acordado con él? ¿No habéis podido acordar nada más, algo más inteligente? ¿Dos hombres tan sabios y tan magníficos como tú y él? ¿Dices que él te ha traído mi carta y te la ha comentado? Quizá no te la haya explicado del todo bien, Giacomo, amor mío. Porque al poner sobre el papel las primeras letras de mi vida, las primeras palabras que he sido capaz de redactar, me asusté porque me di cuenta de que unas palabras bien escogidas y bien ordenadas podían decir muchísimo... Tres palabras, ya ves, tres palabras han conseguido que tú te hayas vestido de mujer, que él haya partido de su palacio y se haya ofrecido como mensajero, que haya subido esta empinada escalera... Tres palabras, unas cuantas gotas de tinta en un papel... Y, sin embargo, esas tres palabras se han transformado en una orden que ha desatado todos estos acontecimientos. ¡Han ocurrido un sinfín de cosas simplemente por haber puesto esas palabras en un papel! Sí, al escribirlas me sentía maravillada y asustada. No obstante, creo que él no ha sido capaz de comprender del todo mi carta. ¿Te la ha explicado? ¡Ya te la explicaré yo, Giacomo! ¡Te la explicaré yo, aunque tenga menos entendimiento que vosotros dos! ¿Crees acaso que soy una mujer que parte de su casa por la noche en busca de una aventura, para responder a un capricho, para buscar a un hombre que acaba de salir de la prisión y cuya fama es tan deplorable que en Bolzano y en cualquier otra ciudad las madres y las mujeres maduras se santiguan al oír su nombre? ¿Tan poco me conoces? Y el conde de

Parma, con quien comparto mi lecho, ¿me conoce tan mal? ¿Acaso te imaginabas que yo había aprendido a escribir por aburrimiento y por juego, sólo porque quería enviarte unas cuantas líneas que sirvieran de introducción a una divertida cita nocturna? ¿Creías que yo vendría aquí buscando una aventura nocturna, porque vosotros dos lo hubieseis acordado tan sabiamente, escapando de mi casa entre dos piezas musicales, entre dos vueltas de baile, para entrar en la habitación de un hombre desconocido para mí, y que, cuando la música y el baile aún no hubiesen terminado, volvería a mi palacio para incorporarme a la fiesta de nuevo? ¿Pensabas que al escribirte, al querer venir aquí, al pensar en ti, al cuidar tu recuerdo con toda mi alma, al contar los días que pasabas en prisión yo sólo iba buscando unos recuerdos infantiles, y que vendría aquí para tener contigo una cita secreta de una noche, sólo porque te encuentras en la ciudad de paso, en la misma ciudad en que yo vivo con mi esposo, y sólo porque en mi juventud más temprana hubo entre tú y yo un coqueteo amoroso? ¿Así de sabio es el conde de Parma, tan fuerte y poderoso, y así de sabio es Giacomo, el gran conocedor de los corazones femeninos? ¿Y yo, la ingenua e infantil, tan sólo estaría tratando de recuperar una ilusión al escribir por fin las palabras que te hacen saber que debo verte y que se lo hacen saber al conde y al mundo entero? Quizá no sea tan ingenua ni tan infantil, Giacomo, amor mío. Quizá haya sido yo quien ha dirigido los pasos del joven mozo que partió a traerte mi carta, con la intención de que acabara cayendo en la trampa del conde... Quizá haya acordado yo también algo esta noche, si no con otra persona, conmigo misma, con mi destino, y quizá ese acuerdo y ese contrato sean duros y resistentes como un ataúd, aunque no lleven ni sello ni firma. Quizá yo también sepa por qué he subido esta empinada escalera, y no solamente lo sepa el conde de

Parma. ¿Qué crees tú, amor mío? ¿Por qué he escrito la carta, por qué he enviado al mozo de cuadra en secreto, por qué te he estado esperando, por qué me he vestido de hombre, por qué he escapado de mi palacio, por qué estoy aquí, en tu habitación? ¡Respóndeme, ya que has establecido un contrato!

La otra máscara preguntó, de forma sombría, como obedeciendo:

—¿Por qué, Francesca?

—Porque yo no soy la aventura, amor mío, no soy la materia de una obra maestra, ni soy el objeto de un acuerdo y un contrato sabios. No soy la amante que sale al encuentro de su amado para pasar con él una noche. No soy la tonta ilusionada que espera a un hombre sin tener esperanza alguna, que espera a un fantasma, el fantasma de la felicidad. No soy la joven esposa que, al estar casada con un anciano, sueña con unos brazos más vigorosos, con el beso de unos labios más ardientes, y que sale en medio de la noche nevada a buscar la ocasión y el consuelo. No soy la dama aburrida que no puede resistirse a tu fama y que se lanza a tu paso, ni la sentimental joven de provincias incapaz de resistir la presencia de su atractivo novio de antaño. No soy ni tonta ni lujuriosa, Giacomo.

—Entonces, Francesca, ¿quieres decirme quién eres? —inquirió él.

Las máscaras suavizaban sus voces, como si se hablaran desde una gran distancia. Así respondió ella, como si estuviese muy lejos:

—Soy la vida misma, amor mío.

Él se acercó a la chimenea, se inclinó y echó dos troncos de madera al fuego, cuidando de que las llamas no prendieran su falda. Inclinado, mirando por encima de su hombro, preguntó:

—¿Y qué es la vida, Francesca?

—No es la escapada bajo la nieve, por supuesto que no —respondió ella con tranquilidad—. No es una fiebre, no es una nube, no es un conjunto de palabras grandilocuentes, no es tampoco la situación en que nos encontramos ahora nosotros dos, tú vestido de mujer y yo vestida de hombre, con sendas máscaras, en la habitación de una posada, como si estuviéramos interpretando un papel en una opereta. Nada de esto es la vida. ¿Quieres que te diga lo que es la vida? He reflexionado mucho sobre ello. Porque tú no has sido el único que has vivido en una prisión, Giacomo, una prisión a la que te confinaron unas manos poderosas y celosas; yo también he vivido en una prisión durante todos estos años, aunque no haya tenido que dormir en un jergón de paja. La vida, querido, es plenitud. La vida es cuando un hombre y una mujer se encuentran porque están hechos el uno para el otro, porque tienen algo en común, porque tienen que ver el uno con el otro, como la lluvia que cae sobre el mar y vuelve a renacer con él, creándose y recreándose mutuamente, y siendo el uno condición del otro. Y esa plenitud crea algo, crea la armonía, y esa armonía es la vida. Sucede pocas veces entre los seres humanos. Tú huyes de los demás porque crees que tienes que hacer otra cosa en el mundo. Yo busco esa plenitud porque sé que no tengo otra cosa que hacer en el mundo. Por eso he venido aquí. He necesitado tiempo para comprenderlo. Ahora ya lo sé con toda certeza. Y sé también que sin mí tú en el mundo no puedes hacer nada perfectamente bien, ni siquiera en tu género artístico, como tú lo has llamado: sin mí no puedes ser ni siquiera un perfecto y auténtico aventurero; sin mí no puedes ni siquiera encontrar el mundo, el juego, la experiencia y la aventura; sin mí ni siquiera eres capaz de seducir bien a otras mujeres. ¿Por qué te quedas paralizado, Giacomo, con el atizador y el fuelle en la mano, como si te hubiesen golpeado y debieras enderezarte? ¿Has comprendido algo? Yo para ti soy la vida, amor mío, la única mujer que significa la plenitud en tu vida; sin mí no eres plenamente hombre, ni plenamente artista, ni jugador ni viajero, de la misma forma que yo tampoco soy plenamente mujer sin ti, sino tan sólo una sombra, relegada en algún lugar del infierno. ¿Lo entiendes ahora? Porque yo sí lo entiendo. De otro modo yo no habría decidido alejarme del conde de Parma, que me ama y me muestra todo lo que vale la pena ver en el mundo, que me muestra el poder y la riqueza, la pompa y la razón, y también te diré, sin pretender resultar maleducada ni confidente, que me ha mostrado asimismo el rostro serio y triste del amor y la pasión, porque el amor tiene mil caras, y el conde de Parma lleva una de ésas. Ahora mismo lleva la cara de un asno, una cabeza de asno, allí, en su palacio, porque nuestro amor lo ha herido, y está mortalmente triste. También sabe que no puede ser de otra forma; por eso tolera que yo esté aquí contigo, y por eso lleva con orgullo la cabeza de asno. Pero nada de eso lo ayuda, no lo ayuda saberlo, ni su disfraz, ni tampoco su contrato. Ha vivido de una manera violenta y morirá en la vanidad. Yo no puedo ayudarlo. Sin embargo, yo nunca habría decidido abandonarlo, porque también tengo un contrato con él, y he sido educada en la creencia de que hay que mantener lo acordado. Soy de la Toscana, Giacomo —dijo la máscara, echándose hacia delante en su asiento.

—Lo sé, querida —observó él, con el atizador en la mano, y su voz parecía sonreír—. Alguien me ha dicho lo mismo esta noche, en esta habitación.

—¿De veras? —exclamó Francesca, alargando la frase musicalmente, con la voz dócil y sorprendida de una colegiala—. Sí, parece que últimamente has estado recibiendo a mucha gente. Eso siempre será así..., tú siempre estarás rodeado de gente, de hombres y de mujeres. Tendré que acostumbrarme, querido... No será nada fácil, pero lo intentaré.

—¿Cuándo, Francesca —preguntó él—, cuándo quieres acostumbrarte? ¿Esta noche?... Porque esta noche yo ya no espero ninguna visita más.

—¿Esta noche? —repitió ella con la misma voz ingenua e infantil de antes—. No, más tarde, en la vida.

—¿En la vida que pasaremos juntos?

—Quizá, amor mío. ¿Tú no te lo planteas así?

—No lo sé, Francesca —respondió él, que se sentó enfrente de ella, se reclinó en su sillón y cruzó las piernas por debajo de la falda, y los brazos sobre sus pechos de pluma—. La verdad, eso no figura en el contrato.

—Ese contrato no es más que una palabra —dijo ella con tranquilidad—. Sin embargo, sí figura en el otro contrato, en el establecido por nosotros sin decir una palabra. Siempre habrá mucha gente alrededor de ti, hombres y mujeres, y eso, naturalmente, no será ni especialmente bueno, ni especialmente agradable para mí. Pero ya lo sabré aguantar —añadió, un tanto preocupada, y lanzó un breve suspiro.

—¿Y cuándo —preguntó Giacomo cortésmente, con calma y objetividad, como si estuviera hablando con una niña o con una loca a quien es peligroso contradecir—, cuándo crees, Francesca, que podremos iniciar esa vida en común?

—Ya la hemos iniciado, amor mío —contestó ella, muy vivaz—. La iniciamos desde el momento en que te escribí la carta, desde el momento en que el conde de Parma te la entregó, desde el momento en que empecé a vestirme de hombre. Me estás hablando como si fuera una niña o una loca. No obstante, no soy ni una cosa ni otra, amor mío. Soy una mujer, aunque esté disfrazada de hombre, una mujer que sabe algo con total seguridad y que actúa en consecuencia. ¿Callas? ¿Me preguntas sin palabras qué es lo que sé con tanta seguridad, de una manera tan plena, tan ridícula y tan loca, con una mortal seguridad? Sólo sé, Giacomo, que yo tengo que ver contigo, y que tú tienes que ver conmigo, que tenemos algo en común, aunque haya siempre a tu alrededor muchos hombres y todavía más mujeres, y esto último me vaya a doler; eso es lo que yo sé y es también lo que sabe el conde de Parma, y muy bien. Por eso te ha traído mi carta y por eso está soportando ahora mismo, disfrazado de asno en su palacio, que yo esté aquí contigo. Por eso se apresuró a establecer un contrato contigo, Giacomo, y por eso te apresuraste tú también a establecerlo con él, contra mí, porque tienes miedo de mí, como uno tiene miedo de la vida, de la vida que es plenitud y que por lo tanto es destino...; y en cierta medida todos tenemos miedo de nuestro destino. Pero yo ya no tengo miedo —dijo decidida.

—¿Y cómo será nuestra vida? —le preguntó él.

—No será ni feliz ni festiva. Tampoco será afortunada. Hay personas que están en sintonía con la plenitud y la armonía. Tú no estás entre ellas. Yo habré de pasar mucho tiempo sola, seré una solitaria a los ojos del mundo, me abandonarás en muchas ocasiones, y yo no seré feliz en el sentido que buscan la mayoría de las personas, que anhelan trinos y besuqueos. Pero mi vida tendrá sentido, tendrá un contenido, un contenido quizá pesado y penoso. Lo sé todo, Giacomo, porque te amo. Soy fuerte como un luchador, porque te amo. Seré sabia como el papa, porque te amo. Me perfeccionaré en la escritura y aprenderé a jugar a las cartas; ya estoy aprendiendo a marcar el rey y el loco de manera que nadie se dé cuenta; he mandado traer cera y distintas barajas desde Nápoles. Prepararemos juntos los naipes antes de que tú tengas que salir al mundo, entre los canallas virtuosos, y yo te esperaré en casa mientras tú los despojes, y tú regresarás a la mañana siguiente o al tercer día y derrocharemos los cequíes y se los devolveremos así al mundo, porque no necesitaremos riqueza alguna. Tú no eres capaz de conservar el dinero, eres así. Yo seré la más guapa de todas las mujeres de París, Giacomo, ya verás; conquistaré al jefe de la policía, cenaré con él, y a ti no te podrá pasar nada. Te protegeré mejor que el salvoconducto del conde de Parma, te protegeré con cada mirada, con el aliento, para que no te pueda ocurrir nada. Si enfermas a causa de las malas mujeres, yo te cuidaré, te frotaré los órganos con mercurio y te prepararé infusiones de hierbas para que te cures. Seré astuta como los espías de la Inquisición, y si algún día te entra nostalgia, iré a Venecia, me acostaré con el dux y pediré clemencia para ti, para que puedas regresar a casa, volver a ver a la Nonna y al señor de Bragadin o a la bella monja para la cual alquilaste un palacio en Murano. Aprenderé a cocinar como a ti te conviene, amor mío; ya he aprendido, ya sé que no debes probar platos muy condimentados porque eres propicio a sangrar por la nariz; ya he aprendido a hacer sopas que te corten el dolor de cabeza. Iré a ver a las mujeres frías y coquetas, haré de alcahueta para ti y conseguiré gratis durante una noche a la famosa Giulia, por quien el príncipe de Norfolk llegó a pagar cien cequíes, y que fue cruel contigo en unos carnavales. He aprendido a tejer, a lavar y a planchar, porque durante nuestros viajes no siempre tendremos dinero, nos alojaremos en posadas peores todavía que la del Ciervo, los perros rastreadores de los usureros seguirán nuestras huellas, y yo cuidaré, amor mío, de que siempre tengas una camisa de volantes limpia y bien planchada para salir, aunque llevemos cuatro días comiendo sólo pescado hervido. Estaré tan guapa, Giacomo, que cuando tengamos dinero y me compres joyas, vestidos de seda y de terciopelo y me lleves a la ópera de Londres al palco que hayas alquilado para mí, todo el público se fijará en mí, sin preocuparse más del espectáculo; tú estarás a mi lado, contemplaremos a la multitud con frialdad e indiferencia, yo no repararé en nadie y todos sabrán que la más bella de las mujeres es la tuya y que sólo te pertenece a ti. Eso te gustará, porque eres vanidoso, vanidoso de una manera inhumana. Todos sabrán que tu victoria es plena, que yo soy la condesa de Parma, que abandoné a mi esposo con todos sus castillos, palacios y propiedades para vivir contigo, que renuncié a mis joyas y a mis tierras para acostarme en tu cama, que prefiero huir contigo por caminos imposibles y dormir contigo en chamizos destartalados, y que no reservo la menor mirada para otro hombre a menos que tú lo solicites. Puedes hacer conmigo lo que quieras, Giacomo. Puedes venderme al primo Luis para su harén de Versalles, puedes incluso venderme en porciones, pero tú sabrás que, cuando algún hombre desconocido se funda en mis brazos como el estaño se funde en las ascuas del Año Nuevo, yo seguiré siendo exclusivamente tuya. Podrás prohibirme que mire a otros hombres, podrás deformar mi rostro y mi cuerpo, ¡por supuesto que sí!... Podrás cortarme el cabello, podrás marcar mis senos con el atizador ardiente, podrás infectar mi cuerpo con cualquier enfermedad, y podrás comprobar, sin embargo, que yo seguiré estando guapa para ti, porque encontraré las medicinas, prepararé los brebajes, conseguiré que se me mude la piel y me crezca el cabello, por si quieres volver a amarme, por si deseas que yo te vuelva a gustar. Has de saber que todo eso será posible porque te amo. Seré la mujer más pudorosa si tú así lo deseas, amor mío; viviré sola en una habitación cuyas ventanas podrás tapiar, sólo saldré para ir a misa, únicamente cuando tú me lo permitas y acompañada de tus criados, pasaré los días en casa, en la casa que tú designes para mí como mi prisión, me cuidaré, me vestiré para ti y te esperaré siempre. Sólo me servirán mujeres que tú mismo elijas, mujeres mudas y ciegas si así lo estimas oportuno. Si en cambio quieres que el deseo de otros hombres por mí excite tu amor, seré coqueta y pervertida. Si quieres humillarme, Giacomo, no podrás inventar una manera de hacerlo que no me guste, porque te amo. Si así lo quieres, podrás maltratarme y torturarme, podrás aplicarme suplicios y azotarme con un látigo con púas, y yo gritaré y sangraré, y me preocuparé por inventar nuevos suplicios para que tu placer sea aún mayor y más verdadero. Pero si prefieres que te domine yo a ti, seré cruel e insensible contigo, tal como he visto en los libros que le trajeron al conde de Parma desde Amsterdam. Conozco todos los secretos del amor, Giacomo, no hay ninguna mujer en los burdeles de Venecia que conozca mejor que yo los secretos de la ternura y la tortura, los secretos estimuladores del cuerpo y del alma, los secretos de los elixires y de la lencería femenina, los secretos de la iluminación apropiada para el amor, de los perfumes y las caricias y también de la abstinencia. Si quieres que sea vulgar, te susurraré palabras en italiano y también en francés, alemán e inglés, palabras tan vulgares que hacen que me ruborice si me encuentro sola y me acuerdo de ellas; he aprendido esas palabras para ti y sólo te las diré a ti si así lo deseas. No hay mujeres en los harenes de Oriente, amor mío, que conozcan las tiernas caricias que yo conozco; lo he aprendido todo sobre el cuerpo y conozco todos sus deseos, hasta los más ignotos, los que sólo se atreve a imaginar la gente en su lecho de muerte, cuando ya todo da lo mismo, cuando el olor a azufre se hace penetrante en torno a la cama. He aprendido todo eso porque te amo. ¿Es suficiente?...

—Es poco —respondió él.

—Es poco —repitió ella—. Claro que es poco. Sólo quería decírtelo para que lo supieras... No creas que he albergado ni por un instante la esperanza de que eso fuera suficiente, de que eso fuera todo. Son sólo instrumentos, amor mío, lo sé bien, tristes instrumentos. Sólo quería nombrarlos porque pretendía que supieras que no puedes desear de mí nada que no acepte o que me resista a cumplir. Tienes razón, es poco. Porque el amor transcurre en dos escenarios sobre los que se recita el gran dúo, y ambos son infinitos: la cama y el mundo. Y nosotros viviremos en el mundo también. Y no basta con hacer todo lo que tus ideas, tus deseos o tus caprichos me puedan exigir, no; tengo que saber qué te hace feliz, tengo que resolver el enigma que eres, tengo que inventarte. Tengo que saber qué deseas tanto como para no confesártelo ni a ti mismo, ni siquiera en tu lecho de muerte, cuando ya todo dé lo mismo; tengo que enterarme y luego tengo que decírtelo a ti para que lo sepas, para que lo disfrutes, para que finalmente puedas ser feliz. Porque eres infeliz, amor mío, y yo no puedo soportar tu infelicidad; por eso quiero nombrar lo que tú deseas... Pero eso tampoco es suficiente, sigue siendo poco; sería una labor burda y desprovista de estilo, porque yo también tengo mi propio género, por si no lo sabías, aunque no sea tan elevado ni tan complejo como el tuyo. ¿Cuál es mi género?... Es, simplemente, amarte. Por eso seré fuerte, inteligente, pudorosa y desvergonzada, paciente y solitaria, desenfrenada y atenta, porque te amo. Tendré que enterarme de por qué huyes de los sentimientos y de la felicidad. Y cuando al fin conozca tu secreto, tendré que enseñarte ese triste saber, no con palabras, no diciéndotelo, porque un saber transmitido así provoca temor y no ayuda... Las palabras, aunque sean exactas, sólo mencionan y desvelan los secretos de los hombres y las mujeres, no los resuelven, y tú seguramente lo sabes bien, tú, el escritor. Tendré que vivir, comportarme, ser tierna, saber esperar, ser atenta de manera tal que pueda transmitirte tu secreto sin palabras, y descubrir para ti lo que te duele, lo que deseas, lo que no te atreves a confesarte ni a ti mismo. Porque la cobardía y la ignorancia se esconden detrás de la infelicidad, y tú lo sabes seguramente, tú que eres escritor. Tendré que enterarme de por qué temes la felicidad, una felicidad que no consiste en estar cogidos de la mano, que no es la de la cuna ni la de la sepultura, sino la plenitud, una manera de comportarse seria, casi severa, o sea, la vida en sí, la verdad. Tendré que enterarme de qué es lo que tanto deseas que no te atreves a confesártelo ni siquiera a ti mismo, y luego tendré que callar ese secreto delante de ti, porque mis palabras sólo conseguirían herirte, te asustarías y escaparías, protestarías y me echarías una maldición; por eso tendré que callar y guardar tu secreto en mi corazón. Tendré que vivir de tal modo que tú sepas y comprendas incluso sin palabras por qué todo fue como fue: la soledad, el aburrimiento, la curiosidad, las pasiones malvadas, las muchas mujeres, las partidas de cartas, las fiestas, la ausencia de hogar, por qué y cómo se ha formado tu género artístico, la aventura, por qué eres un aventurero... Y cuando lo sepas, gracias a mí, aunque yo no te diga ni una sola palabra, verás que todo irá mejor y todo resultará más fácil. Pero sólo tú podrás revelar con palabras tu secreto. Yo no podré hacer otra cosa más que esperar, atender, enterarme, y luego transmitirte sin palabras ese saber y ese secreto, con todo mi ser, con mi vida y mi cuerpo, con mi callar y mis besos, con mi manera de comportarme. Eso es lo que tengo que hacer porque te amo. Y por eso tú tienes miedo, por eso tienes miedo de la vida y de la plenitud, porque ni del suplicio ni de la horca siente uno tanto miedo como de sí mismo, como del secreto que no se atreve ni a afrontar. ¿Nos irá todo mejor después, amor mío?... No lo sé. Será todo más sencillo, mucho más sencillo. En ambos escenarios, en la cama y en el mundo, seremos cómplices al saberlo todo sobre nosotros mismos y también sobre el público, y así nunca más tendremos miedo a actuar. Porque el amor es también complicidad y alianza, Giacomo, no solo fiebre y juramentos, lágrimas y gritos; una alianza firme y seria. Y yo seré leal a esta alianza hasta la muerte. ¿Qué nos ocurrirá? No tengo ningún plan, Giacomo. No te digo «Estoy aquí, soy tuya, llévame contigo», porque ésas son palabras absurdas. Pero has de saber que, aunque no me lleves contigo ahora, yo seguiré esperándote, eternamente y en secreto, hasta que vuelvas a acordarte de mí, hasta que un día tengas la amabilidad de dirigirte a mí. No necesito jurarlo ni prometerlo porque conozco la realidad, amor mío, y la realidad es que tú eres el verdadero hombre de mi vida. Puedes abandonarme, como ya hiciste una vez, escapando cobardemente no del conde de Parma sino de la fuerza arrolladora de tus propios sentimientos, al haber reconocido que yo era la verdadera mujer de tu vida. No lo sabías con la razón, no sabías expresarlo con palabras, pero lo sabías con el corazón y con el cuerpo y por eso escapaste. Escapaste en vano, pues ahora nos encontramos de nuevo juntos, aguardando el instante de poder quitarnos las máscaras y de poder mirarnos cara a cara, de vernos tal como debemos vernos. Todavía llevamos las máscaras, amor mío, nos separan nuestras múltiples máscaras, y tenemos que quitárnoslas todas, hasta que conozcamos nuestros verdaderos rostros al desnudo. No te apresures, no toques tu máscara, no te la quites aún. No es casualidad que nos hayamos encontrado con las máscaras puestas después de tanto tiempo, después de habernos fugado de nuestras prisiones; ahora estamos aquí, juntos, cara a cara, pero no te apresures a quitarte la máscara porque debajo de ella encontrarás otra, una de carne y hueso que, sin embargo, es tan real como ésta de seda blanca. Tendrás que quitarte muchas máscaras hasta que yo pueda ver y conocer tu auténtico rostro. Pero sé con certeza que en algún lugar remoto, muy remoto, vive ese rostro tuyo que yo llegaré a ver un día, porque te amo. Una vez me regalaste un espejo, Giacomo; un día ya muy lejano me llevaste un regalo de Venecia; y, naturalmente, ese regalo no podía ser otra cosa que un espejo, un espejo veneciano, de los que tienen fama de reflejar el verdadero rostro de cada uno. Me llevaste un espejo con marco de plata, y también un peine con mango de plata. Eso es lo único que me regalaste. Un gran regalo, amor mío. Han pasado muchos años, pero aún conservo el espejo y cojo el peine todos los días, cuando me arreglo el cabello y observo mi rostro, tal como tú quisiste e imaginaste al regalarme ambos objetos. Porque un espejo es una cosa mágica, ¿lo sabías? ¿Sabías que en Venecia, en esa ciudad llena de tesoros, se hacen los espejos más bonitos? Es necesario que nos miremos en el espejo, mucho tiempo y muchas veces, antes de poder conocer nuestro auténtico rostro. Un espejo no es solamente una superficie plana y plateada, no, un espejo tiene también profundidad, como un lago en las montañas, y alguien que se acerque con verdadera atención a la superficie de un espejo veneciano verá de repente esa profundidad, descubrirá cada vez una profundidad mayor, y el rostro que se mira en el espejo se situará cada vez más lejos, y cada día caerá una nueva máscara del rostro contemplado en él, en el espejo que su amado le ofreció en una ocasión como regalo de Venecia. Nunca regales un espejo a la mujer que ames, amor mío, porque la mujer llega a conocerse a través del espejo, consigue verse con mayor claridad y se pone triste. Con los espejos comenzó a conocerse el ser humano, al contemplarse en el espejo de las aguas, al descubrir su propio rostro en las profundidades infinitas del mar, al intranquilizarse y preguntar: «¿Quién es ése?» El minúsculo espejo que tú me trajiste desde Venecia me mostró mi verdadero rostro: un día me di cuenta de que el rostro conocido que yo creía mío era solamente una máscara, una máscara más fina que la seda, y también me di cuenta de que detrás de esa máscara había otro rostro, parecido al tuyo. Eso es lo que yo agradezco a ese espejo... Y por eso no te prometo nada ahora, no te juro nada, ni te exijo tampoco nada, por más fuerte que me esté palpitando el corazón, porque he llegado a conocer mi verdadero rostro y sé que es parecido al tuyo, y porque sé que tú eres el verdadero hombre de mi vida. ¿Es eso suficiente?...

—Es poco —respondió él.

—¿Es poco? —preguntó ella, con su voz de pajarito sorprendido—. No, Giacomo, ahora no has sido sincero. Tú mismo sabes muy bien que eso ya no es poco, que es algo, sí, incluso más que algo. No es poco, de ninguna manera es poco que dos personas sepan que son una auténtica pareja. Yo también he necesitado mucho tiempo para comprenderlo. Porque hubo una época en que no me conocía a mí misma, cuando crecía en Pistoia, detrás de sus muros gruesos, como una planta salvaje del viejo jardín, despeinada, frondosa e inconsciente. En aquella época tú todavía me cortejabas de modo frívolo y juvenil, sin darle importancia, pero los dos sabíamos que ya nos hablábamos con palabras verdaderas, nos dijéramos lo que nos dijéramos; tú escogías nombres de plantas, de animales y de estrellas para mimarme, como hacen todos los enamorados cuando todavía juguetean el uno con el otro, solazándose con las palabras durante la primera época de su amor, antes de que se atrevan a llamarse por su nombre auténtico, a llamarse «amor mío» o «Giacomo» o «Francesca». Después de atreverse, sobran las demás palabras. Tú me llamabas «flor salvaje», incluso «ortiga salvaje», con cierta falta de cortesía, ya que yo era salvaje y picaba, y me decías que, cuando te tocaba, te picaba la piel, te escocía y se irritaba. Así me cortejabas. Cuando me acuerdo de aquella época, me mareo y me ruborizo porque creo que, en el instante en que te vi por primera vez (en el gran salón de la planta baja del palacio de Pistoia, entre muebles destartalados, de patas rotas y tapicería arrancada, mientras tú entregabas la carta del cardenal e intercambiabas unas palabras corteses con mi padre, mintiendo sobre algo con mucha habilidad), supe más de ti de lo que llegaría a saber después, cuando nuestras palabras y nuestros juegos me ocultaron tu verdadero ser. Yo supe todo de ti en aquel primer momento, y, si hay algo de lo que me siento avergonzada y que trato de negarme con pudor incluso a mí misma, es de la época ulterior de nuestro amor, cuando «me cortejabas», cuando me mimabas con nombres de plantas, de animales y de estrellas, cuando te portabas conmigo como un auténtico galán, cruel, mentiroso y desconocido. Esa época me da vergüenza. Fuiste cobarde, Giacomo, te mostraste cobarde ante lo que te ordenó el corazón en cuanto me viste, cuando todavía no nos habíamos dicho ni una palabra, cuando todavía no me habías dicho «flor salvaje» ni nada parecido. Fuiste cobarde, y ése es un pecado muy grave. Pero yo te perdono todo, incluso lo que el mundo es incapaz de perdonarte; te perdono tu carácter y tus debilidades, tus inclinaciones crueles y tu egolatría incontrolada. Lo comprendo todo y te absuelvo de tus pecados, aunque éste no te lo puedo perdonar ni te lo podré perdonar nunca. ¿Por qué permitiste que el conde de Parma me comprara como si fuera una ternera en el mercado de Florencia? ¿Por qué permitiste que me llevara a sus castillos y palacios, a ciudades desconocidas, si sabías que tú eras el verdadero hombre de mi vida? En mi noche de bodas, al alba, cuando me desperté, extendí la mano en la cama, buscándote. Ya había visto las calles de París, y en la carroza que me llevaba a Versalles, por caminos llenos de gravilla, debajo de los plátanos, iba sentada junto al rey, sin responder a las preguntas del primo Luis, porque imaginaba que tú estabas a mi lado y quería enseñarte algo. Y no dejaba de preguntarme: ¿por qué se ha comportado como un cobarde si sabía que era el verdadero hombre de mi vida? ¿Por qué nunca ha tenido miedo de las armas, las prisiones, el veneno y la maledicencia, y por qué, sin embargo, ha tenido miedo de mí, de la verdadera mujer de su vida, de la felicidad?... Esas cosas me preguntaba. Más tarde comprendí. Y ahora ya sé, Giacomo, lo que tengo que hacer. Por eso he aprendido a reconocer las letras y a escribir, y también muchas otras cosas que no necesitan de la tinta ni del papel. Lo he aprendido todo porque te amo. Has de entender, amor mío, que no pronuncio las palabras «te amo» ni con ternura ni con ilusión. No, más bien las pronuncio con ira, gritándolas, echándotelas en cara, como si fueran una acusación o una orden. ¿Me oyes, Giacomo? Te amo. No pronuncio esas palabras balbuceando. Te llamo a declarar, como un juez. ¿Me oyes? Te amo, y por lo tanto te juzgo. Te amo, y por lo tanto exijo que seas valiente. Te amo, y por lo tanto te recreo, te arrastro conmigo, y aunque estuvieras tan fijo como una estrella del firmamento, brillante como un diamante, te llevaría conmigo, te sacaría del orden del cosmos, de tu ley y de tu género artístico, como tú lo llamas, porque te amo. No te estoy pidiendo nada, Giacomo: te estoy acusando, te estoy acusando de un delito de sangre. No estoy invitándote a jugar conmigo, no me apetece coquetear contigo ni jugar a los pastorcitos o bailar, no te miro con cariño, no me desmayo ante ti, no me deshago en suspiros tontos y blandos, sino que te miro con ira y con rabia, como se mira a un enemigo. Te llevaré conmigo a este amor, ahora o más tarde; no te soltaré ni por un instante, aunque quieras escapar más allá de las fronteras con la criada que me acaba de abrir la puerta; me ha olfateado como un cervatillo, retrocediendo en la entrada oscura, al notar que era una mujer vestida de hombre, una enemiga para ella. Yo también he notado eso, me he dado cuenta de que tiene que ver contigo, y de que es una enemiga, que ha trazado planes contigo, contra mí, como todas las demás mujeres que conoces. Y eso es así y será así por siempre. Pero yo soy la más fuerte de todas porque te amo. Te grito estas palabras, te las arrojo a la cara como si fueran una bofetada. ¿Me comprendes?... ¿Me oyes?... Te amo. Mi destino me ha castigado con amarte. Te amo desde hace más de cinco años, Giacomo, desde el día en que estuvimos en el viejo jardín, en Pistoia, cuando me mentías y me llamabas «flor salvaje», antes de batirte por mí, con el pecho desnudo, bajo el claro resplandor de la luna; después huiste, y yo te aborrecí y seguí amándote. Sé que tienes miedo, sé que sigues teniendo miedo. No cierres los ojos tras las ranuras de tu máscara: ahora por fin te puedo ver, incluso debajo del antifaz; puedo ver tus ojos al fin. Hace unos momentos brillaban como los del animal salvaje que contempla su presa, y, sin embargo, ahora están más apagados, como si un velo o una bruma los hubiera cubierto; ahora parecen unos ojos casi humanos. No los cierres como si te dieras la vuelta, porque debes saber que no pienso soltarte, por más que hayas establecido un contrato con el conde de Parma, y por más artimañas que hayáis tramado los dos, porque tú eres el verdadero hombre de mi vida, el único hombre con quien yo tengo que ver, y yo soy la única mujer con quien tú tienes que ver, como tiene que ver el verdugo con la víctima, el criminal con el crimen, el artista con su obra, del mismo modo que todos tenemos que ver con todo aquello que debemos cumplir en este mundo, con todo aquello que nos gustaría abandonar para salir huyendo. ¡No temas, Giacomo! Y te digo que no temas porque no te va a doler mucho. Debo transmitirte el valor, el coraje, esas virtudes; debo enseñarte a ser valiente contigo mismo, con nosotros dos, con nuestra causa, que es también, hasta cierto punto, un crimen y un atentado, como lo son todas las causas verdaderas de este mundo. No temas porque te amo. ¿Es eso suficiente?...

—Es mucho —respondió él.

—Es mucho —repitió ella, y lanzó un breve suspiro. Se calló, apoyó el rostro enmascarado en las manos y contempló largamente el fuego.

Éste crepitaba con monotonía. Ambos escuchaban ese sonido, esa voz viva y persistente. Con prudencia, como si tuviera miedo de tropezar con el florete, ella se acercó y se arrodilló delante de él; alzó los delgados brazos y, con gran cuidado y ternura, cogió el enmascarado rostro del hombre con las manos, tocándolo tan sólo con las yemas de los dedos.

—Perdóname, Giacomo, amor mío —le susurró—, si mi amor es mucho. Sé que es un delito y un pecado. Debes perdonarme. Muy pocos aguantan el amor pleno porque significa siempre un deber pleno, una plena responsabilidad. Y ésos son mi único delito y mi único pecado contra ti; perdónamelos. Nunca te pediré más. Haré todo lo posible para que no sufras por ello. ¿Tienes miedo de despertar, miedo del aburrimiento que un día te oprimiría el cuello con sus manos húmedas si estás a mi lado?... No tengas miedo, amor mío, porque ese aburrimiento será divertido y alegre, será como desperezarte y bostezar; el aburrimiento poseerá un contenido y un sentido: el de que yo te ame. Tú ni sabes ni puedes saber lo que significa ser amado. Debo explicarte en qué consiste el amor porque no sabes nada de él. ¿Temes tus deseos y tu curiosidad, y a las mujeres nuevas que te sonreirán en cada posada, en cada ventana, en cada plaza de mercado, en cada ciudad desconocida, en cada carroza, y crees que no podrás salir corriendo detrás de ellas, porque un sentimiento te ata a mí?... No estoy segura, Giacomo, de que sigas teniendo ganas de irte detrás de ellas si yo te amo. Pero si un día te vas detrás de alguna, movido por la curiosidad y el aburrimiento, yo continuaré viviendo como antes y seguiré esperándote. Y un día te cansarás del mundo, lo habrás probado y conocido todo, te despertarás hastiado, con un dolor profundo en el cuerpo, en la carne y en los huesos, y entonces mirarás a tu alrededor y te acordarás de que yo te estoy aguardando en algún lugar. ¿Dónde habré de aguardarte, amor mío?... Donde tú quieras. Por ejemplo, en la casa de campo adonde vaya a vivir cuando el conde de Parma se muera, o en una gran ciudad donde tú me hayas abandonado, o quizá aquí, en Bolzano, en mi casa, adonde regresaré a esperarte cuando esta noche se acabe... Lo único que has de saber es que yo te esperaré siempre. Y, me acueste donde me acueste, siempre habrá una almohada a mi lado, esperándote. Cada plato que prepare, cada plato que los criados coloquen delante de mí, será también tu comida. Cuando brille el sol y el cielo sea azul, tú deberás saber que yo miraré el cielo y pensaré: «Ahora también Giacomo está viendo el cielo, y está contento y feliz.» Cuando llueva, yo pensaré: «Ahora también está al lado de una ventana, en París o en Londres, malhumorado y quejumbroso, y habría que encender el fuego en la habitación para que no tenga frío en los pies.» Cuando vea a una mujer guapa, pensaré: «Quizá ella podría procurarle una hora de alegría para que no se sienta tan desdichado.» Cuando corte una rebanada de pan, la mitad será para ti. Sé que es mucho, amor mío, y te pido que me perdones. Quiero vivir muchos años para poder esperarte hasta que llegues a casa.

—¿Dónde será «a casa», Francesca? —preguntó la máscara—. Yo no tengo casa, no tengo muebles, no tengo nada en el mundo.

—A mi casa, Giacomo —contestó ella—. Allí donde yo tenga mi casa, tú tendrás la tuya.

Con un movimiento tan delicado como si estuvieran tocando algún objeto de cristal, las dos manos acariciaron la máscara del hombre.

—Ya ves —dijo ella, y en su voz hubo una entonación, un brillo tal, que el antifaz cobró vida y empezó a sonreír—, estoy aquí, de rodillas ante ti, detrás de una máscara, vestida de hombre, como un caballero, un galán, un pretendiente que estuviera rogando y seduciendo a una dama. Y tú estás aquí, ante mí, vestido de mujer, detrás de una máscara, porque por obra del destino hemos intercambiado los papeles durante una noche, hemos intercambiado los papeles y los disfraces, yo me he convertido en caballero y te estoy cortejando, y tú te has convertido en dama y te estás resistiendo. ¿No crees que es más que una casualidad? Esta tarde yo no sabía que iba a vestirme de hombre, y tú no podías saber que el conde de Parma vendría a verte, que te traería mi carta, que te invitaría al baile y que tú te vestirías de mujer... ¿No crees que es más que una casualidad? Yo no entiendo el orden de las cosas humanas, Giacomo, y tan sólo empiezo a atisbar que nada de lo que es importante e inmutable ocurre por casualidad, y también que en el interior de todos nosotros, los hombres y las mujeres, en lo más hondo, hay una mezcla de sentimientos y deseos, de disfraces y papeles, y que hay momentos en que la vida juega con nosotros y tergiversa ligeramente lo que creíamos definitivo e inmutable. Por eso no me sorprende que yo esté de rodillas ante ti, y no tú ante mí, como había determinado el conde de Parma en su contrato, y tampoco que yo esté intentando consolarte a ti, en vez de tú a mí. Porque, ya ves, esta noche todo transcurre según los términos del contrato, pero con los papeles intercambiados, de manera diferente de lo que el conde de Parma había ordenado.

Soy yo quien te ruega, amor mío, que aceptes mi amor; soy yo quien trata de consolarte porque te amo y me duele tu tristeza; soy yo el caballero, yo quien se lanza a la conquista; soy yo quien ha venido a verte porque debía verte. Ahora estoy aquí y tú callas. Callas sin rechistar, sin musitar nada, como debes hacer según tu papel, al que yo me adapto perfectamente, como determina el contrato. Aún te resistes, Giacomo, todavía juegas, interpretas tu papel demasiado bien. ¿No temes que nuestro tiempo se acabe, que se acabe la noche y que por la mañana no seas capaz de informar a quien te ha contratado de nada interesante o prometedor?... ¿No quieres saber nada de mí, amor mío? ¡Qué temible y terrible eres así, tan callado, desempeñando tu papel con tanta perfección! Cuando te he ofrecido todo lo que una mujer puede ofrecer a un hombre por amor, me has dicho que era poco y que era mucho. Mira el fuego, Giacomo, crepita como si intentara decirnos algo. Quizá intente decirnos que es preciso quemarse y destruirse en una pasión, renacer en un sentimiento porque eso es la plenitud y la vida. Todo lo que ha existido crepitará y se quemará en nuestro amor si tú así lo deseas, si me llevas contigo o si vienes conmigo, lo mismo da, Giacomo (no importa quién se lleve a quién, quién vaya con quién); pero todo debe empezar de nuevo, porque así es el gran milagro del amor. Tendré que parirte de nuevo, tendré que ser tu madre y a la vez tu hija, tú te purificarás por la fuerza de mi amor, y yo me purificaré entre tus brazos, como si nunca me hubiese tocado un hombre. ¿Sigues callando?... ¿No quieres saber nada de mí?... ¿No puedo consolarte?... Eso sería terrible, Giacomo. Pese a que te he ofrecido placer y calma, pureza y renovación, ¿no puedo llevarte conmigo a ese sentimiento, no puedo arrancarte de tu género, no puedo transformarte, no puedo ver tu verdadero rostro, tu rostro de ahora, sin máscara, como manifesté por escrito que deseaba hacer y como así lo sigo deseando?... ¿Es posible que seas tú el más fuerte, amor mío? ¿Es posible que la fuerza de mi amor se estrelle contra tu género y tu carácter?... Te estoy prometiendo la paz y la plenitud de la vida, y tú dices que es mucho y que es poco. ¿Por qué no dices una vez que es justo lo suficiente?... ¿No puedo ofrecerte nada que te arranque de tu papel, no puedo decirte nada que te haga gritar «sí, es justo lo suficiente»?... Mírame, estoy aquí, de rodillas, ante ti, tengo veinte años y sé que soy guapa. Lo sé muy bien. No soy la más guapa de todas, porque eso no existe, pero soy guapa, mi cuerpo es irreprochable, mi rostro es expresivo y refleja curiosidad y calma, devoción y comprensión, serenidad y seriedad, y todo eso se mezcla en armonía y me hace bella. Porque eso es la belleza, sólo eso. Lo demás es únicamente una mezcla de carne y hueso poco consistente. Tú, Giacomo, sigues creyendo en las mujeres que se pasean mostrando su belleza, pavoneándose vanidosas, y que no saben que la belleza se funde en el crisol del amor, y que un mes o un año después de la unión ya nadie ve la belleza: el rostro, las piernas, los brazos, los bonitos senos; todo se funde y se desvanece en el fuego del amor, y sólo queda una mujer que sigue siendo capaz de calmar y retener, de ofrecer y ayudar, incluso después, cuando ya no se ve la belleza de su rostro o de su cuerpo... Mi belleza es así. Me siento tranquila, Giacomo, tan tranquila como un lingote de oro que es de oro y que seguirá siéndolo aunque se transforme en un anillo que alguien lleve en el dedo o en unas monedas que alguien esconda bajo tierra. Me siento tranquila porque soy bella; el Creador me ha dado belleza, si bien con ese regalo me ha castigado de alguna manera; soy bella y he de hacer cosas en la tierra, he de gustarte a ti. Al mismo tiempo, no sólo te gusto a ti, Giacomo. No puedo ir con tanta belleza por el mundo sin ser castigada por ello: allí por donde paso despierto pasiones, y así como el explorador de las fuentes subterráneas nota los movimientos de las aguas, yo noto esas emociones. Tengo que sufrir mucho por mi belleza. Y yo te ofrezco esa belleza, esa armonía que me ha regalado el Creador, que es también un castigo, ¿y tú sigues sin decidirte, diciendo que es poco y al mismo tiempo que es mucho? ¿No tienes miedo, Giacomo? Tú me conociste cuando era una adolescente, me llamaste «flor salvaje», permitiste que el conde de Parma me comprara y escapaste porque tenías miedo, porque sigues teniendo miedo de mí, de la verdadera mujer de tu vida, de la plenitud. ¿No temes que el destino no sirva de nada, que yo sólo sea una mujer que acabará por cansarse de la espera, del contrato, del regateo, de las promesas, no temes que me haya cansado ya y que sólo haya venido aquí para asegurarme de ello y para decírtelo? Porque la pasión y la promesa que ahora te llegan desde mi corazón son terribles y arden por sí mismas. ¿No temes, Giacomo, que yo también tenga mis secretos? ¿No temes que sea capaz de despertar en ti ciertos sentimientos no del todo tiernos ni pacíficos, no temes que te divierta con historias que acaben haciéndote gritar «ya es suficiente»?... Porque tú sabes, Giacomo, que yo soy la verdadera mujer de tu vida, y que sólo quiero redimirte con el sacrificio del amor, redimirte y redimirme a mí, vivir contigo, en cualquier infierno, siguiendo las leyes de los seres humanos. Pero, si has establecido otro contrato con tu género, con el conde de Parma y contigo mismo, tal vez yo también me muestre débil y te diga que la llama que arde en mi interior desde que te conozco es inextinguible, quizá te diga que no he logrado aceptar tu huida, ni tu cobardía, y que he permitido que otros hombres me besaran antes de que lo hiciera el conde de Parma. Quizá podría decirte a qué se ve empujada una mujer por una pasión herida, una mujer que fue herida a la edad de quince años; quizá podría contarte cómo, después de tu huida, me entregué al jardinero de Pistoia, que tú también conocías... ¿No tienes miedo de que te cuente cómo fue esa noche, Giacomo? Porque me acuerdo bien de cada detalle, como tú te acuerdas bien del jardinero con quien me mandabas flores; era un hombre alto, ancho de espaldas, callado y violento. ¿Quieres oír la historia de esa noche, la historia de la noche siguiente al duelo y a tu huida?... ¿Quieres oírla con todos sus detalles? ¿Quieres oír también la historia de otras noches? Porque los meses y los años iban pasando, y tú no me hacías llegar ninguna noticia, y dentro de mí empezaba a arder una llama peor que el fuego del infierno, peor que las llamas que consumen el cuerpo de los pobres desgraciados condenados a morir en la hoguera por la Santa Inquisición. ¿Quieres que te cuente la historia de la casa de Florencia, del palacete situado a orillas del Arno, cerca del puente de la Santísima Trinidad, donde podrías encontrar todavía mi bata, mis chanelas, el peine y el espejo de Venecia que tú me regalaste? ¿Quieres que te hable del palacete que visité en tantas ocasiones, porque yo también tuve mi *casino* y mi palacete secreto durante años, como tú, Giacomo, lo tenías en Murano? ¿Quieres que te cuente todo eso? ¿Quieres pruebas? ¿Quieres que te cuente cómo una muchacha que quería ofrecerle todo al hombre a quien amaba, todo lo que un cuerpo y un alma jóvenes son capaces de ofrecer, se desengaña de su amor y empieza a arder en el mundo como una antorcha, como una antorcha de carne, cabello, sangre y pasiones que arde alimentada por una pasión secreta en la penumbra de la vida y que lo quema todo a su alrededor, y a la que ni siquiera han podido apagar el poder, la fuerza y los cuidados del conde de Parma? ¿Quieres que te cuente qué sucedió cuando una joven se vio obligada a buscar en los abrazos de decenas y de cientos de hombres la ternura que nunca había deseado encontrar en otro sitio que no fuera en los brazos del único hombre a quien amaba, pero que había huido de ella? ¿Quieres nombres, Giacomo? ¿Quieres pruebas? ¿Quieres saber nombres y señas de los caballeros, jardineros, mozos de cuadra, comediantes, jugadores de cartas, músicos que han sido más amables y más humanos conmigo que tú? ¿Quieres saber qué sucedió cuando una joven empezó a vivir en el mundo como una posesa, tocada y marcada por su destino, una joven que había perdido la paz de su corazón porque amaba a alguien que la había herido? Te podría contar todo eso.

—¡No puede ser cierto! —dijo él con voz ronca.

—¿Que no puede ser cierto? —repitió ella, sorprendida, con voz de niña, alargando las palabras—. ¿Y si te diera todas las pruebas, Giacomo? ¿Si te diera nombres, señas y pruebas, entonces me creerías? Porque te puedo dar nombres y señas. ¿Es eso suficiente?

—Es suficiente —respondió él; se levantó, acercó una mano al pecho con un movimiento rápido, sacó el puñal y lo mantuvo agarrado con fuerza.

Pero la mujer no se movió. Se mantuvo de rodillas, con actitud humilde, y, volviendo su máscara de mirada fija hacia él, le dijo en voz baja:

—¡El puñal! ¡La respuesta de siempre, amor mío! ¡La única respuesta que tú sabes dar a las preguntas de la vida! Guarda tu puñal; es una respuesta simple que no explica nada, una respuesta tonta y poco delicada. ¿Por qué me ibas a responder con un puñal si eres cobarde y no te atreves a amarme, si lo que yo te puedo ofrecer no significa una verdadera felicidad ni un verdadero dolor para ti, si todo esto es tan sólo un juego para ti, una representación, una actuación para un artista de paso, una obra maestra creada por un prestidigitador contratado? El puñal no forma parte del contrato, amor mío. Te repito que lo dejes, y tampoco toques tu máscara con las manos temblorosas, estate quieto. ¿Por qué te ibas a quitar la máscara? ¿Qué me puede decir el rostro que se esconde detrás de ella? En mi carta te decía que debía verte, y ahora ya te he visto. No quería ver un rostro, Giacomo, sino a un hombre, al hombre que fue el verdadero hombre de mi vida, el que se mostró cobarde, me vendió y huyó de mí. Quería volver a ver a ese hombre. Porque, por más que haya sabido quién y cómo eres, por más que haya ardido en mí el fuego del infierno durante cinco años, por más que haya tratado de apagar la hoguera de mi humillación con los besos de otros hombres, aunque siempre te haya amado, no lo he conseguido... Por más que haya paseado mi humillación por el mundo, como si fuera un sable ensangrentado llamando a la batalla a todos los que se cruzaban en mi camino, por más que me haya vengado de mi humillación cientos de veces, dentro de mí, en mi fuero interno, siempre he mantenido la esperanza de que algún día tendría la fuerza de quitarte la última máscara para poder verte, para poder verte a ti, como te decía en mi carta, verte y perdonarte. Por eso he aprendido a escribir con el castrado. Por eso te escribí y te mandé la carta. Por eso te he estado esperando y, como no venías porque estabas estableciendo el contrato con el conde de Parma, fiel a tu género, he decidido venir aquí vestida de hombre, con una máscara en el rostro, para volver a verte. Te lo he contado todo y tú has comprendido que todo es cierto, que tú eres el verdadero hombre de mi vida y que yo soy la verdadera mujer de tu vida, la mujer con quien tienes algo en común, la mujer con quien fatalmente tienes que ver, y además te he ofrecido todo lo que soy capaz de dar. Y tú has dicho que es poco y que es mucho. Sin embargo, al final has dicho: «Es suficiente.» Ésas son las palabras que yo quería oír. Ahora atiéndeme bien, amor mío: cada una de las palabras que he pronunciado es cierta. Ahora te he visto, y no te quiero ver de otra forma, debo regresar a mi casa para atender a mis invitados. Tú puedes seguir tus andanzas por el mundo, seguir viviendo, mintiendo, robando oro y robando cuerpos, arrancando todas las faldas que encuentres, revolcándote en todas las camas que halles, fiel a tu género. Sin embargo, despierto y soñando, mientras estés besando y abrazando a otras, sabrás eternamente que yo he sido la verdadera mujer de tu vida, que yo he sido la plenitud, la vida misma, y que tú me heriste y me vendiste. Sabrás también que habrías podido recibirlo todo, todo lo que un hombre puede recibir de la vida, y que te contentaste con establecer un contrato, que fuiste inteligente y cobarde, y que ya no podrás recibir nada más de la vida. Sabrás asimismo que mi cuerpo, que es parte del tuyo, nunca podrá ser tuyo y que sin embargo podrá ser de todos los que me lo pidan. Y sabrás que estoy viviendo en algún lugar, que me están besando otros hombres, y que tú no podrás besarme jamás. Yo también soy fiel, Giacomo, a mi manera. Quería vivir contigo de forma totalmente pura, como la primera pareja vivió en el Paraíso, cuando el pecado aún no existía en el mundo. Quería redimirte de tu destino. No existe sufrimiento, miseria, enfermedad ni humillación que no hubiese compartido contigo. Sabes que todo eso es tan cierto como las Sagradas Escrituras, sabes que es la pura verdad. Lo sabes y callas, fiel a tu acuerdo con el conde de Parma y contigo mismo. Has de saber también que ya te he visto y que te he condenado a ser infeliz, que no habrá ni un segundo en el resto de tu vida en que puedas sentir el dulce sabor de la vida en tus labios; has de saber que tendrás que pensar eternamente en mí, ahora que tú también me has visto y que sabes unas cuantas cosas de mí... aunque no lo sepas todo, porque nuestro tiempo es corto, y no olvides que debo comportarme con el debido pudor y respeto hacia mi sexo y hacia mi nombre y el apellido que llevo. Pero ya sabes unas cuantas cosas de mí. Imagínate el resto, cada día, cada hora, cuando tengas unos momentos entre dos trabajos, entre dos contratos, entre dos obras de arte. Porque de ahora en adelante tendrás que pensar en mí, Giacomo; me siento tranquila porque sé con seguridad que pensarás en mí. Por eso he venido a verte, por eso te he prometido todo, todo lo que una mujer puede prometer a un hombre, y por eso te digo ahora que ni siquiera la fantasía de algún artista corrompido podrá inventar una situación tal que no pueda ser cierta y real para mí en el futuro, en cualquier hora próxima en que tú pienses en mí. Por eso he venido a medianoche, vestida de hombre y con una máscara, con el florete al cinto. Ahora ya puedo regresar a casa, a mi palacio, a una vida que sin ti será una vida a medias. Ya me he convencido de que no puede ser de otra forma. Vive, pues, amigo, vive, viaja y haz tus obras de arte. Tal vez algún día tu vida se convierta en una verdadera obra maestra, en una obra maestra que irradie una luz fría y cruel... Tal vez sea ésa tu ley y quizá sea eso lo más importante para ti. Para mí tú has sido lo más importante, amor mío, y ahora ya sé que después de esta noche un dolor eterno morará en tu corazón, porque no solamente yo te he visto a ti, como deseaba, sino que tú también me has visto a mí, y nunca podrás olvidar ese otro rostro mío, oculto para el mundo detrás de una máscara. Porque la venganza también es un placer. Ahora, Giacomo, todavía no comprendes esa palabra, pero dentro de unos instantes, cuando yo ya no esté en esta habitación, cuando desaparezca de tu vida para siempre, la comprenderás, y desde ese momento toda tu vida se colmará con el significado de esa palabra. Yo no soy nadie, Giacomo, no soy ni artista ni un hombre poderoso; sólo soy una mujer, sólo soy Francesca, de la Toscana, una mujer indigna de ocupar un lugar en tu grandiosa obra maestra. Aun así, ya ocupo un lugar en tu vida, me he asegurado de ello esta noche. Te he hecho comprender que yo he sido la verdadera mujer de tu vida, y sabrás siempre que has rechazado y humillado a la verdadera mujer de tu vida, una mujer que te ha amado y te amará eternamente, pase lo que pase, en cada situación a la que se entregue, obedeciendo a su juramento de venganza. Yo quería jurarte algo distinto, Giacomo, quería hacer contigo un juramento eterno. Pero tú no has querido. Bueno, así ha de ser... Pero desde ahora vivirás de otra manera, amor mío, y un dolor te acompañará toda tu vida, como si hubieses sido envenenado: me he asegurado de ello. Porque yo también tengo mis armas, más delicadas que un puñal. Es verdad, el puñal... Guarda tu puñal, amor mío. Yo no he sido capaz de ser más fuerte que tú, ni en la vida ni en el amor, pero sí en la venganza, así que ya puedes guardar tu puñal. O bien regálamelo, si lo deseas, para que tenga un recuerdo de esta noche... Lo guardaré en Florencia, en mi casa, junto con los otros recuerdos, el peine y el espejo. ¿Quieres que realicemos un intercambio? Mira, yo desenvaino mi florete con empuñadura de oro, el adorno de mi disfraz, y te lo entrego a ti a cambio del puñal según la antigua costumbre por la que, después de una última batalla, dos contrincantes intercambiaban sus armas y sus corazones en señal de paz. Entrégame el puñal como recuerdo. Gracias... Y recibe en su lugar esta arma delicada, llévala contigo a donde vayas. Como ves, Giacomo, hemos intercambiado nuestras armas, ya que no hemos podido intercambiar nuestros corazones. Y ahora ambos regresaremos a nuestro sitio y seguiremos viviendo tal como debemos, ya que tu corazón no ha sabido, no ha podido ni ha querido ser más fuerte que tu carácter y tu género. Gracias por el puñal, amor mío —dijo, levantándose—. Gracias por esta noche. Ahora ya podré vivir más tranquila que durante los últimos cinco años.

¿Volveré a tener noticias tuyas? No lo sé. ¿Seguiré esperándote? Ya te lo he dicho, Giacomo: te esperaré siempre. Porque lo que existe entre nosotros no puede desaparecer con el tiempo. No solamente el amor es eterno, Giacomo: la venganza también, como todos los sentimientos verdaderos.

Se desprendió del florete y se lo entregó, y ató a una de las hebillas doradas de su cinturón el puñal veneciano que él le había tendido sin articular palabra.

—Está amaneciendo —observó la mujer con una voz inocente y cristalina—. Tengo que partir. No me acompañes, Giacomo. Si he encontrado sola el camino que me ha traído hasta ti, sabré encontrar también el camino de vuelta, el camino que me conducirá a mi vida y a mi casa. ¡Qué silencio! El viento ha amainado. Y el fuego, ya lo ves, se ha apagado, como si quisiera decirnos, en el idioma de los fenómenos de la naturaleza, que todas las emociones acabarán convirtiéndose en cenizas. Aunque yo no quiero creerlo así. Y debes saber que esta noche sí que ha habido un encuentro; nos hemos encontrado y nos hemos conocido, aunque no haya ocurrido de la manera en que el conde de Parma se lo imaginaba, en el sentido bíblico de la palabra. Hemos puesto el sello en el contrato, Giacomo; y el sello es que tú ya lo sabes todo, el sello es la venganza. Es un sello poderoso, fuerte como el amor, como la vida y la muerte. Puedes decirle al conde de Parma que has cumplido tu palabra, la palabra fijada en el contrato, que no eres un tramposo, amor mío, que no has flaqueado, que te has merecido el sueldo y la paga. La noche ha terminado, todo ha ocurrido conforme estaba previsto en el contrato: yo te he conocido y ahora vuelvo con el hombre que me ama y que me aguarda, para hacerle más fácil la despedida de la vida. Que tengas buen viaje, que vayas con paso leve por el mundo, Giacomo. Tu género sigue siendo el mismo y has cumplido con lo que te habías comprometido, aunque no exactamente como vosotros dos, tan sabios, habíais previsto; pero al fin y al cabo es el resultado lo que importa, y el resultado es que te he conocido y me he dado cuenta de que no tengo verdadero poder sobre tu corazón, así que no puedo sino resignarme a mi destino y soportar el hecho de que no tengo más poder sobre ti que el de la venganza. Llévate esta confesión y esta promesa en tu viaje, que será largo y seguramente variado e interesante. Pero antes de despedirnos te pediré una última cosa: te he escrito una carta, algo verdaderamente inusitado en mi vida. Si alguna vez sientes que has comprendido mi carta y quieres responderla, no seas perezoso ni cobarde, respóndeme como es debido y humedece la pluma en la tinta, como un escritor experimentado. ¿Me lo prometes? —Como él callaba, añadió—: ¿Callas, Giacomo? ¿Tanto miedo tienes a contestarme?

—Sabes bien —dijo él muy despacio, con voz ronca— que, si alguna vez te contesto, no escribiré esa respuesta humedeciendo la pluma en tinta.

Ella se encogió de hombros y, sonriendo suavemente, repuso con calma y ligereza:

—Sí, lo sé. ¿Qué puedo hacer?... Viviré y esperaré la respuesta a mi carta, amor mío.

Se dirigió hacia la puerta, pero se detuvo en medio de la sala y agregó con afabilidad, en una amable súplica:

—El juego y la exhibición han terminado, Giacomo. Regresemos a nuestras vidas, quitémonos los disfraces y las máscaras. Todo ha ocurrido como tú lo has querido. Seguramente habrá ocurrido según alguna ley. Sin embargo, has de saber que también ha ocurrido como yo lo he querido: te he visto, te he consolado y te he hecho daño. —Se volvió, se alzó de puntillas para contemplarse mejor en el espejo, y se arregló el sombrero de tres picos sobre la peluca. A continuación, con una ternura casi confidencial, dijo—: Espero no haberte hecho demasiado daño.

No aguardó la respuesta. Salió de la habitación con paso rápido y decidido, sin mirar hacia atrás, y cerró la puerta tras de sí.

La respuesta

La estancia se había enfriado, las velas se habían consumido hasta el final y desprendían un humo acre. El hombre se quitó la falda, se despojó del sostén, se arrancó la máscara y arrojó la peluca al suelo. Luego entró en la alcoba y se acercó a la palangana, se echó agua helada en las palmas de las manos desde la jarra de plata, y empezó a lavarse concienzuda y meticulosamente.

Retiró el maquillaje, los polvos de arroz y el carmín de los labios con el agua fría, y se quitó también el falso lunar de la barbilla y el hollín de las cejas. Se echaba el agua con movimientos rápidos, y su contacto helado le escocía el rostro como si lo estuviera golpeando. Se pasó los diez dedos por el cabello, se frotó la cara con la áspera toalla hasta enrojecer, encendió otras velas y, bajo su luz, acercándose al espejo, se examinó con una mirada cuidadosa y experta para ver si quedaba algún rastro de maquillaje en su rostro. Le había crecido la barba y tenía la cara arrugada y pálida, con unas profundas bolsas oscuras debajo de los ojos, como si acabase de llegar de una fiesta donde se hubiera emborrachado. Tiró todo lo que le había servido de disfraz y de máscara, y empezó a vestirse con gestos veloces, resueltos y rutinarios.

En algún lugar tañían las campanas. Se puso la ropa de viaje, una camisa gruesa y medias gordas, se echó por los hombros su amplia capa y paseó la mirada por la habitación. La comida y la bebida permanecían intactas encima de la mesa, dispuesta con mantel de damasco y cubiertos de plata, aunque la nieve se había fundido en el platito y los trozos de mantequilla flotaban sin rumbo en el agua como grasientas flores orientales en un minúsculo lago artificial. Cogió el pollo frío, lo partió y empezó a devorarlo, crispado y ansioso. Luego tiró los huesos, se limpió en el mantel los dedos manchados, cogió la jarra de cristal llena de vino dorado y se lo bebió todo. Bebía despacio, a grandes tragos, echando la cabeza hacia atrás, observando en el espejo cómo se le movía la nuez, que bajaba y subía. Se limpió la boca con el dorso de la mano y tiró al suelo la jarra, que se hizo añicos con estrépito. A continuación gritó con una voz ronca por el vino:

—¡Balbi!

El fraile entró enseguida, como si hubiese estado esperando la llamada. Estaba ya dispuesto para la partida; llevaba una espesa capa marrón, botas de suela gruesa con clavos, y un zurrón bajo el brazo que mantenía apretado contra sí con tanta ternura y preocupación como si fuera una madre sujetando a su bebé. Detrás de él entró Teresa, que cruzó la habitación de puntillas, sin preguntar nada y sin mirar a nadie, y se arrodilló delante de los cristales de la jarra rota; empezó a recogerlos con movimientos minuciosos y pausados, y los fue colocando en la falda de su delantal.

—¿Está todo listo para el viaje? —le preguntó Giacomo al fraile.

—Ya están aparejando a los caballos.

—¿Has recogido tus cosas? —le preguntó a la muchacha.

—No, señor —respondió ella con una dócil ternura especialmente apropiada para la frase negativa—. No iré contigo.

Estaba delante de la chimenea, con la cabeza echada a un lado y los pedazos de cristal en la falda de su delantal, mirando tranquilamente al hombre con los ojos azules muy abiertos, perdidos.

—¿Por qué no quieres venir conmigo? —dijo él con ligereza, inclinando la cabeza hacia atrás en un gesto de vanidad—. Aseguraré tu futuro.

—Porque no me amas —repuso la muchacha con voz de colegiala, pronunciando cada sílaba por separado, como si estuviera cantando, recitando una lección o hablando en sueños.

—¿Acaso amo a otra persona? —replicó él.

—Sí.

—¿A quién? —inquirió con curiosidad, como si estuviera interrogando a una niña, una niña que supiera un secreto y se dispusiera a revelarlo.

—A la dama que acaba de irse de aquí, vestida de hombre —contestó ella.

—¿Estás segura? —exclamó él, muy sorprendido.

—Totalmente.

—¿Cómo lo sabes?

—Puedo sentirlo. No amas a nadie más que a ella. No amarás a nadie más, nunca. Por eso no iré contigo. Déjame salir, señor.

Pero no se movió. Balbi estaba en la puerta, mudo, con las gordas manos cruzadas sobre la panza, observando con interés mientras giraba los pulgares lentamente. Él se acercó a la criada y le acarició la frente y el cabello con un gesto muy tierno, distraído.

—Espera —dijo—. No te vayas todavía. Quizá los ángeles estén hablando por tu boca.

Despojándose de la capa de viaje, se sentó en el sillón, hizo que la muchacha se sentase en sus rodillas y miró gravemente sus ojos azules, perdidos pero solícitos.

—Siéntate, Balbi —le ordenó a éste después—. Allí, junto a la mesa. Encontrarás pluma, papel y polvos secantes. Escribe lo que te voy a dictar.

El fraile se sentó sin decir palabra, con dificultad, encendió una vela, examinó la pluma bajo su luz vacilante y dirigió la vista al techo en actitud de espera.

—Escribe: «Estimado conde, su excelencia.» Ten cuidado con las letras, escribe bien. Dictaré despacio para que tengas tiempo de dibujar con cuidado cada letra. ¿Estás listo? Vamos a empezar. «En esta temprana hora estoy preparado para abandonar la ciudad. La abandonaré sin sueldo ni paga, y como compensación por mis servicios sólo le pediré un favor. Su excelencia ya ha realizado una vez la tarea de mensajero; le pido que la realice de nuevo, como despedida, y que le diga a la condesa de Parma que le ruego a Dios y a todos los poderes del cielo y el infierno que nos guarden, a ella y a mí, ahora y en el futuro, de encontrarnos. Pídale, por favor, excelencia, en el nombre de Dios, como si su vida dependiera de ello, que evite mi encuentro durante el resto de su vida, y que procure que no volvamos a vernos las caras, ni con máscara ni sin ella. Eso es lo único que le pido. Porque según las leyes humanas yo viviré más tiempo que su excelencia, y se lo digo con todo el respeto y sin intención de ofenderlo; viviré más tiempo, según las leyes de mi naturaleza y las leyes de las cosas humanas, y el cuerpo de su excelencia se pudrirá en el panteón de sus antepasados cuando Francesca y yo sigamos vivos, y ya no habrá nadie que la cuide, nadie que cuide a la mujer que los dos hemos amado, cada uno a nuestra manera, según nuestro destino y nuestro contrato. Por eso le pido que le diga a esa mujer, a quien no volveré a dirigir la palabra, ni escribiré nunca jamás, que haga todo lo posible e imposible por evitarme, como si yo fuera la peste o el diluvio, como si encarnara el pecado o la calumnia; que haga todo por evitarme y pueda así salvar algo que es más importante incluso que su vida: su alma. Sólo su excelencia sabrá decírselo. Mi carroza ya está preparada; dentro de una hora abandonaré la ciudad y antes de esta noche cruzaré las fronteras del Estado. La condesa de Parma ya le contará a su excelencia, en sus horas tiernas o simplemente sinceras y confidenciales, que yo he cumplido con todo según el acuerdo de nuestro contrato, aunque no tal como lo habíamos imaginado, no tal como acostumbro a hacerlo y como yo lo había calculado, pero sólo importa el resultado, y el resultado es que he mantenido mi palabra, que la condesa de Parma ha regresado a su casa con las primeras luces del alba, tocada y curada, y que me ha superado, ha superado la peste y la fiebre amarilla, y ahora seguirá viviendo al lado de su excelencia, sin mí, como es correcto, con el recuerdo de mi cruel y peligrosa persona cada vez más borroso en el corazón. Porque todo lo que había entre nosotros de pasión y emoción se ha diluido durante nuestro encuentro, y ahora seré yo quien cargará con todo lo que en ese amor fue fiebre y ofensa, y la condesa de Parma podrá sacrificar su vida con tranquilidad al cuidado de su excelencia, para iluminar los últimos días de un marido tan sabio.» ¿Ya lo has puesto?... ¡Espera! Vamos a poner mejor esto: «... los últimos meses...» Así suena más cortés y humano; acuérdate, Balbi, y tú también, hija, de que las grandes batallas de la vida, incluso en los momentos más críticos, deben librarse con las armas de la cortesía; sólo así serán dignas de nosotros si queremos mantener nuestra honra y nuestro orgullo, nuestra dignidad humana. ¿Dónde lo hemos dejado? «... para iluminar los últimos meses de un marido tan sabio. Porque, si yo no caigo muerto en algún camino, víctima de un asesino a sueldo o de algún accidente de la vida (porque la vida es para mí un accidente, como su excelencia tan bien lo ha expresado, y yo deseo mantenerme en mi puesto con uñas y dientes en medio de tal accidente), viviré más tiempo que su excelencia, y cada día de mi vida será un peligro para el alma de Francesca. Éste es mi mensaje para ella. Todo lo demás de lo que pudiera informarle habla por sí mismo: me voy de esta ciudad como acordamos, y la condesa de Parma ha vuelto a su hogar después de su aventura, una aventura blanca como la nieve recién caída o las nubes de primavera. Es verdad que, según las enseñanzas científicas más recientes, el color blanco recoge en él todos los demás, desde el púrpura de la sangre hasta el negro del luto más riguroso; así lo he aprendido en los libros científicos, y se lo digo por si acaso. La aventura ha sido nívea, excelencia, y no obstante ha encerrado en sí misma todos los colores que expresan y significan algo para las personas que vivimos en este mundo. Su excelencia quería asegurarse la paz y la curación de Francesca, quería que ella se liberara del hechizo del amor y que viviera sin recuerdos ni deseos al lado de su noble esposo. Eso está asegurado, y yo puedo proseguir mi camino. No digo que me vaya con el corazón ligero. No digo tampoco que me vaya orgulloso, frotándome las manos de satisfacción como después de un trabajo bien hecho, tras haberme embolsado el sueldo o la paga, esperando cruzar la frontera cuanto antes para enfrentarme al reto de nuevas tareas, géneros y contratos del mismo jaez. He examinado mi corazón, y sólo puedo afirmar que la atadura que hemos pretendido romper con palabras y cortar con puñal es más fuerte de lo que era el día anterior, que esa atadura que me mantiene unido a la condesa de Parma es más fuerte de lo que nunca fue. Parece que lo atado por los dioses no lo pueden desatar los hombres con sus manos, ni con habilidad, ni con ternura, ni con violencia. Por eso la condesa tiene que cuidar su alma, por eso tiene que evitar encontrarse conmigo en el futuro. El fuego se apaga, como dijo la condesa, y todas las pasiones acaban convirtiéndose en ceniza, mas yo debo decirle como despedida que hay un fuego y una pasión que no están alimentados por el hechizo del momento, por los sentidos o la curiosidad, por la egolatría o la ambición; que hay un fuego fatal en la vida humana cuyas ascuas no pueden ser extinguidas ni por la rutina ni por el aburrimiento, ni por la satisfacción ni por la curiosidad coqueta, por nada en el mundo; un fuego cuyas ascuas no podemos extinguir ni nosotros mismos. Ese fuego fue robado del cielo por manos humanas, y los dioses envidian eternamente por ello a los ladrones. Ese fuego arderá en mi corazón, y yo no quiero extinguirlo, me traiga lo que me traiga la vida; y, por más que me mantenga fiel a mi carácter y a mi género artístico, sabré que ese fuego no se consumirá y que será siempre el contenido de mi vida. No he podido decirle nada de esto a la condesa porque no quería actuar como un tramposo, porque quería mantenerme dentro de los límites de mi género y de nuestro contrato. No le he dicho "Sólo a ti para siempre", como suelen decir los enamorados; he mantenido mi palabra, y únicamente su excelencia podrá decirle algún día a la condesa de Parma que también el comediante sabe en esas ocasiones actuar como un héroe, cuando obedece las reglas y las normas de la exhibición, cuando se calla las palabras que arden en su corazón y sus labios, unas palabras cuya verdad es: "Sólo a ti para siempre." No he llegado a pronunciar esas palabras eternas y vulgares de confesión y de deseo, y esas palabras que no he pronunciado hallarán su eco en el alma de ella y en la mía para siempre; por eso las escribo ahora en mi informe como despedida, según convenimos, con exactitud y fidelidad. La exhibición se ha desarrollado debidamente, su excelencia, y la representación ha llegado a su fin. Pero lo que no ha llegado a su fin, y nunca podrá llegar, lo que toda la fuerza y el secreto poder, todas las minuciosas previsiones y las sabias explicaciones filológicas de su excelencia son incapaces de disolver y de aniquilar, es precisamente esto: la aceptación de que el fuego y las ascuas que el destino divino han encendido y alimentado en el corazón humano no pueden ser apagados por las manos de ningún hombre, por más hábiles que sean. Y lo que tampoco pude decir por no mostrarme tramposo fue esto: hay cierto sacrificio, cierto servicio en el amor que es más grande y más verdadero que las declaraciones ardientes y los pequeños robos, más que el "Sólo-a-ti-para-siempre"», pon estas palabras con guiones, ¿de acuerdo?..., «hay cierto amor que no pretende quitar nada al otro, sino darle, que no pretende hacer daño sino proteger; quizá sea ése el verdadero amor, y para mi mayor sorpresa ése es el sentimiento que custodia el recuerdo de la condesa de Parma en mi corazón. Porque nada hay más fácil que raptar de su mundo a la persona amada. Nada hay más fácil para el comediante experimentado que un juramento y unas lágrimas; una aventura colmada, una gran pirueta, el baile de un fauno y una ninfa, animado por la música de flautas y siringas. Puedo afirmar sin ufanarme que conozco esta solución; la he llevado a feliz término unas cuantas veces en mi vida, y la volveré a llevar a término si las ninfas y los dioses piadosos y juguetones me lo permiten. Nada hubiera sido más fácil para mí..., y eso es lo que sólo su excelencia sabrá contarle un día a la condesa de Parma; me vi obligado a callar porque no quería que las palabras se hicieran realidad y se convirtieran en actos. Nada hubiera sido más fácil que entregarme a mis impulsos en vez de responder "es mucho", o "es poco" a las palabras pronunciadas en unos momentos de arrebato por una mujer enamorada y herida; nada más fácil que actuar en vez de aceptar su venganza, puesto que toda mi vida se ha desarrollado bajo el signo de la actuación, y nunca ha habido una distancia tal entre mis deseos y mis actos, gracias a Dios», pon aquí un punto y coma, «; y puedo decirlo con toda tranquilidad y sin falsa modestia. Sin embargo, siempre he sabido algo que la condesa de Parma, esa niña enferma de amor, todavía no puede saber; siempre he sabido quién soy, lo que tenía que hacer aquí en la tierra, cuál era mi destino y cuál era mi papel, y siempre he sabido también que la llama que me mantiene vivo y me enardece es un fuego letal para los que se acerquen sin cuidado. Nada habría sido más fácil para mí que aceptar su regalo, pagar con mi cuerpo por el suyo, con mi alma por la suya, y raptar a la Mujer», ponlo con mayúscula, «que es para mí la Verdadera. Además, también sé algo que la condesa de Parma tampoco puede saber todavía: sé que la Mujer Verdadera y el Hombre Verdadero sólo sobreviven protegidos por el velo secreto y misterioso del deseo y el anhelo. Por eso no le he quitado su velo, por eso no he dejado que la luz de la realidad bañara su misterioso rostro. Ahora regreso a esa realidad que es poliédrica, y cuyos sabores y perfumes conozco tan bien que a veces se me llena la boca de amargura, sin esperar ni milagros ni redención alguna. ¡Que la paz esté con nosotros, excelencia! Somos humanos, y esa dignidad nos obliga a conocer nuestros corazones y nuestros destinos. No es una tarea fácil. Hay dos antídotos divinos que pueden ayudarnos a soportar el veneno de la realidad sin que tengamos que morir antes de tiempo: la razón y el escepticismo. Nosotros dos, dos hombres que hemos conocido este secreto, que hemos conocido la Realidad y también a la Mujer Verdadera, lo comprendemos. Pero un corazón joven y herido, palpitante e impetuoso, ni puede ni debe comprenderlo, y por ello aceptamos sin protestar sus acusaciones y su venganza de por vida. Por eso ahora, antes de desaparecer en la niebla que cubre los caminos de montaña, en las ciudades y el futuro desconocidos, antes de desaparecer en mi destino que es real, le vuelvo a rogar a ella como despedida que evite cruzarse en mi camino si quiere asegurar la salvación de su alma. Porque la bondad y la experiencia, la rutina y la compasión son sólo instrumentos que nos sirven en ocasiones para disciplinar nuestros corazones, aunque debajo de los propósitos que dirigen nuestros pasos se esconde un imperativo más poderoso cuyos hechizos no pueden ser excitados sin consecuencias. ¡Que tenga unos meses muy felices, excelencia! Espero que ninguno de los dos se haya desengañado del otro. Si algún día, en un futuro no muy cercano, cuando unas emociones más suaves y el milagroso bálsamo del olvido hayan consolado el joven corazón que ambos queremos tanto, se hablara de mí durante una tierna conversación, le pido, por favor, que le diga a ella que llevaré a todas partes el florete que me ha regalado a cambio de mi puñal, y que lo usaré con habilidad, sin avergonzarla. Le ruego que le diga eso para que lo sepa con toda certeza. A lo mejor tengo que ensartar su florete en algún corazón, pero dígale que puede estar tranquila porque en tales momentos mi mano estará fría y segura. Porque esa mano que ella desprecia ahora tan profundamente sólo ha temblado una vez, cuando la paralizaron la bondad, la comprensión y la compasión, y no se extendió para alcanzarla a ella, a la Verdadera Mujer de mi vida. Y en su lecho de muerte, excelencia, cuando busque la última palabra, dígale las que serán a un tiempo su despedida y mi mensaje silenciado: "Sólo a ti para siempre"».

Susurró las últimas palabras al oído de la muchacha, con calma, de manera que Balbi también las pudiera oír.

Luego se levantó, alzando con las dos manos el cuerpo de la joven, y la dejó en el suelo sin prestarle atención, como si de un objeto se tratase. Distraído, miró a su alrededor, cogió el florete de la mesa y lo colgó del cinturón.

—¡Y ahora ponlo en limpio! —le dijo a Balbi.

Se acercó a la ventana, la abrió y, con una dura voz de lobo, para que se escuchara bien su orden, gritó hacia abajo, al aire húmedo y gris:

—¡Los caballos!...

Se echó la capa por los hombros y salió de la habitación. Sus pasos resonaron por el pasillo. Abajo, el patio se despertaba entre relinchos, entrechocar de botellas y chirriar de ruedas. La muchacha también salió, con los cristales en la falda del delantal, aceleró el paso y corrió por la escalera detrás del hombre que se alejaba, como si hubiese comprendido algo de repente, como si se hubiese acordado de algo. En la estancia sólo quedaba el fraile. Escribía con mucho cuidado, frunciendo las tupidas cejas, abriendo los labios, pronunciando en alta voz lo que copiaba: «¡Sólo a ti para siempre!» Cuando terminó, arrojó la pluma, se recostó en el sillón y contempló su obra con deleite; cruzó los brazos sobre el pecho y empezó a reírse a carcajadas.

Índice

Impreso en Litografía Rosés, S.A.
Energía, 11-27 (Polígono La Post)
08850 Gavà (Barcelona)